Évelyne Bérard
Yves Canier
Christian Lave

Tempo 1

Guide pédagogique

Avec la collaboration de

Muriel Piquet

et

Jean-Paul Basaille
(fiche pédagogique de phonétique)

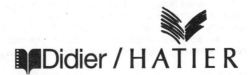

Didier / HATIER

SOMMAIRE

Couverture : Studio Favre & Lhaïk
Crédits photographiques : DR - Diaf/Brand - Marco Polo/F. Bouillot - Fotogram-Stone/Truchet
Stone/Truchet

© Les Éditions Didier, Paris 1997   ISBN 2-278-04426-5   Imprimé en France

AVANT-PROPOS

1. CONCEPTION :

Tempo est une méthode organisée à partir d'objectifs de communication.

Un bloc de trois unités permet à l'élève d'atteindre un objectif de communication large.

Qui dit objectif dit évaluation : **après chaque bloc de trois unités**, nous proposons **une évaluation** qui porte sur les **quatre aptitudes** : compréhension orale, expression orale, compréhension écrite, expression écrite.

L'apprentissage du français se fait à travers une série d'activités variées, afin de toujours maintenir la motivation des élèves : les douze unités ne sont pas organisées selon un schéma répétitif, mais l'élève peut cependant retrouver des formes d'activités connues. Tous les points à acquérir sont travaillés d'une manière progressive.

Tempo demande aux élèves une **attitude active** à travers la réalisation de tâches bien définies.

L'acquisition d'outils grammaticaux, lexicaux et phonétiques permettra d'atteindre, à moyen et à long terme, l'**objectif final qui est la communication**. L'élève peut se référer facilement à des tableaux de synthèse qui lui fournissent les informations dont il a besoin sur la langue et la communication qui est, au bout du compte, l'objectif à atteindre.

Les **aspects culturels** sont présents et, là aussi, sont présentés de telle sorte qu'ils demandent aux apprenants d'**exercer leurs capacités de réflexion**.

Si les premières unités mettent l'accent sur la compréhension et sur l'oral, l'équilibre compréhension/expression est ensuite rétabli et les activités de liaison entre oral/écrit sont nombreuses.

Les documents présentés, fabriqués ou authentiques, veulent être proches de la réalité de la communication afin que les élèves puissent être mis progressivement en contact réel avec la langue étrangère. Cette option peut paraître difficile mais c'est dans le traitement de dialogues, de petits textes, dans les tâches demandées que se situera la facilitation et l'accès progressif à la langue étrangère.

Revenons un instant sur la progression de *Tempo* :

La progression de *Tempo* prend en compte **deux éléments** :

– l'organisation des contenus autour d'objectifs de communication ;

– la progression de l'élève qui, pour acquérir un véritable savoir-faire linguistique, a besoin de mémoriser, de comprendre un fonctionnement différent de celui de sa langue, d'essayer de produire des énoncés courts au début, d'utiliser la langue dans des interactions. *Tempo* permet de revenir sans cesse sur ce qui a été vu, mais, dans votre pratique de la méthode, **vous essaierez de favoriser tous ces retours nécessaires à l'apprentissage** et vous n'oublierez pas qu'il **faut hiérarchiser les éléments de la langue étrangère**, que l'on a besoin de se familiariser avec les sons, les structures, les règles d'utilisation puis d'analyser pour que chacun puisse reconstruire et s'approprier ce qu'il apprend.

2. LES ACTIVITÉS DE *TEMPO* :

MISE EN ROUTE :

Activité de sensibilisation, axée sur la compréhension d'une situation pour développer chez l'élève les capacités d'utiliser tous les éléments qui facilitent la **compréhension globale** :
– les images ;
– le son : les voix, les bruitages, l'ambiance sonore ;
– les connaissances antérieures : on peut anticiper ce qui va être dit si l'on connaît la situation.

Très souvent, la tâche demandée aux élèves est de **mettre en relation plusieurs éléments** : son-image ; son-image-texte.

Il faut **favoriser** de la part des élèves l'**expression d'hypothèses** et **accepter leurs propositions sans tenir compte de la correction de leurs productions** : elles doivent seulement être compréhensibles par l'ensemble du groupe-classe.

Ces activités demanderont aux élèves de s'exercer à plusieurs types de compréhension :
– compréhension globale du dialogue, du texte ;
– compréhension du déroulement de la conversation ;
– compréhension analytique : recherche d'informations particulières.
Vous préciserez bien à chaque fois la consigne et vérifierez qu'elle est comprise par l'ensemble des élèves.

COMPRÉHENSION :

Les activités de compréhension sont **destinées à faire identifier** par les élèves des **informations plus analytiques et précises**.
1. L'activité proposée (questionnaire à choix multiples, grille à remplir, mise en relation image/dialogue ou texte, questionnaire vrai/faux, production d'un schéma) a pour objectif de faire retrouver progressivement le sens d'un échange en travaillant sur son déroulement.
2. En utilisant le même type de tâches à réaliser, la compréhension peut être centrée sur le repérage d'éléments de même nature :
   – des phénomènes liés à la situation de communication (relations interpersonnelles) ou à des actes de parole ;
   – des éléments liés à la même notion (temps, espace par exemple) ;
   – des unités grammaticales (pronoms, mots interrogatifs).

Cette phase a donc pour objectif d'apprentissage d'aider les apprenants à repérer des unités qui, lorsqu'elles sont mises en relation, permettent de **construire le sens**.

Elle peut également être orientée vers une première analyse d'éléments notionnels ou grammaticaux pour passer ensuite à une systématisation.

Il est conseillé de faire des allers-retours entre compréhension globale et compréhension analytique pour ne pas perdre de vue le sens et pour ne pas expliquer mot à mot.

MISE EN FORME :

Cette rubrique comporte **plusieurs types d'activités** :
1. **Des tableaux** qui expliquent le fonctionnement de certains points de grammaire ou de communication. Les apprenants trouveront des informations auxquelles ils peuvent se référer avec des exemples, ainsi que des règles de fonctionnement.
2. **Des exercices** (entraînement) qui permettent de faire un travail plus systématique. Les exercices inclus dans les unités peuvent être complétés par les exercices qui se trouvent à la fin de chaque bloc de trois unités et par ceux du cahier d'exercices.

. **Des activités de phonétique**, qui portent sur l'intonation (vous pouvez également utiliser certains dialogues pour cela) et sur les différents phonèmes.

Toutes les activités de mise en forme ont pour objectif de passer à une systématisation de la matière présentée dans *Mise en route* et *Compréhension*.

Vous essaierez, à travers ces activités, **d'aider les élèves à structurer leurs acquis**, tout en sachant qu'ils intègrent progressivement les contenus et qu'en fonction de leurs difficultés, il est souhaitable de revenir plusieurs fois sur le même point.

À VOUS :

Cette rubrique regroupe toutes les activités d'expression, à partir d'images, d'amorces de dialogues servant de déclencheurs, ou de consignes qui permettent de mettre en place des simulations.

En fonction de vos conditions de travail (nombre d'élèves, conditions matérielles…), **vous pourrez développer ou non cette rubrique**.

Pour les simulations, elles peuvent être conduites de la façon suivante :
- donner la consigne, vérifier qu'elle est comprise ;
- demander aux apprenants de préparer par petits groupes mais sans écrire le dialogue ;
- les apprenants qui le souhaitent proposent leurs dialogues à l'ensemble du groupe ;
- vous demandez au groupe d'évaluer après chaque simulation ;
- pour **la correction**, vous relevez **les erreurs en proposant une certaine hiérarchie** :
  - erreurs liées à la situation de communication (par exemple, mauvaise utilisation de « tu » ou « vous ») ;
  - erreurs liées à la phonétique : les relever ponctuellement mais renvoyer plutôt à des exercices ;
  - erreurs de syntaxe : il est souvent difficile de tout corriger. Vous privilégierez la correction des points liés aux contenus de l'unité en essayant de les regrouper (par exemple, erreurs sur les pronoms, sur les temps) en proposant une activité complémentaire (cahier d'exercices) si c'est nécessaire.

ÉCRIT :

Le livre de l'élève propose certaines activités spécifiques de compréhension, analyse, production de messages écrits, plus nombreux dans la deuxième partie du livre. Cependant, l'écrit est présent tout au long du livre dans une perspective d'imprégnation.

Ces activités ont pour objectif de travailler surtout sur la cohérence des messages écrits dans une situation donnée. Vous ferez attention dans l'évaluation à tous les aspects de ces écrits :
- disposition graphique ;
- cohérence par rapport aux interlocuteurs ;
- degré de compréhension du message.

Pour corriger, vous pouvez utiliser plusieurs procédures :
- correction collective en utilisant, par exemple, le rétroprojecteur ;
- correction par groupes d'élèves échangeant leurs productions ;
- correction individuelle.

CIVILISATION :

Les différents thèmes de civilisation sont traités à travers des activités. Vous encouragerez les élèves à rechercher des informations, **à faire des parallèles avec ce qui se passe dans leur propre pays et leur culture sur le même thème**.

PAGES 7, 8, 9, 10

OBJECTIFS :

Prise de contact avec la langue française.

FICHE FLASH ≈ 45 MINUTES

Commencer par l'activité qui vous plaît ou qui plaît le plus au groupe. Vous pouvez faire les huit activités ou en sélectionner quelques-unes.

L'objectif des activités 1-2-3-5 est l'identification du français parmi d'autres langues.

Les activités 4-6-7-8 permettent aux élèves de prendre conscience qu'ils comprennent souvent plus qu'ils ne le croient. Pour la compréhension, ils peuvent s'appuyer sur la reconnaissance écrite de mots qui existent déjà dans leur langue, effectuer des rapprochements, se laisser guider par leur intuition, les gestes, l'intonation, les situations.

CONSEILS... SUGGESTIONS... REMARQUES...

1. Une leçon 0 s'adresse à de vrais débutants. Si vous avez des élèves faux débutants, ne traitez pas de la totalité de l'unité mais sélectionnez les activités qui sont susceptibles de les intéresser. Vous pouvez même ne pas traiter du tout l'unité 0 et commencer par l'activité de la page 11.

Une leçon 0 a comme objectif :
– de rassurer les élèves ;
– de les amener à s'appuyer sur leurs connaissances antérieures pour émettre des hypothèses, construire du sens.

Cette prise de conscience des savoir-faire de chacun doit faciliter l'apprentissage de la langue.

La démarche à adapter est de type déductive.

La leçon 0 est pour vous l'occasion privilégiée de donner le ton que vous souhaitez au cours que vous allez animer.

2. La durée que nous indiquons en haut des fiches flash est approximative. Elle dépend du nombre d'élèves et de leur niveau.

CORRECTIONS :

ACTIVITÉ 1

Écoutez les enregistrements et dites lequel est en français.

On peut demander aux élèves quels mots ils reconnaissent dans tous ces enregistrements.

Dans l'ordre, les langues entendues sont : grec, espagnol, arabe, portugais (brésilien), français, russe, anglais, polonais, turc, allemand, italien, japonais.

ACTIVITÉ 2

Associez la langue entendue à un drapeau.

Ce classement suit celui des langues entendues. c-i-l-h-f-j-e-d-k-g-a-b.

ACTIVITÉ 3

Écoutez à nouveau et identifiez la langue entendue.

7 - 10 - 1 - 6 - 12 - 2 - 5 - 3 - 11 - 9 - 4 - 8.

ACTIVITÉ 6

Écoutez les extraits sonores et dites à quelle image ils correspondent.
1-e, 2-c, 3-f, 4-a, 5-d, 6-b.

ACTIVITÉ 7

Dites ce que vous avez entendu.

Les phrases enregistrées sont très pratiques et constituent dès le départ des outils immédiatement réutilisables dans la classe (cf. la transcription).

ACTIVITÉ 8

À votre avis, dans quels pays ces photos ont-elles été prises ?

Attirer l'attention des apprenants sur les détails qui constituent de véritables indices pour émettre des hypothèses sur les pays où les photos ont été prises.

RESSOURCES :
– 1 série d'enregistrements, de photos, de textes et une liste de mots.

TRANSCRIPTIONS :

Activité 6
1. – La poste, c'est ici ?
2. – Garçon, deux cafés.
3. – Entrez, monsieur.
4. – Bonjour, il fait beau !
5. – Au revoir, à bientôt.
6. – Bon appétit.

Activité 7
1. – C'est difficile.
2. – Je n'ai pas compris.
3. – À vous !
4. – Vous comprenez ?
5. – Écoutez, s'il vous plaît.
6. – Répétez, s'il vous plaît.
7. – Moins vite, s'il vous plaît.
8. – Travaillez par deux.
9. – Encore une fois.

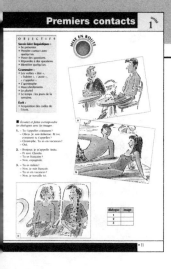

OBJECTIFS :

– Repérer les manières de se saluer et de faire connaissance dans des situations peu formelles.
– Attirer l'attention des apprenants sur les images, le son (dialogues et bruitages) et leur faire émettre des hypothèses sur le lieu et le contexte dans lesquels se réalisent les trois conversations.

FICHE FLASH   ≈ 15 MINUTES

1. Faire écouter une fois les trois dialogues.
2. Faire écouter le dialogue 1, demander à quelle image il correspond, ne pas rejeter les hypothèses des élèves même si elles sont fausses, leur faire expliciter par des gestes des éléments de leur langue maternelle et reformuler ces hypothèses d'une manière simple en français.
   Procéder de la même façon pour les dialogues 2 et 3.
3. Faire écouter une dernière fois chaque dialogue en identifiant les personnages ou leur nationalité.

CONSEILS... SUGGESTIONS... REMARQUES...

Les activités de mise en route sensibilisent les apprenants à l'objectif de l'unité ou à un sous-objectif. Comme pour chacune des activités de la méthode, il est essentiel que les apprenants réalisent la tâche fixée dans la consigne : par exemple, faire correspondre un dialogue avec une image. Dans ce cas, on ne demandera pas aux élèves de comprendre de façon détaillée l'intégralité de chaque dialogue.

Dans ce type d'activités, on visera surtout à développer chez les apprenants leur capacité d'utiliser toutes les ressources possibles, tous les indices dont ils disposent pour parvenir à une compréhension globale : les images, le son, les attitudes des personnages, leurs relations, le lieu où ils se trouvent.
Ces éléments extra-linguistiques facilitent la compréhension.
En début d'apprentissage, il s'agit de plonger les apprenants dans un bain linguistique et de les amener à prendre conscience que l'on comprend toujours plus que l'on ne croit. Il faut s'appuyer, quand c'est possible, sur ce qu'on appelle la transparence des langues.
A vous d'évaluer le nombre d'écoutes nécessaires. En fin d'unité vous pouvez faire réécouter les dialogues de départ afin que les élèves évaluent eux-mêmes leur progression.

CORRECTIONS :

Écoutez et faites correspondre les dialogues avec les images :

dialogue	image
1	image b Olivia/Christophe
2	image c Anita/Claudia
3	image a Français/Italien

RESSOURCES :
– 3 images dans le livre de l'élève.
– 3 dialogues enregistrés.

TRANSCRIPTIONS :

Mise en route

1. – Tu t'appelles comment ?
   – Olivia. Je suis italienne. Et toi, comment tu t'appelles ?
   – Christophe. Tu es en vacances ?
   – Oui.
2. – Bonjour, je m'appelle Anita.
   – Et moi, Claudia.
   – Tu es française ?
   – Non, espagnole.
3. – Tu es italien ?
   – Non, je suis français.
   – Tu es en vacances ?
   – Non, je travaille ici.

COMPRÉHENSION

OBJECTIFS :
– Reconnaissance de diverses situations de prise de contact se réalisant dans des contextes différents.
– Prise en compte de la variété des interrelations (formelles, amicales, adultes/adultes, adultes/enfants, jeunes).

FICHE FLASH   ≈10 MINUTES

1. Faire écouter deux à trois fois le dialogue témoin, faire repérer si possible le nom, la ville, la nationalité, la profession.

2. Travailler ensuite à partir des images et faire trouver où se déroule chaque conversation (aéroport, rue, école, discothèque) ; les élèves s'exprimeront comme ils le peuvent, éventuellement dans leur langue maternelle. On leur donnera le vocabulaire dont ils ont besoin en travaillant l'énoncé « Comment dit-on en français ? ».

3. Après ce premier travail, on fera écouter le 1er dialogue deux fois et on leur demandera de proposer une image correspondante en leur laissant formuler leurs hypothèses. On procédera de la même manière pour les trois autres dialogues jusqu'à ce qu'ils puissent remplir la grille.

RESSOURCES :
– 1 image + dialogue témoin.
– 4 images dans le livre de l'élève.
– 4 dialogues enregistrés.

CONSEILS... SUGGESTIONS... REMARQUES...

Les activités de compréhension préparent aux activités qui vont suivre.
Elles permettent à l'élève :
– de mettre en place le schéma d'une conversation ;
– de repérer quelques énoncés réutilisables en production.
En effet, vous pouvez déjà, à ce stade de l'apprentissage, demander à vos élèves de produire.
Chaque fois que nous proposons une activité de compréhension à partir d'un dialogue enregistré, un des dialogues est transcrit. Il fait office de dialogue témoin. La transcription est destinée à vous informer de la nature des dialogues. Le texte est toujours illustré par un dessin.
La tâche demandée est très facile à accomplir. Elle est facilitée :
– par les images, les bruitages enregistrés sur la bande son, les voix (homme/homme, homme/femme, femme/enfant).
– par le fait que l'étudiant s'attend à ce que, dans ce genre de situation, une série d'informations (nom/prénom, profession, nationalité) soit donnée.

CORRECTIONS :

Écoutez et faites correspondre chaque dialogue avec une image :

dialogue	image
1	d
2	a
3	b
4	c

TRANSCRIPTIONS :

Dialogue témoin
– Vous vous appelez comment ?
– Édouard Dupond.
– Vous habitez où ?
– À Toulouse, 6, rue des Bégonias.
– Vous travaillez ?
– Oui, je suis pilote à Air France.
– Vous êtes français ?
– Oui.

Compréhension
1. – Tu t'appelles comment ?
   – Hélène.
   – Comment ?
   – Hélène ! Et toi ?
   – Paul.
   – Bob ?
   – Non ! Paul !

2. – Bonjour, Pierre Marchand, c'est moi.
   – Enchanté. Claude Alexandre. Je travaille à l'ambassade. Vous avez fait bon voyage ?
   – Oui, merci.
3. – Pardon, monsieur. La poste, s'il vous plaît ?
   – Vous prenez la troisième rue à gauche et c'est juste en face.
   – Merci. Au revoir, monsieur.
4. – Et toi, comment tu t'appelles ?
   – René Descartes, madame.
   – Tu es nouveau dans cette école ?
   – Oui, madame.

RESSOURCES :
– 1 série d'enregistrements.
– 6 images.

TRANSCRIPTIONS :

À vous ! Exercice 2
1. – Bonjour, Marcel.
 – Bonjour, Ève.
2. – Bonjour, Marcel.
 – Bonjour, Charles.
3. – Bonjour, je m'appelle Lucie.
 – Bonjour, je m'appelle Christine.
4. – Moi, je m'appelle Chloé.
 – Chloé ? Bonjour, Chloé.
5. – Claude ! Claude !
 – Pierre ! Bonjour Pierre !
6. – Claudine Lacroix.
 – Claudine Lacroix ? Ah… Bonjour.

RESSOURCES :
– 2 exercices de phonétique.

TRANSCRIPTIONS :

Phonétique : le son [u]
1. Bonjour !
2. Ça va aujourd'hui ?
3. Vous habitez où ?
4. À Strasbourg ?
5. À Toulouse ?
6. À La Bourboule ?
7. Vous aimez le couscous ?
8. Beaucoup ?
9. Pas beaucoup ?
10. Pas du tout ?
11. Vous mettez une blouse ?
12. Souvent ?
13. Pas souvent ?
14. Tous les jours ?

À VOUS ! **OBJECTIFS :**
Production orale : saluer, se présenter.

FICHE FLASH ≈15 MINUTES

Nous proposons 3 activités :

1. Une activité de répétition : partir du modèle ou de la classe et faire reproduire « vous vous appelez comment ? » ou « comment tu t'appelles ? » ou « tu t'appelles comment ? ».
Les élèves travaillent par deux puis en groupe. Se servir des gestes pour demander aux élèves de prendre la parole.

2. Une activité de compréhension : faire écouter une série de dialogues très simples, mais produits sur des schémas intonatifs variés. Il s'agit de faire sentir aux élèves à travers ces dialogues que les différents types d'interrelations passent par l'intonation. Leur demander ensuite de mimer ces dialogues et de les jouer devant les autres.

3. Une activité de production : faire rechercher les énoncés à partir des six images qui proposent différents types d'interrelations. On introduira : bonjour (madame, monsieur, mademoiselle….), salut ! (images 4 ou 6). On demande aux élèves de différencier les types d'interrelations en tenant compte des relations hiérarchiques, amicales, etc.

CONSEILS... SUGGESTIONS... REMARQUES...

Les activités d'expression orale permettent à l'étudiant de réemployer les outils de communication qui lui ont été présentés. C'est aussi l'occasion pour vous de vérifier la compréhension des élèves et leur prononciation.
Dans les activités À *vous,* laisser la parole aux élèves en dirigeant l'activité dans son organisation mais en intervenant le moins possible.
À ce stade, les élèves devraient percevoir les différentes façons d'exprimer quelque chose. A la fin de l'unité 3, ils seront amenés à en faire la synthèse.
Attention : les activités 2 et 3 sont distinctes. Il ne s'agit pas de mettre en relation les images de l'activité 3 avec les dialogues de l'activité 2.

PHONÉTIQUE **OBJECTIFS :**
Reconnaissance et distinction orale des sons [y] et [u].

FICHE FLASH ≈ 15 MINUTES

1. Faire écouter le premier enregistrement puis répéter les phrases. Les livres restent fermés.
2. Procéder de la même façon pour le deuxième exercice mais demander aux élèves d'ouvrir leurs livres et de compléter la grille.
3. Faire repérer la graphie correspondant à ces deux sons.

CONSEILS... SUGGESTIONS... REMARQUES...

La distinction des sons [y] et [u] pose problème à beaucoup d'élèves. Lors de l'activité de repérage de ces sons, les élèves ne vont pas comprendre le vocabulaire ; ceci n'est pas grave. L'accent est mis sur la recherche des sons.

Comme vous pouvez le remarquer, les exemples sont très marqués sur le plan de l'intonation. Le [u] est prononcé en schéma intonatif (phrase exclamative ou interrogative).

Si l'élève ne distingue pas un son, ce n'est pas parce qu'il ne peut pas le prononcer, mais parce qu'il ne l'entend pas.

N'oubliez pas que pour reproduire, il faut entendre.

Un schéma intonatif ascendant, un environnement phonologique favorable – à savoir un son aigu comme le [s]– facilitent la reconnaissance et la distinction orale du son [y].

Les corrections ont lieu de préférence après l'intervention.

Reconnaissance et distinction orale des sons [y]/[u]. Faire repérer la graphie correspondant à ces deux sons : [y] = u et [u] = ou.

Travailler le son [y] avant le [u] pour faciliter l'acquisition et surtout la reproduction de ces deux sons.

CORRECTIONS :

Dites si c'est le son [y] ou le son [u] que vous avez entendu :

	[y]	[u]
1		x
2	x	
3	x	
4		x
5	x	
6		x

	[y]	[u]
7		x
8	x	
9	x	
10		x
11		x
12		x

TRANSCRIPTIONS :

Phonétique : [y]/[u]
1. Il est sourd !
2. C'est sûr ?
3. Tu l'as lu ?
4. Il est soûl !
5. Il l'a su ?
6. Il est fou !
7. Il est roux !
8. Dans la rue !
9. Salut Lulu !
10. Il est doux !
11. Il est mou !
12. Il est où Loulou ?

OBJECTIFS :

Systématisation des formes des 1re et 2e personnes (« Je/Tu/Vous ») des verbes « être, avoir, s'appeler, habiter ».

FICHE FLASH ≈ 40 MINUTES

1. Demander aux élèves de consulter le tableau « Grammaire : conjugaisons ».

2. Leur poser ensuite des questions afin qu'ils pratiquent les différentes formes des verbes. Par exemple : vous êtes de quelle nationalité ? Vous avez quel âge ? Vous habitez où ? Vous vous appelez comment ? etc.

3. Reprendre le même exercice en demandant aux élèves de travailler par deux et de se poser mutuellement des questions.

RESSOURCES :
– 2 tableaux récapitulatifs.
– 2 exercices d'entraînement.

FICHE FLASH (SUITE)

4. Passer aux exercices d'entraînement 1 et 2.

JE/J' : faire réaliser l'exercice à trous en partant de ce qui est connu : « je m'appelle, je suis, j'ai » et faire trouver les autres réponses. Ce qui est demandé dans ce premier exercice écrit est très limité ; la correction se fera de manière collective et on demandera aux élèves de classer les verbes qui fonctionnent de la même manière pour parvenir au tableau sur l'apostrophe.

IL/ELLE : première approche du féminin/masculin à partir des pronoms IL/ELLE. On s'appuiera surtout sur les prénoms pour savoir s'il s'agit de l'un ou de l'autre. Correction collective.

CONSEILS... SUGGESTIONS... REMARQUES...

■ Les activités de *Mise en forme* comprennent les tableaux récapitulatifs, les exercices d'entraînement et de phonétique.

■ C'est une phase de systématisation.

■ Nous vous conseillons de :
– partir d'exemples concrets qui font partie de l'environnement immédiat des élèves ;
– ne pas chercher à obtenir des énoncés complètement corrects ;
– ne pas faire apprendre les tableaux aux élèves, mais les leur proposer comme références à utiliser pour répondre aux exercices.

■ Les exercices 1 et 2 sont déjà une pré-conceptualisation du féminin/masculin. C'est la première fois que les apprenants sont en contact avec ce phénomène. Un bilan sera proposé plus tard page 88.

À la fin de ces exercices, les élèves auront dû pré-conceptualiser qu'en français, lorsqu'il y a deux voyelles en contact, il se passe un phénomène morpho-syntaxique qui entraîne des transformations.

■ Si nous vous donnons la conjugaison des verbes (être, avoir, s'appeler, habiter) c'est qu'ils sont incontournables.

■ Dans *Tempo*, vous trouverez deux types de fiches :
– Pour communiquer (acte de paroles).
– Grammaire (morphosyntaxe).

■ La fonction de ces fiches est d'offrir des références.

■ Nous les avons placées là, où nous pensons qu'elles sont nécessaires. Vous pourrez y revenir au cours de la progression des élèves.

CORRECTIONS :

ENTRAÎNEMENT

Exercice 1

Complétez en utilisant « je » ou « j' » :

1. **J'**habite à Marseille.
2. **Je** m'appelle Yves, **j'**ai 26 ans.
3. **Je** suis allemande.
4. **Je** travaille en France.
5. **J'**aime la cuisine française.
6. **J'**ai deux enfants.
7. **Je** vais à Paris.
8. **Je** parle anglais, italien et allemand.
9. **Je** connais bien Paris.
10. **J'**étudie le français.

Exercice 2

Complétez en utilisant « il » ou « elle » :

1. **Elle** est portugaise.
2. **Il** s'appelle Jean-Louis.
3. Paul est français ; **il** a 32 ans.
4. **Elle** est étudiante.
5. **Elle** est belge ; **elle** s'appelle Anna.
6. **Elle** travaille en Belgique, mais **elle** est italienne.
7. Suzanne ? **elle** habite rue Victor-Hugo.
8. Pierre parle très bien l'anglais ; **il** est traducteur.
9. John est américain ; **il** a deux enfants.
10. **Elle** est espagnole.

COMPRÉHENSION

OBJECTIFS :
– Identification d'éléments dans une chaîne sonore.
– Correspondance oral/écrit.

FICHE FLASH ≈ 10 MINUTES

1. Faire lire silencieusement les prénoms.
2. Faire écouter chaque dialogue une ou deux fois si nécessaire, laisser aux élèves le temps de retrouver le ou les prénoms cités dans les dialogues, puis demander aux élèves de se corriger entre eux. Faire écouter l'ensemble des dialogues.

CONSEILS... SUGGESTIONS... REMARQUES...
Il s'agit d'amener l'élève à repérer au sein d'une chaîne sonore des éléments précis sans recherche de compréhension fine (cf. fiches formation – fiche apprentissage).
Attention : ne pas chercher à faire comprendre les dialogues intégralement.

CORRECTIONS :
Écoutez les dialogues et soulignez les prénoms que vous avez entendus :

Dialogue	Prénom(s)
1	Marcel - Agnès
2	Sébastien - Vincent
3	Roseline
4	Paulette
5	Angèle - Tatiana - Nina

À VOUS !

OBJECTIFS :
Identification de personnages célèbres.

FICHE FLASH ≈ 10 MINUTES

1. Dans un premier temps, demander aux élèves de retrouver seul le maximum de prénoms.
2. Puis les laisser circuler dans la classe et leur donner comme consigne de compléter la liste en s'échangeant mutuellement les prénoms. Cette tâche doit s'effectuer en français.
3. Procéder à une correction collective et apporter vous-même les informations qui manquent.

CONSEILS... SUGGESTIONS... REMARQUES...
On partira de ce que les élèves connaissent ; à leur demande, vous leur donnerez des éléments d'identification supplémentaires : chanteur, homme politique, écrivain, couturier, joueur de football, coureur cycliste, acteur, savant, explorateur…

RESSOURCES :
– 2 images + dialogue témoin.
– 1 série d'enregistrements.
– Extrait du calendrier : le mois de janvier.

TRANSCRIPTIONS :
Dialogue témoin
– Allô Martine ? Ici Raymond.
– Salut Raymond !
Dialogues
1. – Salut ! Tu t'appelles comment ?
– Marcel. Et toi ?
– Agnès.
2. – Tu connais Sébastien ?
– L'ami de Vincent ? Oui, bien sûr.
3. – C'est quoi, ton prénom ?
– Roseline.
– C'est joli, Roseline.
4. – Ma femme, elle s'appelle Paulette…
5. – Elle a combien de sœurs ?
– Trois : Angèle, Tatiana et Nina.

RESSOURCES :
– 1 liste de noms de Françaises ou Français célèbres.

CORRECTIONS :

Trouvez le prénom de quelques Françaises ou Français célèbres :

François Mitterrand
  (Président de la République française de 81 à 95)
Jean-Paul Belmondo *(acteur)*
Commandant **Jacques** Cousteau
  (océanographe)
Victor Hugo *(écrivain)*
Alain Delon *(acteur)*
Brigitte Bardot *(actrice)*
Jacques Chirac
  (Président de la République française élu en 1995)
Catherine Deneuve *(actrice)*
Charles de Gaulle
  (Premier président de la Vᵉ république)

Paul Verlaine *(poète)*
Jean-Michel Jarre *(musicien)*
Jeanne d'Arc
  (héroïne de la guerre de 100 ans)
Louis Pasteur
  (inventeur du vaccin contre la rage)
Coco Chanel *(couturière)*
Louis Blériot *(aviateur)*
Édith Piaf *(chanteuse)*
Christian Dior *(couturier)*
Patricia Kaas *(chanteuse)*
Michel Platini *(footballeur)*
Alain Prost *(coureur automobile)*
Émile Zola *(écrivain)*

OBJECTIFS :

PHONÉTIQUE Distinction entre [y]/[i] et [p]/[b].

RESSOURCES :
– 2 exercices de phonétique.

TRANSCRIPTIONS :
Phonétique : [y]/[i]
1. Il est ici ?
2. Mais si.
3. Tu t'es vu ?
4. Il a fini.
5. Vas-y !
6. Le sais-tu ?
7. Elle s'appelle Marie Mariani.
8. Je n'ai rien vu.
9. Elle l'a vu ?
10. Elle a tout compris.

Phonétique : [p]/[b]
Dialogues
1. – Allô, c'est Pierre ?
   – Ah non, c'est Patrick.
   – Ah bon, pardon, bonjour Patrick.
2. – Allô, c'est Patrick ?
   – Ah non, c'est Pierrette.
   – Ah bon, pardon, bonjour Pierrette.
3. – Allô, c'est Pierrette ?
   – Ah non, c'est Pélagie.
   – Ah bon, pardon, bonjour Pélagie.
4. – Allô, c'est Pélagie ?
   – Ah non, c'est Peggy.
   – Ah bon, pardon, bonjour Peggy.
5. – Allô, c'est Peggy ?
   – Ah non, c'est Pascal.
   – Ah bon, pardon, bonjour Pascal.
6. – Allô, c'est Pascal ?
   – Oui, c'est Pascal.
   – Ah ouf, bonjour Pascal.

FICHE FLASH	**≈ 15 MINUTES**

1. Faire écouter l'enregistrement et compléter la grille.
2. Faire écouter et répéter le deuxième enregistrement. Le livre est fermé.

CONSEILS... SUGGESTIONS... REMARQUES...

Travailler de préférence les sons dans l'ordre suivant : [i] puis [y].
L'opposition tendu/relâché permet de différencier les sons [p], [b].

CORRECTIONS :

Dites si vous avez entendu [y] ou [i] :

	[y]	[i]
1		x
2		x
3	x	
4		x
5		x
6	x	
7		x
8	x	
9	x	
10		x

COMPRÉHENSION

OBJECTIFS :

Amener à un double repérage oral/écrit à partir de documents oraux et écrits.

FICHE FLASH ≈ 15 MINUTES

1. Laisser aux élèves le temps de parcourir les documents écrits et d'identifier leur nature, par analogie avec ce qu'ils connaissent. Le repérage est facilité par la présence dans le dialogue d'un élément qui permet de retrouver le document écrit.

2. Faire écouter le premier dialogue et laisser les élèves émettre des hypothèses sur le document écrit qui correspond, faire expliciter avec les moyens linguistiques dont ils disposent.

3. Procéder de la même manière pour les autres dialogues.

CONSEILS... SUGGESTIONS... REMARQUES...

À la demande des élèves, on peut fournir le lexique suivant :
– faire-part (un faire-part de naissance, de mariage, de décès, etc.) ;
– affiche ;
– adresse ;
– carte de visite.

Muriel Robin : humoriste française.

RESSOURCES :
– 1 image + dialogue témoin.
– 1 série d'enregistrements.
– 5 documents écrits

TRANSCRIPTIONS :
Dialogue témoin

– Allô, bonjour. Je peux parler à Monsieur Dubois, le directeur ?
– Un instant, je vous passe Monsieur Duchanois : c'est lui le directeur.

Dialogues

1. – Ce soir ? je vais voir Muriel Robin.
   – Où ?
   – Au Palais des Sports.
2. – Donne-moi le numéro de téléphone de Pierre Abbas.
   – C'est le 01.99.58.41.37.
3. – Bonjour. Je suis le nouveau facteur. J'ai une lettre pour Monsieur Gallois.
   – C'est là.
4. – Tiens ! Les Lemoine ont une fille.
   – Elle s'appelle comment ?
   – Camille.
   – C'est joli Camille.
5. – Je m'appelle François Michel.
   – Enchantée.
   – Voici ma carte.
   – Excusez-moi, mais… votre nom, c'est François ou Michel ?
   – Michel.

À VOUS !

OBJECTIFS :

– Donner des informations sur quelqu'un (nom, nationalité, domicile).
– Réutilisation des formes des verbes (être, avoir, s'appeler, habiter) et des adjectifs de nationalité (espagnol, allemand, etc.).

RESSOURCES :
– 1 liste de noms.

FICHE FLASH ≈ 10 MINUTES

1. Lire rapidement la liste des personnes. C'est l'occasion d'apporter si nécessaire du lexique supplémentaire et de lever des interrogations autour de l'origine des noms ou des prénoms. En plus de l'exercice 1, vous pouvez envisager de faire travailler les élèves par groupes de trois. À tour de rôle, le premier se présente au deuxième en choisissant un nom dans la liste, le deuxième présente le premier au troisième en reprenant avec « il » ou « elle ».

2. Pour faciliter la réalisation du deuxième exercice, vous pouvez partir de la situation de classe et demander à deux élèves de se présenter mutuellement :
Étudiant 1 : Bonjour, je m'appelle…
Étudiant 2 : Et moi… Vous habitez où ?
Étudiant 1 : J'habite…
Attention : cet exercice doit être rapide.

CONSEILS… SUGGESTIONS… REMARQUES…

Il s'agit là de deviner, à partir des noms, la nationalité des personnes. Peu importe que les élèves se trompent et que Iannis Savopoulos soit identifié comme brésilien plutôt que grec.

La priorité, dans cette activité, est d'encourager la prise de parole et le réemploi des outils linguistiques présentés dans les exercices et documents précédents.

Il nous paraît important, dans tous les apprentissages, de dédramatiser la faute, l'erreur, et de lever les inhibitions.

RESSOURCES :
– 1 dialogue témoin.
– 1 série d'enregistrements.
– 1 exercice d'entraînement.

TRANSCRIPTIONS :

Dialogue témoin
Un, deux, trois, quatre, cinq, six, sept, huit, neuf, dix ! Out !

Dialogues
1. 1, 2, 3… Partez !
2. 6, 5, 4, 3, 2, 1, zéro.
3. Dans 10 secondes, nous serons en l'an 2000. Vingt-trois heures cinquante neuf minutes et 50 secondes, 51, 52, 53, 54, 55, 56, 57, 58, 59… Bonne année !
4. 1, 2, 3, j'irai dans les bois,
   4, 5, 6, cueillir des cerises
   7, 8, 9, dans mon panier neuf
   10, 11, 12, elles seront toutes rouges
5. 1 fois 2, 2 – 2 fois 2, 4 – 3 fois 2, 6 – 4 fois 2, 8 – 5 fois 2, 10 – 6 fois 2, 12 – 7 fois 2… 15 !
   – Non ! Quatorze !
   – 7 fois 2, 14.
6. À la une ! À la deux ! À la trois…
7. Victoire d'André Agassi 6-4, 6-3, 6-1.

OBJECTIFS :

LES CHIFFRES Premier repérage du fonctionnement des chiffres.

FICHE FLASH ≈ 20 MINUTES

1. Faire d'abord écouter les chiffres, les faire répéter.

2. Passer aux dialogues, puis demander aux élèves de retrouver les chiffres cités dans chacun des dialogues et de les écrire.

3. Leur poser des questions sur leur âge, leurs numéros de téléphone, le nombre d'enfants, de frères ou de sœurs dans leurs familles.

CONSEILS… SUGGESTIONS… REMARQUES…

La quantification est nécessaire quelle que soit la situation de communication. C'est pourquoi vous retrouverez tout au long de *Tempo 1* des activités sur les notions de quantification, de temps, d'espace. Donner à cette activité un caractère ludique. Vous pouvez proposer aux élèves d'apprendre par cœur la comptine, vous pouvez leur demander de retrouver les contextes dans lesquels ces phrases peuvent être citées ou entendues :
1. Une course.
2. Le lancement d'une fusée.

3. Le 31/12/99.

4. Une comptine dite dans une salle de classe.

5. Une table de multiplication récitée dans une salle de classe.

6. Un jeu (deux personnes jettent une troisième personne dans une piscine). Mimer le geste de balancement.

7. Une partie de tennis.

L'activité « entraînement » est facilitée par la présence du tableau « les chiffres ».

Pour cette première mémorisation des chiffres, appuyez-vous le plus possible sur l'expérience des élèves.

CORRECTIONS :

ENTRAÎNEMENT
les chiffres

Exercice 3

Écoutez et écrivez les nombres que vous entendez, en chiffres puis en lettres :

1. Claude a **dix-huit** ans.

2. Il habite à **vingt** kilomètres.

3. Elle a **cinq** enfants.

4. Sa fille a **douze** ans.

5. Hélène habite au numéro **quinze** de la rue des Lilas.

6. J'ai une petite fille de **huit** ans. Elle s'appelle Sophie.

7. Ça fait **dix-sept** francs.

8. Elle parle **trois** langues : l'italien, le russe et l'espagnol.

dialogue	en chiffres	en lettres
1	18	dix-huit
2	20	vingt
3	5	cinq
4	12	douze
5	15	quinze
6	8	huit
7	17	dix-sept
8	3	trois

À VOUS !

OBJECTIFS :

– Passage de « il/elle » à « c'est un/c'est une » + nom + adjectif.
– Le système de marque masculin/féminin en français.
– Introduction de vocabulaire.

FICHE FLASH ≈ **25 MINUTES**

1. Faire lire le texte sur Michel Piccoli. Faire identifier sa nationalité et sa profession.
2. Chaque étudiant choisit un personnage qu'il connaît ou, s'il n'en connaît aucun, il invente ou présente un autre personnage.
   Cet exercice doit être fait avec une certaine rapidité.

CONSEILS... SUGGESTIONS... REMARQUES...

Cette activité fait partie d'un ensemble d'exercices proposés sur les marques féminin/masculin et déjà abordés (page 14, exercices 1 et 2 ; page 17 dans l'activité « À vous »). Ce type de démarche amène les élèves petit à petit à maîtriser un phénomène syntaxique ou morphosyntaxique (masculin/féminin, pluriel/singulier).

Un des soucis majeurs de *Tempo* est d'instaurer une communication réelle au sein de la classe. En effet, pour qu'il y ait des échanges, il faut qu'il y ait une transmission d'informations, ce qui implique que certains élèves détiennent l'information et d'autres non.

Cette activité en est l'exemple ; même avec des structures aussi simples que « c'est + nom », il peut y avoir transfert d'informations, donc communication réelle. Certains élèves connaîtront Picasso et d'autres non. En faisant appel à des connaissances extra-linguistiques de type culturel, une activité aussi simple permet aux élèves de communiquer dès le début de leur apprentissage.

Nous attirons ici votre attention sur la volonté des auteurs de se référer le plus souvent possible à une culture internationale.

L'emploi de l'imparfait ne doit pas être un frein à la compréhension. Il s'agit là d'une acquisition globale qui peut, par exemple, s'appliquer à Gustave Eiffel, Pablo Picasso, etc. N'ayez pas peur de cette introduction rapide de l'imparfait, expliquez simplement que le personnage étant mort, il faut dire « c'était » au lieu de « c'est ». Ne pas insister.

Ne pas chercher à expliquer « il/elle - c'est un/c'est une » mais plutôt amener la classe à repérer la différence entre les deux structures. Peu importe que les élèves se trompent comme dans le « À vous » p. 17. Cette activité permet à chacun d'intervenir en fonction de ses connaissances personnelles. Pour vérifier, on reprendra quelques questions dans la classe sur des personnages qu'ils connaissent et qui appartiennent à leur environnement culturel.

Sophia Loren : actrice italienne
Pablo Picasso : peintre franco-espagnol
Marcello Mastroianni : acteur italien
Jean-Luc Godard : cinéaste français
Gustave Eiffel : ingénieur français
Paul Bocuse : cuisinier français
Hergé : dessinateur belge
Pierre Cardin : couturier français

Nelson Mandela : président sud-africain
Mikis Théodorakis : musicien grec
Césaria Evora : chanteuse capverdienne
Jeanne Moreau : actrice française
Julien Clerc : chanteur français
Jacques Prévert : poète français
Albert Camus : écrivain français
Pedro Almodovar : cinéaste espagnol

OBJECTIFS :

Poursuite de l'acquisition d'automatismes concernant le fonctionnement du masculin/féminin des noms et des adjectifs.

FICHE FLASH   ≈ 20 MINUTES

1. Faire observer le tableau de « Mise en forme » sur le masculin/féminin. Répondre aux questions soulevées par les élèves.

2. Passer à l'exercice 4. Faire deviner aux élèves les questions qui peuvent correspondre aux réponses données. Amener les élèves à observer les moindres détails. Par exemple, pour la réponse 6, les élèves doivent noter le « e » final dans « Je suis belge. Je suis mariée ». C'est le seul indice écrit qui permette de comprendre que le « je » est une femme.

3. Passer l'enregistrement et faire cocher la bonne réponse. Pour cet exercice, attirer l'attention sur le contexte, les voix et les questions posées.

4. Proposer l'exercice 5, qui est un exercice de vérification sur les nationalités.

RESSOURCES :
– 1 tableau récapitulatif.
– 1 série d'enregistrements.
– 2 exercices d'entraînement.

CONSEILS... SUGGESTIONS... REMARQUES...

La fiche « Grammaire » est destinée à donner un certain nombre de références aux élèves. Toutes les informations qu'elle contient, ne sont pas toutes utiles à ce stade de l'apprentissage. N'hésitez pas à y revenir ultérieurement. Par exemple, les pronoms compléments sont traités plus tard.

Travailler la différence masculin/féminin à l'oral dans des activités d'opposition phonétique. Puis, dans un deuxième temps, amener les élèves à observer et à repérer les marques écrites, par exemple : Il est anglais. Elle est anglaise.

Pour faciliter la mémorisation ou l'observation, ne pas hésiter à utiliser des couleurs différentes pour souligner ce qui diffère d'un genre à l'autre.

Attention : la mise en place des automatismes prend un certain temps, il est donc préférable de ne pas rester trop longtemps sur ce point que vous pourrez reprendre ultérieurement.

L'exercice 4 est un exemple de la volonté des auteurs de varier les activités. Il repose sur l'identité de la personne qui répond : homme ou femme ?

CORRECTIONS :

ENTRAÎNEMENT
masculin/féminin

Exercice 4

Écoutez la question et choisissez la bonne réponse :
1. Oui, j'habite à Miami.
2. Oui, c'est exact.
3. Merci.
4. Non, italienne.
5. Mécanicienne.
6. Je suis professeur de français. Je suis belge. Je suis mariée.
7. Elle s'appelle Louisette.
8. Elle est étudiante.

Exercice 5

ENTRAÎNEMENT
masculin/féminin
nationalité

Complétez les phrases sur le modèle suivant :
Il habite en Chine. Il est chinois.
1. Il habite en Angleterre : il est anglais.
2. Elle habite en Espagne : elle est espagnole.
3. Elle habite au Japon : elle est japonaise.
4. Elle habite en Italie : elle est italienne.
5. Elle habite en Allemagne : elle est allemande.

TRANSCRIPTIONS :

Entraînement : masculin/féminin
1. – Ah ! Vous êtes américaine ?
   – Non, je suis espagnol.
   – Oui, j'habite à Miami.
2. – Vous êtes bien pharmacienne ?
   – Je suis mécanicien.
   – Oui, c'est exact.
3. – Vous êtes très belle, Roseline.
   – Merci.
   – Merci, Charles.
4. – Tu es française ?
   – Non, italienne.
   – Moi ? Je suis anglais.
5. – Votre profession, Madame ?
   – Secrétaire.
   – Mécanicienne.
6. – Quelle est votre profession, madame ?
   – Je suis professeur de français. Je suis belge. Je suis marié.
   – Je suis professeur de français. Je suis belge. Je suis mariée.
7. – Elle s'appelle comment, ta femme ?
   – Elle s'appelle Louisette.
   – Elle s'appelle Andrée.
8. – Et ta sœur ? Elle est étudiante ?
   – Il est étudiant.
   – Elle est étudiante.

ÉCRIT

OBJECTIFS :

– Amener les élèves à détecter, à l'oral et à l'écrit, les éléments essentiels qui permettent une compréhension globale aussi bien d'un texte oral que d'un texte écrit.
– Rédiger un texte de présentation à l'écrit, à partir d'un document servant de fil conducteur.

FICHE FLASH   ≈ 45 MINUTES

1. Vous pouvez commencer par l'exercice 6 qui permet de reprendre la distinction orale entre le féminin et le masculin.
2. Nous vous proposons deux approches :
   – Faire écouter le dialogue le livre fermé, puis poser ou faire poser par les élèves quelques questions rapides de compréhension orale. Enfin, trouver le texte qui correspond dans le livre à ce qui vient d'être entendu.
   – Demander à la classe de prendre connaissance des trois textes, puis faire écouter le dialogue enregistré pour trouver le texte qui lui correspond.
3. Passer à l'activité 2 qui ne doit pas poser de problèmes particuliers. À partir de ce texte, chaque participant pourra en rédiger un autre où il se présentera lui-même.
4. L'exercice 7 reprend le point de grammaire « masculin/féminin » abordé à la page 19.

CONSEILS... SUGGESTIONS... REMARQUES...

L'activité proposée est croisée, c'est-à-dire qu'elle met en jeu plusieurs compétences de communication ; dans ce cas précis, la compréhension écrite et orale. Les trois textes peuvent servir de modèles qui guideront l'apprenant dans sa rédaction.
En début d'apprentissage, le passage à l'écrit vise essentiellement la compréhension.

CORRECTIONS :

RESSOURCES :
– 1 dialogue.
– 1 fiche d'identité.
– 2 exercices d'entraînement.
– 1 série d'enregistrements.

TRANSCRIPTIONS :
– Bonjour, tu es en direct sur Radio J. Tu t'appelles comment ?
– Marielle.
– Tu as quel âge ?
– 17 ans.
– Tu habites où ?
– À Château-Chinon.
– Ça va l'école ?
– Oui ça va. Les professeurs sont sympas.
– Qu'est-ce qu'il fait ton père ?
– Il est mécanicien. Il a un petit garage.
– Et ta mère travaille aussi ?
– Oui, elle fait le secrétariat au garage.
– Qu'est-ce que tu aimes comme musique ?
– Le rock et aussi le rap.
– Et le jazz ?
– Non, pas vraiment.
– Bon, Marie-Hélène, euh non, Marielle, nous attendons ta question.

Exercice 6

Entraînement : masculin/féminin
1. Dominique est célibataire.
2. Lucien est dentiste.
3. Agnès est médecin.
4. Martine est une petite brune.
5. Aline est hôtesse de l'air.
6. Alexandre travaille dans une boîte de nuit.
7. Anna est comédienne ; elle est italienne.
8. C'est un ami anglais.
9. Elle est suédoise.
10. Claude est professeur de français, mais elle est belge.

Exercice 6

ENTRAÎNEMENT
masculin/féminin

Écoutez l'enregistrement et dites si la personne dont on parle est un homme, une femme ou si on ne peut pas savoir :

dial.	masc.	fém.	on ne sait pas
1			x
2	x		
3		x	
4		x	
5		x	
6	x		
7		x	
8	x		
9		x	
10		x	

Exercice 7

Complétez les phrases en choisissant :
1. Elle est **italienne** mais elle parle **français**.
2. Pierre est **ingénieur**.
3. Il est **suisse**.
4. Elle est **professeur** dans un lycée parisien.
5. Monique est **vendeuse** dans un supermarché.
6. Il s'appelle Marcel. Il est **boulanger**.
7. Hélène est **étudiante** à la faculté de médecine.
8. Je suis danoise. J'ai 26 ans et je suis **traductrice**.

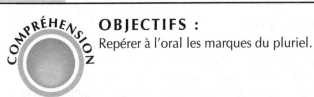

COMPRÉHENSION

OBJECTIFS :
Repérer à l'oral les marques du pluriel.

FICHE FLASH ≈ 20 MINUTES

1. Commencer par l'activité 1 en suivant strictement les consignes.
2. Amener les élèves à réfléchir entre eux sur les marques du pluriel à l'oral. Noter au tableau toutes les suggestions qui seront vérifiées par une deuxième écoute, puis corriger collectivement.
3. Procéder de la même façon pour l'activité 2.

RESSOURCES :
– 1 dialogue témoin + image.
– 1 série d'enregistrements.

CONSEILS... SUGGESTIONS... REMARQUES...

Comment savoir s'il s'agit d'une ou de plusieurs personnes ?
Nous pouvons reconnaître le pluriel à l'oral grâce au verbe (il est/ils sont : dialogue 2, ex. 1), à la liaison (ils habitent : dialogue 4, ex. 1), au contexte (nous : dialogue 2, ex. 2).
Ces repères sont des aides précieuses à la compréhension orale de la langue.
Il est important de s'y attarder avant de passer au repérage du pluriel à l'écrit.

CORRECTIONS :

1. Écoutez les dialogues et dites si on parle d'une personne, de plusieurs personnes ou si on ne peut pas savoir :

dialogue	une personne	plusieurs personnes	on ne sait pas
1		X	
2	X		
3			X
4		X	
5	X		
6	X		
7		X	
8	X		

2. Écoutez les dialogues et dites si on parle à une personne, à plusieurs personnes ou si on ne peut pas savoir :

dialogue	une personne	plusieurs personnes	on ne sait pas
1	X		
2		X	
3			X
4		X	
5	X		
6	X		
7		X	
8			X

TRANSCRIPTIONS :

Dialogue témoin
– Ils sont français ?
– Non, espagnols.
– Ils parlent français ?
– Je ne sais pas.

Compréhension 1
1. – Ils sont combien ?
 – Trois.
2. – Il parle très bien français !
 – Normal, il est belge !
3. – Il (s) parle (nt) vite !
 – C'est vrai, je ne comprends rien.
4. – Ils habitent à Lyon ?
 – Non, à Valence.
5. – Qu'est-ce qu'elle fait ?
 – Elle travaille.
6. – Qu'est-ce qu'il dit ?
 – Je ne sais pas.
7. – Ils travaillent ?
 – Pierre est médecin et sa femme infirmière.
8. – Elle comprend un peu ?
 – Oui, un peu.

Compréhension 2
1. – Vous parlez italien, mademoiselle ?
 – Oui un peu.
2. – Vous êtes professeurs ?
 – Non, nous sommes étudiantes.
3. – Vous habitez où ?
 – Rue Monge.
4. – Qu'est-ce que vous faites à Besançon ?
 – Nous étudions le français.
5. – Vous avez des amis à Paris ?
 – Oui, mon cousin. Il est médecin.
6. – Tu connais Jean-Yves Morel ?
 – Non, pourquoi ?
7. – Vous vous appelez comment ?
 – Moi, c'est Marc et elle c'est Brigitte.
8. – Entrez, s'il vous plaît.
 – Merci.

RESSOURCES :
– 1 tableau récapitulatif.

MISE EN FORME

OBJECTIFS :
Repérer à l'écrit les marques du pluriel.

FICHE FLASH ≈ 10 MINUTES
Laisser aux élèves le temps de parcourir le tableau. Répondre aux éventuelles questions et attirer leur attention sur les différences entre la langue orale et écrite, signalées sous la rubrique « remarque ».

CONSEILS... SUGGESTIONS... REMARQUES...
Les pronoms compléments sont introduits dans cette fiche mais une étude systématique se fera plus tard. Nous sommes toujours dans une phase de mise en place d'automatismes morphologiques.

RESSOURCES :
– 1 série d'enregistrements.

LE TEMPS

OBJECTIFS :
Systématiser la connaissance des jours de la semaine.

FICHE FLASH ≈ 15 MINUTES
1. Les jours de la semaine auront certainement été abordés en classe, lors du traditionnel rituel du calendrier : quel jour sommes-nous ? Faire établir par le groupe une liste des jours connus et compléter la liste.
2. Passer à l'exercice « Le temps ». Écouter les enregistrements et retrouver les jours de la semaine qui correspondent aux numéros des enregistrements.

TRANSCRIPTIONS :

Les jours de la semaine
1. – Qu'est-ce que tu fais lundi ?
 – Je vais au cinéma.
2. – Samedi, je mange au restaurant avec Pierre.
 – Avec Pierre, le frère de Lucie ?
3. – Nicole m'a téléphoné mardi soir.
 – Elle va bien ?
4. – Dimanche après-midi, je vais à la piscine avec Raoul. Tu viens aussi ?
 – Pourquoi pas ?
5. – Mercredi, je travaille toute la journée.
 – Moi aussi.
6. – Vendredi ? Je fais la fête.
 – Tu m'invites ?
 – Bien sûr.
7. – Jeudi il y a un bon film à la télévision.
 – Sur quelle chaîne ?

CONSEILS... SUGGESTIONS... REMARQUES...
Comme pour la quantification, vous trouverez dans *Tempo* une série d'activités qui permettra à l'élève de se situer dans le temps (temps verbaux, indicateurs de temps, etc.). Les temps du passé sont introduits très rapidement puisque, dès l'unité 2, une activité entière leur est consacrée (page 35). Cet apprentissage du système temporel français est rapide car il est impossible, même dans les situations de communication les plus simples, de se passer de ces notions.
Dans le troisième énoncé de l'activité « Le temps », le passé composé apparaît. Contentez-vous d'attirer l'attention de vos élèves sur son existence mais n'expliquez ni la formation ni la valeur de ce temps.

CORRECTIONS :
Écoutez et faites correspondre chaque enregistrement avec un jour de la semaine :

Les jours de la semaine

Lundi	1
Mardi	3
Mercredi	5
Jeudi	7
Vendredi	6
Samedi	2
Dimanche	4

À VOUS !

OBJECTIFS :
Systématisation du pluriel.

FICHE FLASH ≈ 15 MINUTES

1. Accorder aux élèves quelques instants pour consulter la liste des personnages.
2. Leur demander de choisir deux personnages ayant des points communs et de dire quels sont ces points communs. Par exemple, Robert Charlebois et Alain Souchon sont chanteurs.
3. Faire faire l'exercice 8.

RESSOURCES :
– 1 liste de célébrités.
– 1 exercice d'entraînement.

CONSEILS... SUGGESTIONS... REMARQUES...

Cette activité permet le réemploi du pluriel à partir d'un contenu riche en informations autres que linguistiques.

L'exercice 8 est une reprise de la conjugaison des verbes « être » et « avoir ». Vous constaterez que dorénavant les élèves possèdent la totalité de la conjugaison de ces deux verbes au présent.

CORRECTIONS :

ENTRAÎNEMENT
être/avoir

Exercice 8

Complétez en utilisant le verbe « être » ou « avoir » :

1. J'**ai** 29 ans.
2. Ils **ont** 3 enfants.
3. Elle **est** actrice.
4. Nous **sommes** françaises.
5. Vous **avez** des enfants ?
6. Je **suis** parisien.
7. Tu **as** quel âge ?
8. C'**est** ma fille, elle a 6 ans.
9. Nous **avons** de la chance.
10. Tu **es** étudiante.
11. Vous **êtes** écrivain ?

OBJECTIFS :
PHONÉTIQUE Discrimination des sons [s] et [z].

RESSOURCES :
– 1 exercice de phonétique.

FICHE FLASH ≈ 10 MINUTES

1. Demander aux élèves s'ils connaissent un mot, soit dans leur langue, soit en français, avec le son [s] puis avec le son [z].
2. Insister sur cette opposition phonétique en expliquant qu'elle permet, par exemple, de distinguer à l'oral « ils sont » de « ils ont ». C'est aussi l'occasion d'aborder le phénomène de liaison.
3. Passer à l'exercice de phonétique, le faire en entier, puis le corriger phrase par phrase en demandant aux élèves de les répéter, soit collectivement, soit individuellement.

CONSEILS... SUGGESTIONS... REMARQUES...

Pour faciliter la mémorisation de ces deux sons, les associer à un mot, à une image forte, par exemple : [s] comme serpent, [z] comme rose.

Ces deux sons se distinguent par leur degré de tension. Le [s] est tendu ou sourd alors que le [z] est relâché ou sonore. Il est bon que l'apprenant soit sensibilisé à ces phénomènes pour mieux les comprendre.

TRANSCRIPTIONS :

Phonétique : [s]/[z]
1. Ils sont sympathiques.
2. Ils ont 26 ans.
3. Ils vont bien.
4. Ils sont où ?
5. Ils font quoi ?
6. Ils ont de la chance.
7. Ils sont là.
8. Ils ont chaud.
9. Ils sont à Paris.
10. Est-ce qu'ils sont contents ?

CORRECTIONS :

Écoutez et dites si vous avez entendu « ils sont » ou « ils ont » (ou ni l'un, ni l'autre) :

dialogue	ils sont	ils ont	ni l'un ni l'autre
1	x		
2		x	
3			x
4	x		
5			x

dialogue	ils sont	ils ont	ni l'un ni l'autre
6		x	
7	x		
8		x	
9	x		
10	x		

RESSOURCES :
– 1 série de bruitages.
– 12 photos.

VOCABULAIRE

OBJECTIFS :
Acquisition de vocabulaire à partir d'une approche ludique.

FICHE FLASH   ≈ 20 MINUTES
1. Faire observer toutes les vignettes de la page et demander aux élèves si tous ces métiers existent dans leur pays. Si non, lesquels n'existent pas ?
2. Passer l'enregistrement une première fois en demandant simplement d'écouter, puis le repasser en faisant l'activité collectivement. Si nécessaire, vous pouvez demander que les réponses soient justifiées.

CONSEILS... SUGGESTIONS... REMARQUES...

Cette activité ressemble à un jeu éducatif que l'on appelle le loto sonore.
Encouragez vos élèves à s'amuser, à plaisanter et à faire de l'humour. Par exemple, si le bruit du menuisier est attribué au dentiste, c'est une preuve que les élèves peuvent jouer avec le sens, avec la langue. C'est plutôt positif !
La façon d'aborder cette activité est caractéristique d'une des préoccupations essentielles des auteurs de *Tempo,* qui est de varier les activités pour éviter l'ennui et l'effet lassant d'une structure trop répétitive.
Attention : les bruitages sont souvent chargés d'implicite culturel (par exemple, le bruitage qui permet de reconnaître le pompier). Ils ne sont donc pas perçus de la même façon d'un pays à l'autre. Il faut être vigilant et accepter de comparer les différentes perceptions. C'est par ailleurs un excellent exercice de civilisation !
Plus l'apprentissage d'une langue est abordé d'une manière ludique, plus il est dédramatisé et plus les inhibitions sont levées.

CORRECTIONS :

Écoutez les bruitages et choisissez le métier qui correspond à chaque enregistrement :

1 un garçon de café
2 un chirurgien
3 un cuisinier
4 un dentiste
5 un acteur (les trois coups annoncent le

début du spectacle)
6 une secrétaire
7 un facteur
8 une institutrice
9 un mécanicien
10 une musicienne

11 un menuisier
12 un pilote
13 un plombier
14 un agent de police
15 un pompier
16 un joueur de tennis

PAGES 24/25

CIVILISATION

OBJECTIFS :

Rechercher des informations précises à partir de différents documents. Présenter un fait de civilisation française, associé directement à des objectifs de l'unité.

FICHE FLASH ≈ **30 MINUTES**

1. Demander aux élèves quels sont, d'après eux, les noms de famille les plus fréquents ainsi que les prénoms à la mode dans leur pays. Puis, à l'aide des documents des pages 24 et 25, leur demander de rechercher les mêmes informations pour la France. Les exercices 1, 2 et 3 peuvent être faits à la suite de ces discussions.

2. Attirer l'attention sur les deux photos de la page 24, en demandant aux élèves : quel rapport existe-t-il entre ces deux documents ? Dans quelles circonstances pouvons-nous en avoir besoin ? Où pouvons-nous les consulter ?

3. Enfin, un travail de recherche dans un dictionnaire bilingue ou français peut être effectué en groupe autour des noms de profession. On peut également demander aux élèves d'émettre des hypothèses sur les différentes professions énumérées dans le livre. Cette démarche peut aussi être employée autour de l'image en haut de la page 25.

CONSEILS... SUGGESTIONS... REMARQUES...

Nous avons choisi un principe de civilisation active, où l'élève est invité à s'exprimer sur une série de thèmes sélectionnés :
– parce qu'ils ont un rapport avec l'objectif de communication de l'unité ;
– parce qu'ils permettent une activité d'expression simple, possible à réaliser avec les moyens dont disposent les élèves à ce moment de l'apprentissage ;
– parce qu'ils ouvrent sur une réflexion interculturelle.
Le choix des textes, des documents accompagnant chaque dossier de civilisation a été fait de façon à être accessible aux élèves (au moins au stade de compréhension globale).
Le premier dossier de civilisation porte sur les noms et les prénoms français (fréquence, origine des noms, prénoms) les plus courants ou phénomènes de mode.
Si une discussion s'engage autour de ce thème, laisser les élèves s'exprimer dans leur langue maternelle mais veiller à ce que les tâches soient réalisées en français.

INFORMATIONS COMPLÉMENTAIRES :

– Le minitel est, à la base, un annuaire électronique commercialisé par France Télécom. Il tend à remplacer l'annuaire papier (représenté sur la photo de droite). Les deux annuaires permettent la recherche d'un numéro de téléphone ou d'une adresse. Le bottin, ou annuaire papier, est distribué gratuitement chez les abonnés alors que le minitel fonctionne comme le téléphone (les trois premières minutes sont gratuites puis toutes les 2 minutes sont comptabilisées comme une unité Télécom). Les deux annuaires sont disponibles dans toutes les postes.
– Le Quid : encyclopédie annuelle qui recense faits et chiffres sur des sujets variés.

RESSOURCES :
– 1 texte.
– 1 image.
– 1 document « authentique ».
– 1 photo.

RESSOURCES :
– 2 enregistrements (CO).
– 1 fiche d'identité (EO).
– 1 texte (CE).

ÉVALUATION

OBJECTIFS :
Évaluer les acquis dans les quatre compétences.

FICHE FLASH ≈ 45 MINUTES

L'évaluation peut s'effectuer dans l'ordre que vous souhaitez. Dans chacune des quatre compétences, un objectif précis est plus particulièrement visé :

Compréhension orale : identifier une personne.

Expression orale : se présenter et présenter quelqu'un d'autre.

Compréhension écrite : retrouver dans un document écrit des informations sur l'identité et les goûts d'une personne.

Expression écrite : se présenter et réemployer correctement les verbes (être, habiter, avoir, s'appeler), masculin/féminin, pluriel.

CONSEILS... SUGGESTIONS... REMARQUES...

Nous avons voulu à travers cette évaluation être cohérent avec la démarche de *Tempo,* donc vous proposer une évaluation des quatre compétences. Si vous travaillez dans un cadre institutionnel où vous devez noter régulièrement vos élèves, ces épreuves peuvent vous servir de modèle pour créer d'autres activités d'évaluation.

Une fiche d'évaluation est proposée à la fin de chaque unité. Elle permet aux élèves de s'évaluer et vous aide à faire le point sur leurs acquis. L'évaluation doit s'effectuer en un temps limité que vous déterminerez à l'avance.

La correction peut être faite collectivement, étape par étape, par deux ou individuellement.

Nous vous recommandons de donner une grille d'évaluation aux élèves afin de délimiter clairement les points spécifiques qui sont à acquérir pour chacune des 4 compétences.

Dans votre grille vous pouvez accorder, pour l'expression écrite, cinq points pour la cohérence du texte et cinq autres points pour le respect de l'orthographe, des accords, des conjugaisons, etc.

Pour l'expression orale, évaluer la cohérence du message, sa compréhensibilité (prononciation, élocution, fluidité) et son originalité.

L'objectif de l'évaluation n'est pas l'attribution d'une note en soi mais la validation des activités. C'est aussi une préparation au DELF.

À l'issue de cette évaluation, et en accord avec les besoins de chacun, vous pouvez proposer des exercices supplémentaires que vous trouverez à la fin de chaque bloc de 3 unités.

Comment organiser les épreuves d'expression orale ?

Vous pouvez faire passer les élèves un par un. Prévoir cinq à dix minutes par candidat.

Cependant, veiller à ce que tous les élèves aient été évalués à l'oral, à la fin de chaque bloc de 3 unités.

Vous pouvez demander aux élèves d'enregistrer leurs réponses sur une cassette audio. Ceci suppose que vous ayez un nombre suffisant de magnétophones.

CORRECTIONS :

COMPRÉHENSION ORALE (CO)

1. Écoutez l'enregistrement et choisissez « vrai » ou « faux » :

1. Elle s'appelle Sylvie.   F
2. Elle est italienne.   V
3. Elle est actrice.   F
4. Elle aime la télévision. F
5. Elle habite à Rome.   V

2. Écoutez le dialogue et choisissez « vrai » ou « faux » :

1. Monsieur Marchand connaît Jacques.   V
2. Monsieur Marchand connaît Maria.   F
3. Maria est française.   F
4. Maria est secrétaire.   F
5. Maria habite à Nancy.   V

EXPRESSION ORALE (EO)

Remplissez votre propre fiche puis présentez-vous :

À titre d'exemple, vous pouvez espérer à l'oral ce type de production : Je m'appelle Maria-Luisa Garcia, je suis espagnole, j'ai 25 ans, je suis directrice d'école, j'habite à Madrid.

COMPRÉHENSION ÉCRITE (CE)

Lisez le petit texte suivant puis remplissez la fiche d'identité en vous servant des informations données :

Fayez
Fatima
25 ans
Franco-marocaine
Mariée
2 enfants
Rueil-Malmaison
Secrétaire
Ingénieur

EXPRESSION ÉCRITE (EE)

Présentez-vous ou présentez un personnage que vous connaissez en précisant l'identité, la profession, la situation familiale, les goûts :

Nous vous proposons seulement, à titre d'exemple, le corrigé suivant : il s'appelle Paul Maire, il a 45 ans, il est canadien, il est professeur. Il est divorcé, il a cinq enfants. Il aime la musique, les sports et la lecture.

TRANSCRIPTIONS :

Compréhension orale 1

1. Je m'appelle Sophie.
   Je suis italienne.
   J'habite à Rome.
   Je suis institutrice.
   J'aime le cinéma et la lecture.

Compréhension orale 2

2. – Bonjour Monsieur Marchand.
   – Bonjour Jacques.
   – Vous allez bien ?
   – Oui, et vous ?
   – Oui, ça va. Vous connaissez Maria ?
   – Non, enchanté Maria.
   – Maria est étudiante, elle est espagnole. Elle étudie le français à Nancy.

OBJECTIFS :
Compréhension de dialogues plus complexes.

FICHE FLASH ≈ **10 MINUTES**

1. Faire écouter chaque extrait puis laisser le temps aux élèves de remplir la grille. Vérifier les réponses avec eux.
2. Procéder à une nouvelle écoute et faire remplir le questionnaire vrai/faux.

RESSOURCES :
– 1 image + dialogue témoin.
– 1 série d'enregistrements.

TRANSCRIPTIONS :

Dialogue témoin
Je m'appelle Marielle. Je suis française. Je suis mariée. J'ai un enfant. J'habite à Lille. J'ai 26 ans. Je suis professeur de français.

Mise en route. Exercice 1

1. – Bonjour, je m'appelle Édouard Miller. Je suis américain. J'habite à New York.
2. – Je vous présente Alfonso Gonzalez. C'est un journaliste espagnol.
3. – Monsieur Tcheng. Vous êtes chinois. Vous travaillez à Pékin, vous êtes marié et vous avez un enfant. C'est cela ?
4. – Moi, c'est Simone. Je ne travaille pas. J'habite à Paris.
5. – Je suis professeur de français. Je suis belge. Je suis célibataire.
6. – J'ai cinq enfants. Je suis médecin. Je m'appelle Paola Costa. J'habite à Rome, mais je ne suis pas italienne.
7. – Je me présente : je m'appelle Igor Komarov. Je suis russe ; je suis ingénieur en aéronautique.
8. – Vous connaissez Ali ? Il est saoudien. Il est marié avec une jeune Française et ils habitent à Lyon.
9. – Voilà mon professeur de japonais. Elle est mariée et elle a un petit garçon. Elle s'appelle Yoko.
10. – Je m'appelle Roberto Da Silva. Je suis portugais mais j'habite à Berlin.

CONSEILS... SUGGESTIONS... REMARQUES...

Dans la perspective d'un apprentissage en spirale, l'unité 2 reprend et approfondit des savoir-faire linguistiques abordés dans l'unité 1.
La construction de savoir-faire linguistiques s'effectue progressivement, par paliers. À chaque étape, des éléments nouveaux sont offerts. Ils se complètent au fur et à mesure en élargissant la palette des outils linguistiques.

CORRECTIONS :

1. Écoutez les dix dialogues et pour chaque dialogue mettez une croix dans le tableau ci-dessous si vous avez entendu les informations suivantes : nom, prénom, nationalité, profession, domicile, situation familiale.

Dial	nom	prénom	nationalité	profession	domicile	sit. fam.
témoin		x	x	x	x	x
1	x	x	x		x	
2	x	x	x	x		
3	x		x		x	x
4		x			x	
5			x	x		x
6	x	x		x	x	
7	x	x	x	x		
8	x		x		x	x
9		x		x		x
10	x	x			x	

Attention : Simone (Dial n° 4) est sans profession.

2. Écoutez à nouveau les dialogues et dites si ces affirmations sont vraies ou fausses :

	V	F		V	F
Marielle est célibataire.		x	Paola est italienne.		x
Marielle habite en France.	x		Igor est informaticien.		x
			Igor est russe.	x	
Édouard est américain.	x		Igor est médecin.		x
Alfonso est journaliste.	x		Ali est marié.	x	
M. Tcheng a deux enfants.		x	Ali habite à Lyon.	x	
Simone travaille à Paris.		x	Yoko est célibataire.		x
Il est étudiant.		x	Roberto est allemand.		x
Paola a 5 enfants.	x		Roberto habite à Berlin.	x	

OBJECTIFS :

Transcription de l'oral vers l'écrit en isolant des informations.

FICHE FLASH ≈ **15 MINUTES**

1. Faire écouter le dialogue témoin puis demander aux élèves de donner oralement des informations sur Rémi Didi.

2. Passer à la première activité. Faire écouter plusieurs fois les dialogues 1 et 2 puis demander aux élèves de remplir le questionnaire à choix multiples.

3. Corriger collectivement les réponses en reprenant les énoncés qui posent des problèmes.

4. Faire écouter les deux derniers dialogues et remplir les fiches. Procéder aussi à une correction collective.

CONSEILS... SUGGESTIONS... REMARQUES...

Ces activités amènent les élèves à procéder à un travail de compréhension fine, c'est-à-dire à rechercher au sein d'un énoncé des informations précises. Jusqu'à présent, les activités de compréhension étaient plutôt globales, cette activité conduit vers une compréhension analytique.

CORRECTIONS :

1. Parmi les réponses proposées, choisissez celles qui correspondent à ce que vous avez entendu dans chacun des deux dialogues :

Dialogue 1

Nom	Prénom	Date de naissance	Lieu de naissance	Profession
Parent	Jules	16.07.60	Paris	Pharmacien

Dialogue 2

Nom	Prénom	Ville	Profession	Âge
Bertrand	Alice	Lyon	Secrétaire	26

2. Écoutez les dialogues et remplissez les fiches :

Dialogue 3

Nom	Prénom	Âge	Date de naissance	Lieu de naissance
Morisi	Mario		18.06.63	

Profession	Adresse
Journaliste	3, rue des Roses, à Marseille.

Dialogue 4

Nom	Prénom	Âge	Date de naissance	Lieu de naissance
Chevalier	Roger	32 ans	18.12.63	Coulommiers

Profession	Adresse
	70, boulevard Voltaire, Amboise.

RESSOURCES :
– 1 dialogue témoin.
– 4 dialogues.

TRANSCRIPTIONS :

Dialogue témoin
– Vous vous appelez comment ?
– Rémi Didi.
– Votre âge ?
– 50 ans.
– Votre domicile ?
– 65, rue des Lombards.
– À Paris ?
– Bien sûr.

Compréhension

1. – Vous vous appelez comment ?
   – **Parent**.
   – Votre prénom ?
   – **Jules**.
   – Votre date de naissance ?
   – **16 juillet 1960**.
   – Vous êtes né où ?
   – À **Paris**.
   – Votre profession ?
   – **Pharmacien**.
2. – Bonjour, je m'appelle Alice.
   – **Alice** comment ?
   – Alice **Bertrand**.
   – Vous avez quel âge ?
   – **26 ans**.
   – Vous habitez où ?
   – Chez mes parents.
   – Où ?
   – À **Lyon**.
   – Qu'est-ce que vous faites ?
   – Je suis **secrétaire**.
3. – Votre nom, s'il vous plaît.
   – **Morisi**.
   – Et votre prénom ?
   – **Mario**.
   – Profession ?
   – **Journaliste**.
   – Adresse ?
   – **3, rue des Roses**, à **Marseille**.
   – Date de naissance ?
   – **18 juin 1963**.
4. – Nom, prénom, âge, date et lieu de naissance, adresse.
   – Je m'appelle **Roger Chevalier**, j'ai **32 ans**. Je suis né le **18 décembre 1963** à **Coulommiers**. J'habite à **Amboise, 70, boulevard Voltaire**.

MISE EN FORME

OBJECTIFS :

Compréhension du fonctionnement des adjectifs possessifs et de leur règle d'accord.

FICHE FLASH   ≈ 20 MINUTES

Deux démarches possibles :

1. Partir de l'exercice 9 puis, en fonction des réponses des apprenants, leur poser des questions sur le fonctionnement de l'accord. Leur demander ensuite de compléter l'exercice en s'aidant du tableau « Grammaire ».

2. Partir du tableau, le commenter et demander aux élèves de trouver d'autres exemples illustrant le fonctionnement de l'accord des adjectifs possessifs. Leur demander ensuite de faire l'exercice 9.

CONSEILS... SUGGESTIONS... REMARQUES...

L'apprentissage des adjectifs possessifs n'est pas facile. Les difficultés proviennent essentiellement de la référence au nombre de possesseurs ou au nombre de choses possédées : un(e) ou plusieurs. Des exemples pris concrètement dans la classe (par exemple : Madame... est notre professeur/Ce sont nos stylos) facilitent la compréhension de ce point de grammaire.

Nous vous conseillons de ne pas trop insister afin d'éviter un blocage. Laisser les apprenants s'auto-corriger, les corriger vous-même mais délicatement. Il s'agit, à ce stade de l'apprentissage, de développer des automatismes et de donner aux élèves un maximum d'outils pour qu'ils puissent commencer à s'exprimer dans la langue cible.

CORRECTIONS :

EXERCICE 9

ENTRAÎNEMENT
LES POSSESSIFS

Complétez les phrases suivantes :

1. Je connais Maria Sanchez. C'est **ma voisine.**
2. Jean-Paul Belmondo est **son acteur** préféré.
3. **Mon grand-père** a 80 ans.
4. Non, je ne connais pas **ton âge**.
5. Je te présente **mon professeur de français**.
6. Alain a perdu **ses clés**.
7. Est-ce qu'il y a un café dans **ton quartier** ?
8. Bien sûr, vous pouvez venir avec **vos amies** !
9. Je ne suis pas parti : j'ai raté **mon T.G.V.**
10. Cet été, Claude va en vacances chez **ses cousines**.

PAGE 30

À VOUS !

OBJECTIFS :
Cohérence d'un dialogue.

FICHE FLASH ≈ 30 MINUTES

1. Demander aux élèves de bien observer les dessins et de lire silencieusement la bande dessinée.
2. Leur demander ensuite de remettre en ordre les questions et les réponses.
3. Effectuer une correction collective.
4. Faire deviner aux élèves le type de travail que Felix Horace Parnotti va exercer et leur demander d'imaginer la dernière vignette qui manque. Vous distribuerez cette dernière vignette, ci-jointe, à la fin de cette activité, afin qu'ils puissent comparer leurs différentes propositions avec celle retenue par le dessinateur.
5. Demander aux élèves qui le désirent d'imaginer et de jouer un autre entretien dans une situation similaire.

RESSOURCES :
– un dessin humoristique de Quino dont il manque la dernière image.

CONSEILS... SUGGESTIONS... REMARQUES...

La variété des documents proposés autour d'un même objectif (ici, « parler de soi et demander à quelqu'un des renseignements le concernant ») multiplie les chances de permettre à chacun d'affirmer ses bases, d'atteindre une aisance d'expression, de rencontrer une forme d'activité qui corresponde à ses propres stratégies d'apprentissage, de laisser émerger ses capacités de créativité.

Comme prolongation, nous vous proposons de demander aux élèves d'écrire une réponse sur une feuille (par exemple : 21 ans, Paul, etc.) et de lire ces réponses. À la classe de trouver la ou les questions qui leur correspondent (Il a quel âge ? ou Quel âge a-t-il ?).

Quino, *État civil*, © Éd. Glénat.

PAGE 31

À VOUS !

OBJECTIFS :
Systématisation des différentes formes de questionnement.

FICHE FLASH ≈ 5 MINUTES

1. Répondre aux questions de l'activité 1.
2. À partir du deuxième document, faire travailler les élèves par groupes de deux : l'un pose une question, l'autre y répond en se référant aux informations de la carte d'identité.
   Par exemple : – Elle s'appelle comment ?
   – Elle s'appelle Loyal.
3. Passer à l'exercice 10 qui permet de travailler la conjugaison de quelques verbes.

RESSOURCES :
– 2 documents.
– 1 exercice d'entraînement.
– 1 série d'enregistrements.

CONSEILS... SUGGESTIONS... REMARQUES...

Le premier document est un passeport, le deuxième est une carte d'identité française.

CORRECTIONS :

ENTRAÎNEMENT
conjugaison

Exercice 10

Complétez les phrases suivantes :

1. Vous **connaissez** Paris ?
2. Vous **parlez** italien ?
3. Vous **allez** bien ?
4. Tu **parles** français ?
5. Tu es **mariée** ?
6. Je **suis** journaliste.
7. Est-ce que vous **travaillez** ?
8. Vous **êtes** en vacances ?

RESSOURCES :
– 2 exercices de phonétique.

PHONÉTIQUE

OBJECTIFS :

Travail sur l'intonation (affirmation, question).

FICHE FLASH   ≈ **10 MINUTES**

1. Faire écouter l'enregistrement du 1er exercice de phonétique et remplir la grille.
   Corriger en reprenant l'enregistrement phrase par phrase.
2. Faire lire les phrases du 2e exercice en insistant sur le respect de la bonne intonation.

CONSEILS... SUGGESTIONS... REMARQUES...

Vous pouvez demander aux élèves de varier l'intonation, le rythme de chaque phrase lue, de façon à en modifier les intentions de communication (agacement, demande impérative, etc.).
La sollicitation des gestes, du rythme et des mouvements facilitera la réalisation de cet exercice.

CORRECTIONS :

TRANSCRIPTIONS :

Phonétique : questions

1. Vous habitez où ?
2. Tu habites à Paris ?
3. Non, je suis mariée.
4. Vous avez quel âge ?
5. Vous êtes né en 1962 ?
6. Ah ! Vous êtes médecin.
7. Il a 53 ans.
8. Tu as deux enfants ?
9. Votre adresse ?
10. Vous êtes célibataire.

PHONÉTIQUE
questions

Écoutez et dites si c'est une question ou si ce n'est pas une question :

dialogue	question	autre
1	x	
2	x	
3		x
4	x	
5	x	
6		x
7		x
8	x	
9	x	
10		x

OBJECTIFS :

Imaginer un dialogue en se servant des éléments d'identification acquis précédemment.

FICHE FLASH ≈ 35 MINUTES

1. Faire écouter le dialogue témoin.
2. Les élèves travaillent par deux, ils préparent un dialogue sans l'écrire à partir d'une des images qu'ils ont choisies. Ils jouent ensuite leur dialogue à tour de rôle devant l'ensemble du groupe ; la correction se fait après le passage de chacun des groupes.

CONSEILS... SUGGESTIONS... REMARQUES...

Dans *Tempo,* les images ont des fonctions diversifiées. Selon l'objectif de l'activité, une des fonctions est privilégiée :
– explicative : pour les activités centrées par exemple sur le vocabulaire ;
– illustrative pour la civilisation ;
– situationnelle, lorsqu'il s'agit d'activités : *mise en route, compréhension, à vous.*
Les images sont très souvent (sauf pour l'expression) associées à un document sonore ou écrit. Il est important de demander aux élèves de repérer les éléments qui donnent des informations sur la situation. Lorsqu'ils ont acquis un bagage minimal pour communiquer, vous pouvez leur demander de faire des hypothèses sur ce que disent les personnages pour faciliter l'activité de compréhension. Dans les activités de production, vous pouvez accepter tous les énoncés à condition qu'ils soient cohérents avec la situation.
Encourager les élèves à être créatifs, à utiliser leur imagination.

PRODUCTIONS POSSIBLES :

À titre d'exemple, nous prenons l'image d :
– *La journaliste :* Madame, messieurs, pouvez-vous rapidement vous présenter : quel est votre nom, votre nationalité et votre pays d'origine ?
– *1er participant :* Bonjour, je m'appelle Marc Smith, je suis anglais et je travaille aux États-Unis, à San Francisco.
– *2e participant :* Je m'appelle Sigün Coyle, je suis allemande et je travaille à Berlin.

RESSOURCES :
– 1 dialogue témoin.
– 5 images.

TRANSCRIPTIONS :

À vous - Dialogue témoin
– Je peux vous poser quelques questions ? C'est pour un sondage.
– Oui.
– Vous êtes marié ?
– Non, célibataire.
– Vous avez quel âge ?
– 25 ans.
– Vous aimez quelle musique ?
– Le rock.

RESSOURCES :
– 1 image.
– 1 tableau récapitulatif.
– 1 série de bruitages.

BRUITAGES :
1. Un homme fait son footing. Bruit de pas qui le rejoignent, respirations haletantes.
2. Bruit de téléphone décroché, puis raccroché, suivi de celui d'une voiture de pompiers.
3. Bruits de foule. Puis silence. Applaudissements.
4. Bruits de serrure, clé, ambiance de prison.
5. Musique.
6. Ambiance jardin public, cris d'enfants, rires, petits oiseaux.
7. Bruit de tôle froissée. Accident.

RESSOURCES :
– 2 exercices de phonétique.

TRANSCRIPTIONS :
Phonétique : [f]/[v]
1. Tu es fou !
2. C'est à vous.
3. Tu viens ?
4. Il est neuf heures.
5. Sept, huit, neuf.
6. Tu veux du vin ?
7. C'est la fin.
8. Tu as du feu ?
9. Elle est veuve.
10. Qu'est-ce que tu veux ?
11. Je vais en vacances.
12. Je fais du feu.

MISE EN FORME

OBJECTIFS :
Production orale d'un dialogue qui permet une réutilisation des acquis de chacun.

FICHE FLASH   ≈ 45 MINUTES
1. Livre fermé, faire écouter la série de bruitages à l'ensemble du groupe. Identifier chaque bruitage et en discuter tous ensemble. Il s'agit de faire imaginer le cadre de l'action, les personnages, etc.
2. Les apprenants se regrouperont par deux, ils choisiront un des bruitages et à partir du cadre, de l'ambiance, ils devront imaginer un dialogue. Ce dialogue sera présenté au groupe.

CONSEILS... SUGGESTIONS... REMARQUES...
Comme nous l'avons souligné précédemment, il est préférable de porter votre attention sur la cohérence des dialogues plutôt que sur les détails.
L'aide mutuelle entre les groupes doit être encouragée. Il est aussi probable que votre aide soit souvent sollicitée ; encourager de préférence les apprenants à composer avec ce qu'ils connaissent déjà.
Habituer les élèves à s'auto-corriger en posant des questions du type « est-ce que vous êtes d'accord ? » et intervenez seulement lorsqu'ils n'ont pas été capables de se corriger mutuellement.

PHONÉTIQUE

OBJECTIFS :
– Reconnaissance auditive du [f] et du [v].
– Reprise de la distinction [s] et [z].

FICHE FLASH   ≈ 10 MINUTES
1. Faire écouter le premier enregistrement et demander de compléter la grille.
2. Faire de même pour le deuxième enregistrement.

CONSEILS... SUGGESTIONS... REMARQUES...
Le travail sur l'opposition de phonèmes, ici [f], [v] et [s], [z], se poursuit.

CORRECTIONS :

PHONÉTIQUE
[f]/[v]

Dites si vous avez entendu [f] ou [v] :

	[f]	[v]			[f]	[v]
1	x			7	x	
2		x		8	x	
3		x		9		x
4	x			10		x
5	x			11		x
6		x		12	x	

PHONÉTIQUE
[s]/[z]

Dites si vous avez entendu [s] ou [z] :

	[s]	[z]
1		x
2	x	
3	x	
4		x
5	x	
6	x	

	[s]	[z]
7		x
8		x
9	x	
10	x	
11		x
12	x	

TRANSCRIPTIONS :
Phonétique : [s]/[z]
1. J'ai dix ans.
2. J'ai dit « cent ».
3. Il a six cent francs.
4. Il a six enfants.
5. Quatre, cinq, six.
6. Ils sont cinq.
7. Ils ont faim.
8. Bonjour Zoé.
9. Allô, c'est Cécile.
10. Il est où Luis ?
11. Tu as vu Louise ?
12. Elles appellent Roger

---

unité 2

PAGE 34

MISE EN FORME   ÉCRIT

OBJECTIFS :
Travail de systématisation sur les marques du pluriel à l'écrit.

FICHE FLASH   ≈ 20 MINUTES

1. Demander aux élèves de lire silencieusement les informations sur Pierre et Marie, puis de rédiger un texte en combinant les deux séries de phrases.
2. Leur demander ensuite de corriger par deux leur texte en s'aidant de « Mise en forme : les marques du pluriel ».
3. Demander ensuite à quelques élèves de lire leur texte.

RESSOURCES :
– 1 tableau récapitulatif.

CONSEILS... SUGGESTIONS... REMARQUES...

Il s'agit d'amener les apprenants à reconnaître à l'oral et à l'écrit les marques du pluriel. Les repérages ont été abordés dès la première unité. Il s'agit ici de systématiser le travail.

À ce stade de l'apprentissage, la mise en place des différents systèmes de marques du français se poursuit. L'élève a une vision panoramique des principaux fonctionnements du français à travers les oppositions masculin/féminin, singulier/pluriel. La fiche grammaire sur les marques du pluriel, au même titre que la fiche féminin/masculin, leur montre que ce système s'applique à différentes catégories de mots (adjectifs possessifs, verbes, articles, etc.). Les élèves doivent commencer à mieux percevoir ces différences de marquage à l'oral et à l'écrit. Ces différences sont plus nombreuses à l'écrit qu'à l'oral.

À vous, à travers la multitude d'exercices proposés et à travers la production de vos élèves, de les amener à ce travail de systématisation. Si cela est vraiment nécessaire et facilite l'apprentissage, n'hésitez pas à faire appel à un peu de grammaire comparative entre le français et la langue maternelle de vos élèves.

CORRECTIONS :

À partir des informations données sur Pierre et Marie, écrivez un petit texte parlant de leurs points communs :

Pierre et Marie habitent à Paris, ils ont 26 ans, ils sont célibataires, ils parlent espagnol et ils connaissent bien l'Espagne. Ils voyagent beaucoup, ils sont sympathiques et jouent au tennis.

RESSOURCES :
– 1 texte.
– 1 image + 1 dialogue témoin.
– 1 série d'enregistrements.
– une grille de loto à remplir après écoute des dialogues.

TRANSCRIPTIONS :

Dialogue témoin
– Elle a quel âge ta mère ?
– 49 ans.

Dialogues
1. – C'est quand ton anniversaire ?
   – Le 16 avril.
2. – Tu chausses du combien ?
   – Du 42.
3. – Ton film préféré ?
   – *Les 7 mercenaires*, mais j'ai bien aimé aussi *Né un 4 juillet*.
4. – Et ton livre préféré ?
   – *Les 3 mousquetaires*.
   – Et toi ?
   – *L'assassin habite au 21*.
5. – Tu me racontes une histoire ?
   – *Ali baba et les 40 voleurs*.
6. Dites 33.
7. On n'est pas sérieux quand on a 17 ans.
8. Il s'est mis sur son 31.
9. Noël, c'est le 25 décembre.

RESSOURCES :
– 1 tableau récapitulatif.

OBJECTIFS :

LES CHIFFRES

Systématisation des chiffres.

FICHE FLASH ≈ 20 MINUTES

1. Faire écouter une fois l'ensemble des dialogues.
2. Demander aux élèves quels chiffres ils ont trouvés.
3. Faire écouter à nouveau l'enregistrement pour vérifier la compréhension.
4. Lire avec le groupe le texte du loto qui présente le jeu et l'expliquer si nécessaire.

Ce bulletin peut servir à tout LOTO SPORTIF. Les numéros des matchs et les MATCHS DU JOUR correspondent à ceux de la liste officielle.

POSSIBILITES DE JEU

Simple	5 F	2 TRIPLES	45 F
1 Double	10 F	3 TRIPLES	135 F
1 TRIPLE	15 F	1 Double 1 TRIPLE	30 F
2 Doubles	20 F	2 Doubles 1 TRIPLE	60 F
3 Doubles	40 F	2 Doubles 2 TRIPLES	180 F
4 Doubles	80 F	2 Doubles 3 TRIPLES	540 F
5 Doubles	160 F	3 Doubles 1 TRIPLE	120 F
6 Doubles	320 F	3 Doubles 2 TRIPLES	360 F
7 Doubles	640 F	3 Doubles 3 TRIPLES	1080 F

MATCHS DU JOUR

1er MATCH DU JOUR de la liste officielle

COCHEZ LE NOMBRE DE BUTS MARQUES PAR CHAQUE EQUIPE ET UNE MISE

5 F   10 F   20 F   50 F   100 F

2ème MATCH DU JOUR de la liste officielle

COCHEZ LE NOMBRE DE BUTS MARQUES PAR CHAQUE EQUIPE ET UNE MISE

5 F   10 F   20 F   50 F   100 F

3ème MATCH DU JOUR de la liste officielle

COCHEZ LE NOMBRE DE BUTS MARQUES PAR CHAQUE EQUIPE ET UNE MISE

5 F   10 F   20 F   50 F   100 F

© La Française des jeux.

CONSEILS... SUGGESTIONS... REMARQUES...

En plus du loto national, il existe le loto sportif qui consiste à prévoir les résultats des matchs de football en cochant la case 1 ou 2 selon l'équipe gagnante choisie, ou la case N pour un match nul.
Si ce jeu existe dans votre pays, vous pouvez éventuellement risquer quelques francs avec vos élèves, en leur faisant choisir en français le numéro d'une grille.

OBJECTIFS :

MISE EN FORME

Se situer dans le temps (jour, mois, année, saison, date, etc.).

FICHE FLASH ≈ 10 MINUTES

Amener les élèves à remarquer les différences entre les structures de ces phrases. Dans quel cas mettons-nous la préposition « en/au » ?

CONSEILS... SUGGESTIONS... REMARQUES...

Conduire les apprenants à l'observation des phrases mais ne pas leur donner les réponses. Ils doivent par eux-mêmes se construire leur règle : c'est ce que l'on appelle l'approche déductive.

LE TEMPS

présent/passé

OBJECTIFS :
Première approche du passé composé.

RESSOURCES :
– 1 tableau récapitulatif.
– 1 exercice d'entraînement.

FICHE FLASH ≈ 15 MINUTES

1. Faire écouter l'exercice présent/passé, en cochant les réponses dans le tableau. Reprendre l'exercice collectivement et s'arrêter à chaque phrase. Faire répéter cette phrase. Demander aux élèves d'établir un rapprochement entre, par exemple, la première phrase « Lundi, je vais à Paris » et la seconde « Hier, je suis allé au cinéma ».

2. Finir par le tableau « Grammaire » qui explique clairement la construction du passé composé avec « avoir ».

CONSEILS... SUGGESTIONS... REMARQUES...

PRÉSENT/PASSÉ

Dans un premier temps, le repérage entre ces deux temps s'effectue à l'oral. Nous sommes dans une phase de sensibilisation et non pas de systématisation. Selon le principe de récurrence, expliqué dans l'avant-propos du livre de l'élève p.3, l'acquisition des temps se fera progressivement. Pour vous aider dans votre planification, nous avons effectué pour vous le relevé suivant :

Unité 1 : page 18, présentation de « c'était »/« c'est ».

Unité 3 : pages 44-45, expressions du temps, verbes avec les auxiliaires « être » et « avoir », exercices complémentaires p. 58, ex. 29 – p. 59, ex. 36 – p. 60, ex. 37.

Unité 4 : pages 74-75, reprise des expressions du temps et repérage oral des formes du passé composé.

Unité 6 : pages 104-105, raconter un événement (emploi de l'imparfait et du passé composé), exercices complémentaires sur le passé composé à la forme affirmative et négative p. 111, ex. 67 – p. 113, ex. 75.

Unité 8 : page 133, être en train de..., venir de...

Unités 10, 11, 12 : les pages 160, 169, 175, 178, 181, 184 sont essentiellement consacrées aux temps du passé.

CORRECTIONS :

Écoutez et dites si c'est le présent ou le passé qui est utilisé :

	présent	passé
1	x	
2		x
3		x
4	x	
5		x
6	x	

	présent	passé
7	x	
8		x
9		x
10	x	
11		x
12		x

TRANSCRIPTIONS :

Le temps : présent/passé

1. – Lundi, je vais à Paris.
2. – Hier, je suis allé au cinéma.
3. – Tu as téléphoné à Pierre ?
4. – Tu manges où ?
5. – Qu'est-ce que tu as fait samedi ?
   – Rien. Je suis resté à la maison.
6. – Chut ! Je téléphone !
7. – Allô ! Qu'est-ce que tu fais ?
   – Je travaille.
8. – Tu as mangé où à midi ?
   – À la cantine.
9. – Vous avez compris ?
   – Oui.
10.– Vous comprenez ?
    – Non.
11.– Vous avez bien travaillé aujourd'hui.
12.– Qu'est-ce qu'il a dit ?
    – Je ne sais pas. Je n'ai pas compris.

OBJECTIFS :

LES CHIFFRES

Systématisation des chiffres.

FICHE FLASH   ≈ **20 MINUTES**

1. Faire écouter la liste des numéros de plaques minéralogiques des véhicules. Le dernier numéro sur la plaque correspond au département où est immatriculé le véhicule.

2. Pour chacune de ces plaques, demander d'identifier le département à l'aide de la carte page 36.

RESSOURCES :
– La liste des départements français.
– Une carte des départements français.
– Un enregistrement donnant des numéros de plaques minéralogiques.

TRANSCRIPTIONS :

Les chiffres

6247 TF 62
1435 RR 2A
5862 QF 89
4399 UA 19
4147 QF 974
6932 XS 69
427 QD 15
5325 PP 25
7321 RT 93
543 ADX 75
4581 ST 84

CONSEILS... SUGGESTIONS... REMARQUES...

Cette activité joint l'utile à l'agréable puisqu'elle permet de continuer la systématisation des chiffres tout en découvrant un des découpages administratifs du territoire français : le département.
On retrouve ici la volonté d'enrichir les activités les plus simples en les incorporant à des documents riches en informations.

La France est divisée en 26 régions et 100 départements.
Chaque région regroupe plusieurs départements. La région se compose d'un conseil régional à qui revient le pouvoir exécutif.
Les départements correspondent à une division administrative du territoire, placée sous l'autorité du préfet et d'un conseil général. Le préfet est nommé par le Conseil des ministres et le conseil général est élu par les électeurs.
Un dossier spécial sur les DOM-TOM (départements d'outre-mer et territoires d'outre-mer) se trouve dans le livre de l'élève page 107.
D'autre part, pour des informations complémentaires, vous pourrez vous reporter à la page 99 du guide pédagogique et à la page 200 de *Tempo 2* (livre de l'élève).

CORRECTIONS :

Écoutez l'énoncé des plaques minéralogiques et identifiez le département d'origine du véhicule :

62 PAS-DE-CALAIS	69 RHÔNE
2A CORSE-DU-SUD	15 CANTAL
89 YONNE	25 DOUBS
19 CORRÈZE	75 PARIS
974 RÉUNION	84 VAUCLUSE

ÉCRIT

OBJECTIFS :

Compréhension de petites annonces.

FICHE FLASH ≈ 20 MINUTES

1. Demander aux élèves de lire silencieusement les petites annonces, puis de trouver ce que signifient les abréviations. On pourra donner un exemple pour démarrer l'activité.

2. Les élèves peuvent réaliser cette activité seuls ou par groupes. Ils passeront ensuite à la rédaction. On procédera à une correction collective de chacune des annonces.

RESSOURCES :
– 4 petites annonces.
– 3 tableaux.

CORRECTIONS :

2. Rédigez chaque petite annonce en remplaçant les abréviations par des mots entiers :

Femme 43 ans, 1,72 m, professeur, sportive, élégante, aimant voyages, musique, lecture, cherche homme très bonne situation pour être heureux.

Jeune femme, 30 ans, yeux bleus, célibataire, cherche homme 40 ans maximum, pour vie à deux.

Français vivant à l'étranger, cherche jeune femme 25-35 ans origine étrangère pour amitié, complicité si amour. Enfant bienvenu, photo, téléphone avec lettre.

Homme 45 ans, veuf, 2 enfants, cherche jeune femme 30-35 ans en vue mariage.

OBJECTIFS :

La négation.

RESSOURCES :
– 1 tableau récapitulatif.
– 1 exercice d'entraînement.
– 1 série d'enregistrements.

FICHE FLASH ≈ 25 MINUTES

1. Prendre connaissance du tableau et répondre aux questions des élèves, puis passer à l'activité « À vous ! ».

2. Enfin, proposer l'exercice 11 afin d'expliquer que le « ne » de la négation à l'oral tend à disparaître à l'oral.

ENTRAÎNEMENT
la négation

CORRECTIONS :

Exercice 11

Dites si vous avez entendu « ne » ou « n' » :

dialogue	ne/n'	ni l'un ni l'autre
1		x
2	x	
3	x	
4		x
5	x	

dialogue	ne/n'	ni l'un ni l'autre
6		x
7		x
8		x
9	x	
10		x

TRANSCRIPTIONS :

Entraînement : la négation

1. Je sais pas.
2. Je n'aime pas ça.
3. J'ai pas d'chance.
4. J'aime pas le foot.
5. Je n'sais pas nager.
6. Je parle pas allemand.
7. J'ai pas d'voiture.
8. Elle est pas gentille.
9. Vous n'avez pas d'enfants ?
10. Ils font pas attention.

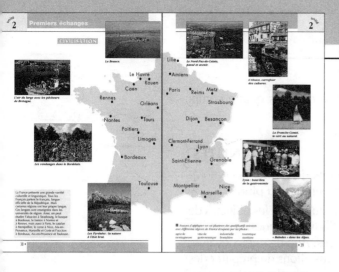

CIVILISATION

OBJECTIFS :

Appréhender les caractéristiques de plusieurs régions françaises à travers les photos proposées.

RESSOURCES :
– 1 carte de France.
– 9 photos.

FICHE FLASH ≈ **30 MINUTES**

Plusieurs démarches :

1. Dire, pour chaque photo, ce que l'on imagine de la région, la caractériser, puis la situer sur la carte de France.
   Ou bien demander à chaque élève de choisir une photo et de parler de la région choisie.

2. Expliquer les adjectifs de la liste au bas de la p. 39, puis demander aux élèves de les appliquer à quelques régions françaises.

3. Travailler le texte p. 38 en compréhension.

4. Élaborer avec les élèves une description sommaire des différentes régions qui composent leur pays.

CONSEILS... SUGGESTIONS... REMARQUES...

En demandant aux apprenants d'établir des comparaisons, de choisir, d'imaginer, on interpelle leur motivation et influence leur attitude. C'est un apprentissage actif.

Il ne s'agit pas de se contenter de décrire, mais de proposer une tâche précise.

Quelques qualificatifs que l'on peut attribuer aux neuf régions représentées :

Les Alpes, c'est une chaîne montagneuse. Les deux pays frontaliers sont la Suisse et l'Italie. On distingue les Alpes du Sud et les Alpes du Nord

La région Rhône-Alpes est industrielle, gastronomique et viticole (le Beaujolais). Lyon, préfecture du Rhône, est un haut lieu de la gastronomie française. On y trouve les grands noms de chefs cuisiniers comme Bocuse.

La Franche-Comté est une région montagneuse (montagne jurassienne), frontalière avec la Suisse. C'est aussi une région viticole (le vin d'Arbois) et industrielle (technologies de pointe).

L'Alsace est une région industrielle, frontalière avec la Suisse et l'Allemagne, montagneuse (les Vosges) et touristique.

Le Nord-Pas-de-Calais est une région industrielle, maritime (ouverture sur la Manche) et frontalière (Belgique).

La Beauce est une vaste plaine, riche en cultures céréalières (blé, orge, maïs et betterave à sucre) appelée aussi le grenier de la France. Elle fait partie de la région du Bassin parisien.

La Bretagne est une région touristique, maritime (Manche, Océan Atlantique) et agricole (production végétale : artichauts, haricots verts, choux-fleurs et production animale).

Le Bordelais, région autour de Bordeaux, se situe en Aquitaine. Célèbre grâce à ses vignobles, le Bordelais est avant tout une zone viticole.

Enfin, **les Pyrénées** sont une chaîne montagneuse qui sépare la France de l'Espagne. Ce sont aussi trois départements, les Pyrénées-Atlantiques (64) faisant partie de la région Aquitaine, les Hautes-Pyrénées (65), région Midi-Pyrénées et les Pyrénées-Orientales (66), région Languedoc-Roussillon. Ces régions sont touristiques et agricoles.

Si vous souhaitez approfondir ce sujet, nous vous suggérons le livre : *La France aux cent visages*, Annie Mon-

ÉVALUATION

OBJECTIFS :
Évaluation des acquis de l'unité dans les quatre compétences.

FICHE FLASH   ≈ 45 MINUTES

Compréhension orale : le premier exercice permet de vérifier la compréhension des nombres et le deuxième celui des marques du pluriel.

Expression orale : les questions doivent être en accord avec les objectifs de l'unité. Elles permettent de reprendre tous les outils linguistiques ou non linguistiques auxquels les élèves ont déjà été exposés. Afin de mieux évaluer les compétences orales des élèves, nous vous conseillons de préparer des questions ouvertes et fermées. Vous pouvez vous inspirer des quelques suggestions proposées ci-dessous.

Compréhension écrite : la lettre de Toussaint Dialo reprend les objectifs des deux premières unités et tout particulièrement celui de la présentation. Pour ce type d'exercice, apparemment facile, il faut habituer les élèves à faire attention au moindre détail, à lire attentivement les consignes et à faire appel à leur logique. Ce savoir-faire est à développer dès le début de l'apprentissage.

Expression écrite : la réponse à la lettre est libre, cependant on peut imaginer que la lettre de Toussaint Dialo serve de modèle, de guide ou de point de départ pour sa rédaction.

RESSOURCES :
– 1 série d'enregistrements (CO).
– 1 lettre (CE).

CONSEILS... SUGGESTIONS... REMARQUES...

Qu'est-ce qu'une question ouverte ? Qu'est-ce qu'une question fermée ? Une question ouverte offre aux élèves une multitude de réponses possibles et donne à chacun d'entre eux la possibilité d'y répondre et de partager ses connaissances avec les autres, alors qu'une question fermée limite les réponses possibles et contraint les élèves à rechercher la bonne réponse. Dans les deux cas, les réponses aux questions doivent être justifiées. Nous tenons à attirer votre attention sur l'importance de la formulation des questions.

CORRECTIONS :

COMPRÉHENSION ORALE (CO)

1. Écoutez et notez les nombres que vous avez entendus :

1	86
2	101
3	121
4	26
5	33

2. Dites si on parle d'une ou de plusieurs personnes ou si on ne peut pas le savoir :

dialogue	une personne	plusieurs personnes	on ne sait pas
1			X
2		X	
3		X	
4	X		
5		X	

TRANSCRIPTIONS :

Compréhension orale 1
1. – Il a quel âge ton grand-père ?
   – 86 ans.
2. – Tu as vu le film *Les 101 dalmatiens ?*
3. – Jeanne Calment, la doyenne des Français, a eu 121 ans.
4. – 26, c'est quel département ?
   – C'est la Drôme.
5. – J'habite 33, rue des Lilas.

Compréhension orale 2
1. Il(s) chante(nt) tout le temps.
2. Ils ont 3 enfants.
3. Ils sont toujours en retard.
4. Elle habite où ta sœur ?
5. Elles dansent très bien tes cousines.

EXPRESSION ORALE (EO)

Répondez aux questions de votre professeur.
Quelques questions ouvertes :
Pouvez-vous vous présenter rapidement ?
Qu'est-ce que vous aimez faire ?
Qu'est-ce que vous n'aimez pas faire ?

Quelques questions fermées :
Quel âge avez-vous ?
Où habitez-vous ?
Aimez-vous le football ?

COMPRÉHENSION ÉCRITE (CE)

Lisez la lettre de Toussaint Dialo et répondez « vrai » ou « faux » au questionnaire :
1-V ; 2-F ; 3-F ; 4-V ; 5-V ; 6-F ; 7-F ; 8-V ; 9-F ; 10-F.

EXPRESSION ÉCRITE (CE)

Imaginez une réponse à la lettre de Toussaint Dialo.
Cette réponse est une proposition parmi tant d'autres.

Cher Toussaint,
Je m'appelle Ariel Mandur. J'habite à Montréal au Québec. Je parle anglais et français. Je suis bilingue. J'ai seize ans. Mon père est diplomate et ma mère institutrice. Je n'ai pas de frère mais une sœur de deux ans.
J'aime le ski, la moto. Je ne regarde pas la télévision mais j'écoute beaucoup de musique. J'adore aussi les promenades. Je fais aussi la collection des pièces de monnaie de tous les pays.

MISE EN ROUTE

OBJECTIFS :
Repérage de situations de communication avec « tu » et « vous ».

FICHE FLASH ≈ **15 MINUTES**

1. Faire écouter chaque dialogue et demander à quelle image il correspond.

2. Demander aux élèves d'expliciter leur choix ; on les aidera avec des questions : est-ce qu'ils sont amis ? Est-ce qu'ils se connaissent ?

CONSEILS... SUGGESTIONS... REMARQUES...

Le choix entre le « tu » et le « vous » est délicat. Pour simplifier, vous pouvez proposer aux élèves d'employer « vous » dans des situations officielles ou avec des personnes inconnues, « tu » dans des situations amicales, familiales.
L'étude de situations de communication variées aide à la conceptualisation du « tu » et du « vous ».
Pour aller plus loin, nous vous conseillons de vous référer à *La Grammaire utile du français*, Hatier/Didier, chapitre 2, page 44.

CORRECTIONS :

Faites correspondre chaque dialogue avec une image et dites si c'est « tu » ou « vous » qui a été utilisé :

Image	Dialogue	
a	5	tu
b	1	tu
c	2	vous
d	4	vous
e	3	tu

RESSOURCES :
– 3 images + dialogues témoins.
– 5 dialogues.
– 5 images.

TRANSCRIPTIONS :

Dialogue témoin
– Comment allez-vous Madame Lecomte ?
– Très bien. Et vous ?
– Salut ! Ça va ?
– Bonjour Pierre. Tu n'es pas à l'école ?

Mise en route
1. – Salut ! Tu vas bien ?
   – Oui, et toi ?
2. – Vous connaissez le président de notre association ?
   – Enchanté monsieur.
3. – C'est toi le frère de Jérémie ?
   – Oui, c'est moi. Salut !
4. – Bonjour madame. Comment allez-vous ?
   – Très bien. Et vous ?
5. – Tu t'appelles comment ?
   – Louis.
   – Tu as quel âge ?
   – 12 ans.

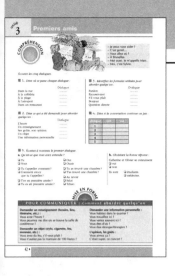

RESSOURCES :
– 1 image + 1 série d'enregistrements.
– 1 tableau récapitulatif.

TRANSCRIPTIONS :

Dialogue témoin
– Je peux vous aider ?
– C'est gentil…
– Vous allez où ?
– À Bruxelles.
– Moi aussi. Je m'appelle Marc.
– Moi, c'est Sylvie.

Compréhension-Dialogues
1.– Tu t'appelles comment ?
 – Catherine.
 – Moi, c'est Olivier. T'es en droit ?
 – Non, j'fais médecine.
 – Moi aussi. T'es en première année ?
 – Ouais…
 – T'as trouvé une chambre ?
 – Ben non…
 – Tu veux un café ?
 – Bof…
 – Un thé ?
 – Non, rien, j'y vais. J'ai cours dans cinq minutes.
 – Ben alors tchao.
 – Tchao Olivier !
2.– Excusez-moi monsieur, vous pourriez me prêter un stylo ?
 – Bien sûr. Tenez…
 – Vous aussi vous allez à Pointe-à-Pitre ?
 – Oui, je vais à un mariage.
 – Moi, j'y vais en vacances.
3.– Pardon mademoiselle, vous avez l'heure ?
 – Midi et demi.
 – Merci, vous venez souvent ici ?
 – Non. L'addition s'il vous plaît !
4.– Bonjour, magnifique ce coucher de soleil, vous ne trouvez pas ?
 – Si, c'est bon les vacances.
 – Vous êtes là depuis longtemps ?
 – Depuis une semaine.
 – Vous êtes de quel pays ?
 – Je suis argentine.
 – Je ne connais pas l'Argentine. Qu'est-ce que vous faites en France ?
 – J'ai de la famille à Paris.
5.– S'il vous plaît, vous pourriez me dire où se trouve le café de la Poste ?
 – C'est à 500 m à gauche.
 – Merci, je vous offre un café ?
 – Non, je suis pressée.

PAGE 42

unité
3

COMPRÉHENSION

OBJECTIFS :
Établir le contact avec quelqu'un.

FICHE FLASH   ≈ 45 MINUTES
1. Écouter le dialogue témoin puis faire prendre connaissance du tableau « Mise en forme ». Répondre aux questions soulevées par le groupe.
2. À partir d'un enregistrement, on propose cinq exercices avec des tâches bien définies pour chacun d'entre eux.

CONSEILS… SUGGESTIONS… REMARQUES…
Parmi tous ces exercices, vous pouvez choisir ceux qui conviennent le mieux aux besoins de vos apprenants.

Ce que nous avons essayé de montrer dans cette activité, c'est que derrière des échanges d'informations peuvent se cacher des stratégies de communication (cf. l'étape 4).

L'objectif est de montrer aux élèves que dans certains cas, la prise de contact fonctionne et que dans d'autres cas les interlocuteurs choisissent de mettre fin à l'échange.

CORRECTIONS :

ÉTAPE 1
Dites où se passe chaque dialogue.
Seul le bruitage permet parfois de reconnaître le lieu (la cafétéria, l'aéroport, le restaurant, la plage, la rue).

ÉTAPE 2
Dites ce qui a été demandé pour aborder quelqu'un.
Retrouver les formules (une information personnelle-1, un objet-2, l'heure-3, ses goûts-4, un renseignement-5).

ÉTAPE 3
Identifiez les formules utilisées pour aborder quelqu'un.
Quelles formules ont été utilisées pour aborder la personne ? (Réponses : 3, 2, 5, 4, 1).

ÉTAPE 4
Dites si la conversation continue ou pas.
À partir du ton ou d'un indice autre, faire deviner si la conversation continue ou pas (réponses : non, oui, non, oui, non). Vous pouvez demander aux élèves d'imaginer la suite des dialogues 2 et 4.

ÉTAPE 5
Ecoutez à nouveau le premier dialogue.
Travail sur le premier dialogue uniquement. Il s'agit de travailler sur une compréhension plus fine que précédemment.

OBJECTIFS :
Systématisation « tu/vous ».

FICHE FLASH ≈ **15 MINUTES**

1. Demander aux élèves de regarder le tableau récapitulatif. Les laisser commenter, observer.

2. Passer aux exercices 12 et 13.

CONSEILS... SUGGESTIONS... REMARQUES...

Amener les élèves à repérer les changements à effectuer (verbe, adjectifs possessifs, salutations) selon que l'on utilise le « tu » ou le « vous ».

RESSOURCES :
– 1 tableau de grammaire.
– 1 enregistrement.
– 2 exercices d'entraînement.

CORRECTIONS :

ENTRAÎNEMENT
tu/vous

Exercice 12

*Lisez les phrases
et dites si la personne qui parle
tutoie (tu) ou vouvoie (vous) :*

	tu	vous
1. Tu parles anglais ?	x	
2. Il s'appelle comment, ton mari ?	x	
3. Bonjour Madame…		x
4. Salut ! Tu vas bien ?	x	
5. Vous vous appelez comment ?		x
6. Salut Pierre !	x	
7. Votre nom, s'il vous plaît ?		x
8. Quelle est votre adresse ?		x
9. Comment allez-vous ?		x
10. Est-ce que ta femme va bien ?	x	

Exercice 13

*Écoutez les phrases
et dites si la personne qui parle
tutoie (tu) ou vouvoie (vous) son interlocuteur :*

	tu	vous
1	x	
2		x
3		x
4	x	
5	x	

	tu	vous
6	x	
7		x
8		x
9	x	
10		x

TRANSCRIPTIONS :

Exercice 13
1. Où est-ce que tu habites ?
2. Madame Simon ? Ici, Jean Chevalier !
3. Vous avez combien d'enfants ?
4. Bonjour Alice, ton papa est là ?
5. Salut ! Je m'appelle André.
6. C'est quoi ton prénom ?
7. Vous êtes française ?
8. Simon, c'est votre nom ou votre prénom ?
9. Salut ! Ça va ?
10. Comment allez-vous ?

RESSOURCES :
– 1 exercice de phonétique.

PHONÉTIQUE

OBJECTIFS :
Exercice de discrimination de trois voyelles nasales :
[ɛ̃]/[ɑ̃]/[ɔ̃].

FICHE FLASH   ≈ **15 MINUTES**

1. Avant de commencer l'écoute des phrases, préparer les apprenants au phénomène de nasalité en leur expliquant, si nécessaire, que ces sons sont produits sur l'expiration de l'air qui passe par la bouche et par le nez.
2. Commencer par travailler les sons [ɛ̃], [ɑ̃] puis [ɔ̃]. Les faire prononcer sur des tons différents, par exemple la colère, puis l'étonnement, etc.

CONSEILS... SUGGESTIONS... REMARQUES...

Vous pouvez ensuite faire chercher dans des mots qu'ils connaissent déjà la graphie ou les graphies de ces trois sons.

CORRECTIONS :

Écoutez les phrases suivantes et dites si vous entendez l'une des voyelles nasales suivantes :
– [ɛ̃] comme dans « demain » ;
– [ɑ̃] comme dans « maman » ;
– [ɔ̃] comme dans « bonbon ».

TRANSCRIPTIONS :

Phonétique : [ɛ̃]/[ɑ̃]/[ɔ̃]

1. J'ai téléphoné à ma tante.
2. Il est midi et j'ai faim.
3. Ce film, il était bien.
4. Demain, il fera très chaud.
5. Il est assis sur un banc.
6. Il a pris un bain.
7. Il y a du vin aujourd'hui.
8. Il est beau ce marron.
9. J'aime le vent.
10. Il sent bon ce savon.

	[ɛ̃]	[ɑ̃]	[ɔ̃]
1		x	
2	x		
3	x		
4	x		
5		x	
6	x		
7	x		
8			x
9		x	
10		x	x

3

PAGE 44

OBJECTIFS :
Travail sur les éléments qui varient en fonction de la situation de communication : tutoiement, vouvoiement.

FICHE FLASH ≈ 15 MINUTES

1. Travailler en compréhension le dialogue témoin. Insister sur la situation de communication.

2. Faire écouter le premier dialogue puis demander aux élèves d'imaginer la situation, le contexte dans lequel il peut se dérouler (dans la rue, entre collègues, etc.).
Interroger les élèves sur le type de relation que les deux personnes (Suzanne et Jean-Paul) entretiennent. Sont-ils amis, collègues, etc. ?

3. Faire transformer le dialogue en remplaçant le « vous » par le « tu ».

CONSEILS... SUGGESTIONS... REMARQUES...

Les élèves peuvent reprendre les dialogues en imaginant d'autres contextes, d'autres situations de communication.
L'évaluation doit porter sur la cohérence des dialogues par rapport à la situation choisie.
Pour aller plus loin, vous pouvez consulter *La Grammaire utile du français*, Hatier/Didier, chapitre 2, pages 45 et 46.

OBJECTIFS :
Repérage des principaux indicateurs de temps.

présent
passé composé

FICHE FLASH ≈ 15 MINUTES

1. Faire écouter les enregistrements en demandant de repérer les indicateurs de temps que vous aurez préalablement expliqués. Dans la colonne *dialogue,* inscrire le numéro du dialogue et dans les deux autres colonnes, cocher le temps entendu.

2. Faire repérer les temps utilisés après ces indicateurs.

3. Faire remplir la grille puis faire faire l'exercice 14.

CONSEILS... SUGGESTIONS... REMARQUES...

L'information temporelle est donnée soit par le verbe, soit par les indicateurs de temps qui précisent quand a eu lieu (passé) ou a lieu ou aura lieu un événement. Il est assez fréquent en français, surtout à l'oral, d'utiliser le présent alors que l'indicateur de temps implique un futur. Par exemple, ne soyez pas étonné dans la phrase 5 d'entendre le présent après « demain » : « Demain est un autre jour ».

RESSOURCES :
– 1 image + dialogue témoin.
– 3 dialogues.
– 3 textes.

TRANSCRIPTIONS :

Dialogue témoin
– Bonjour, Monsieur Lefort !
– Bonjour, Madame Dulac ! Vous allez bien ?
– Très bien et vous ?
– Moi aussi, merci.
– Vos enfants vont bien ?
– Oui, c'est bientôt les vacances.
– Et votre femme ?
– Elle va bien aussi.

À vous ! 1 - Dialogues
1. – Vous vous appelez comment ?
   – Jean-Paul. Et vous ?
   – Moi, Suzanne.
   – Vous habitez dans le quartier ?
   – Oui, rue Lecourbe.
   – Vous êtes étudiante ?
   – Non, je travaille, je suis institutrice.
2. – Vous êtes marié ?
   – Oui.
   – Et vous avez des enfants ?
   – Oui, une petite fille de quatre ans.
   – Elle s'appelle comment votre fille ?
   – Claudia.
   – Vous avez fait bon voyage ?
   – Oui, je vous remercie.
3. – Je vous emmène à votre hôtel ?
   – Avec plaisir, je suis très fatigué.
   – Vous connaissez Madrid ?
   – Non, pas du tout.

RESSOURCES :
– 1 série d'enregistrements.
– 1 exercice d'entraînement.

46 •

TRANSCRIPTIONS :

Le temps : présent/passé composé

1. Mon avion part dans une heure.
2. Je suis allé en Italie il y a une semaine.
3. Je suis à vous dans un instant.
4. Cette nuit, il y a eu beaucoup de vent.
5. Demain est un autre jour.
6. Ce matin, je me suis réveillé très tôt.
7. Aujourd'hui, nous avons très bien mangé.
8. Ce soir, ça va beaucoup mieux.
9. Maintenant, je ne suis plus fatigué.
10. Je t'ai téléphoné tout à l'heure.
11. Cet après-midi, il a fait deux heures de sieste.
12. Je suis prête dans cinq minutes, mon chéri !
13. Leur train est arrivé il y a une heure environ.

CORRECTIONS :

Écoutez les enregistrements et dites :
- *quelles expressions de temps vous avez entendues ;*
- *si on a utilisé le présent ou le passé composé.*

	dialogue	présent	passé composé
Aujourd'hui	7		x
Maintenant	9	x	
Demain	5	x	
Tout à l'heure	10		x
Dans cinq minutes	12	x	
Dans un instant	3	x	
Dans une heure	1	x	
Il y a une heure	13		x
Il y a une semaine	2		x
Ce matin	6		x
Cet après-midi	11		x
Ce soir	8	x	
Cette nuit	4	x	

ENTRAÎNEMENT

expression de temps

Exercice 14

Complétez en choisissant :

1. **Hier**, je n'ai pas travaillé.
2. Je reviens **dans une heure**.
3. On se voit **cet après-midi** à 14 heures.
4. **Cette nuit**, je me suis couché à 5 heures du matin.
5. Il est parti **il y a** une semaine.
6. Il fait beau **aujourd'hui**.
7. Il est allé acheter le journal. Il revient **dans un instant**.
8. Je te téléphone **demain** ou après-demain.

GRAMMAIRE : le présent et le passé composé de quelques verbes

OBJECTIFS :

Conjugaison au passé composé des verbes en -er et de quelques autres verbes d'usage très fréquent.

FICHE FLASH ≈ 15 MINUTES

1. Laisser les apprenants déduire et comprendre la formation des verbes au passé composé, en leur donnant le temps de consulter le tableau « Grammaire ». Il est souhaitable qu'ils s'expliquent entre eux le fonctionnement, dans leur langue maternelle si nécessaire.

2. L'exercice 15 est un exercice d'entraînement qui permet aux élèves de vérifier éventuellement leurs hypothèses. Laisser travailler en autonomie.

RESSOURCES :
– 1 tableau récapitulatif.
– 1 exercice d'entraînement.

CONSEILS... SUGGESTIONS... REMARQUES...

Le passé composé n'est pas plus difficile que le présent. L'approche doit être rapide d'autant plus que la progression se fait en spirale. Il faut s'attendre à des erreurs, celles-ci se corrigeront au fur et mesure de l'apprentissage.

Tous les verbes utilisés dans l'exercice 15 sont présents dans le tableau de conjugaison.

À ce stade de l'apprentissage, il n'est pas question d'entrer dans le détail de l'accord du participe passé. Bornez-vous à faire remarquer à vos élèves que lorsqu'un verbe est conjugué avec « être », le participe passé subit des modifications exactement comme les adjectifs avec « être » : il est joli/elle est jolie.

CORRECTIONS :

ENTRAÎNEMENT
le passé composé

Exercice 15

Mettez les phrases suivantes au passé composé :
1. Qu'est-ce que tu as dit ? Je n'ai pas compris.
2. Qu'est-ce que tu as fait aujourd'hui ?
3. Nous sommes allé(e)s à la gare.
4. J'ai attendu une heure et je suis parti(e) !
5. Ils ont attendu une réponse.
6. Ils sont venus quand ?
7. J'ai écrit une lettre à mes parents.
8. J'ai pris le train de 18 heures.
9. J'ai appris le français à l'université.
10. Il a répondu en français.
11. Où est-ce qu'ils sont allés ?
12. Nous sommes parti(e)s en vacances à Saint-Tropez.

RESSOURCES :
– 4 images.
– 1 série de questions.

À VOUS !

OBJECTIFS :
Formuler des questions de différentes façons.

FICHE FLASH   ≈ 20 MINUTES

1. Partir des quatre images pour bien définir les situations : qui sont les personnages, quel type de relation entretiennent-ils, où sont-ils ?

2. Demander aux élèves de prendre connaissance des séries de questions en haut de la page. Répondre aux éventuelles questions.

3. Composer des groupes de deux. Demander aux élèves d'élaborer oralement des dialogues à partir des supports proposés : images et série de questions.
   Ces dialogues peuvent être joués en classe. Faire travailler l'intonation et l'expression.

CONSEILS... SUGGESTIONS... REMARQUES...
Vous pouvez rappeler aux élèves les exercices 1 à 5 de la page 42 où il fallait, à partir d'enregistrements, répondre à des tâches bien définies. Ici, il s'agit de faire varier les questionnements dans des contextes différents.

RESSOURCES :
– 1 tableau récapitulatif.

MISE EN FORME

OBJECTIFS :
Travailler les différentes formes de questionnement.

FICHE FLASH   ≈ 15 MINUTES

1. Amener les élèves à affirmer quelque chose (par exemple : j'habite…). Demander de formuler la question qui correspond à cette affirmation (Où habites-tu ? Où est-ce que tu habites ?).

2. Faire remarquer les différentes façons de poser la même question.

3. Présenter le tableau « Grammaire ».

CONSEILS... SUGGESTIONS... REMARQUES...
À ce stade de l'apprentissage, il suffit de sensibiliser les apprenants aux différentes façons de poser la même question. L'inversion du sujet entraîne un certain nombre de changements syntaxiques et relève plus de la langue écrite que de la langue parlée. Il n'est pas utile en début d'apprentissage de s'y attarder. Ce point de syntaxe est abordé ultérieurement dans l'unité 8, page 135.

OBJECTIFS :

PHONÉTIQUE

– Travailler l'intonation.
– Reconnaissance orale de tous les sons présentés dans les trois premières unités.

FICHE FLASH ≈ 20 MINUTES

1. Commencer par la première activité qui consiste à construire des mini-dialogues à partir d'un modèle. Ces dialogues se travaillent à l'oral.
2. Passer à la deuxième activité. Faire écouter l'enregistrement et répéter les mini-dialogues.
3. Cet exercice propose une synthèse des sons étudiés dans les unités 1-2 et 3. Faire écouter l'enregistrement et compléter la grille.

CONSEILS... SUGGESTIONS... REMARQUES...

Pour les deux premières activités, veiller à travailler l'intonation qui est déclarative pour les affirmations et interrogative pour les questions.
La troisième activité reprend tous les sons travaillés précédemment, elle permet de faire le point et de revenir sur ceux qui peuvent poser quelques problèmes.

CORRECTIONS :

3. Dans chacun des couples de phrases suivantes, il y a une petite différence de prononciation. Identifiez cette différence :

	1	2	3	4	5	6	7	8	9	10	11	12	13	14	15	16	17	18
[y]/[u] (une rue/une roue)	x				x		x				x				x			
[i]/[y] (la vie/la vue)		x																
[s]/[z] (douce/douze)							x		x		x		x				x	
[ɛ̃]/[ɑ̃] (cinq/cent)			x															
[ɑ̃]/[ɔ̃] (le plan/le plomb)													x					
[f]/[v] (je fais/je vais)				x														
[b]/[v] (il boit/il voit)						x												x
[p]/[b] (un pont/un bond)									x						x			

RESSOURCES :
– 3 exercices de phonétique.
– 1 série d'enregistrements.

TRANSCRIPTIONS :

Phonétique : [ɛ̃]/[ɑ̃]/[ɔ̃]
– Bon, tu viens ?
– Pas maintenant.
– Et demain ?
– Je n'ai pas le temps.

– Tu vas bien ?
– Pas vraiment !

– Tu as faim ?
– Pas pour l'instant.

– C'était bien ?
– Pas tout le temps.

Phonétique : exercice de récapitulation.
1. Quel fou rire ! Quelle fourrure !
2. C'est vraiment pire. C'est vraiment pur.
3. C'est un petit vin doux très agréable. C'est un petit vent doux très agréable.
4. Qu'est-ce qu'il a fait ? Qu'est-ce qu'il avait ?
5. Ils s'en vont. Il sent bon.
6. Elle est russe. Elle est rousse.
7. Ils offrent des cadeaux. Ils s'offrent des cadeaux.
8. Il est pour. Il est pur.
9. Il a pris un bain tout à l'heure. Il a pris un pain tout à l'heure.
10. Ils aiment bien. Ils s'aiment bien.
11. Elle te dit tout ? Elle te dit tu ?
12. Ça fait 600. Ça fait six ans.
13. Il est tout blanc. Il est tout blond.
14. Nous avons parlé français. Nous savons parler français.
15. Il est sûr. Il est sourd.
16. Le matin, je me peigne. Le matin, je me baigne.
17. Douce enfant ! Douze enfants !
18. C'est un bon bain. C'est un bon vin.

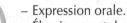

RESSOURCES :
– 16 images.
– 1 liste de mots.
– 1 dialogue.
– 1 fiche.

TRANSCRIPTIONS :

À vous !
– Pardon madame, je fais une enquête sur les loisirs des Français pour un grand quotidien. Vous voulez répondre à quelques questions ?
– Oui.
– Vous allez souvent au cinéma ?
– Non, je regarde la télévision.
– Vous pratiquez un sport ?
– Je fais de la gymnastique.
– Qu'est-ce que vous écoutez comme musique ?
– Un peu de tout.
– Vous voyagez souvent ?
– Malheureusement, non.
– Est-ce que vous avez une caméra vidéo, un appareil photo ?
– Un appareil photo.
– Vous avez un ordinateur ?
– Non.
– Vous faites de la politique ?
– Non, j'ai des enfants, ça m'occupe beaucoup.
– Vous sortez beaucoup ?
– Non, pas beaucoup. Je fais les courses. Ah si, j'adore les musées. Je vais à toutes les expositions.

À VOUS !

OBJECTIFS :
– Expression orale.
– Élargissement du vocabulaire permettant d'exprimer avec un maximum de simplicité ses goûts sur un certain nombre de thèmes.

FICHE FLASH   ≈ **30 MINUTES**

1. Laisser aux élèves le temps de consulter la page. Les sensibiliser aux objectifs de l'activité en parlant vous-même de vos propres goûts, puis les amener à parler eux-mêmes de leurs goûts.

2. Passer à la première activité. Dans la liste d'activités proposée, quelles sont celles qu'ils aiment, détestent, etc. ?

3. Faire écouter le dialogue de la deuxième activité puis remplir la première colonne de la fiche « Que faites-vous ? ». Effectuer une correction collective.

4. Faire remplir la deuxième colonne de la fiche.

CONSEILS... SUGGESTIONS... REMARQUES...

L'expression des goûts est présentée progressivement, du plus simple au plus compliqué. Les acquisitions ultérieures se feront dans :
– L'unité 5, p. 92, à travers des documents authentiques où les élèves sont amenés à exprimer leurs goûts sur une ville.
– L'unité 6, pp. 97-98, à travers un document oral où de nouvelles expressions sont présentées.
– L'unité 8 qui porte sur la description et l'identification d'une personne.
– L'unité 9, p. 143, qui présente les comparatifs.

CORRECTIONS :

QUE FAITES-VOUS ?

Écoutez le dialogue et remplissez la fiche.
Sur cette même fiche, dites ce que vous faites pendant votre temps libre :

	Le personnage du dialogue
lecture	
laquelle ?	
peinture	
photo	x
micro-informatique	
écouter la radio	
regarder la TV	x
écouter de la musique	x
laquelle ?	un peu de tout
sorties	
cinéma	
théâtre	

	Le personnage du dialogue
théâtre	
musées	x
voyages	
activités politiques	
famille, enfants	x
courses	
sport	x
lequel ?	gymnastique
autres	

OBJECTIFS :

Exprimer ses goûts, ses opinions à l'oral et à l'écrit.

FICHE FLASH ≈ 30 MINUTES

1. Demander aux élèves d'utiliser les expressions des deux colonnes en les appliquant à telle ou telle nationalité. Il est possible de créer un début de débat contradictoire sur les stéréotypes que l'on peut avoir sur une nationalité.

   Variante : on peut leur demander d'écrire cinq phrases s'appliquant aux Allemands, aux Anglais, aux Italiens, aux Français, aux Grecs, etc.

2. Faire rédiger le texte sur la vision que les élèves ont des Français ou d'un autre peuple. Cette activité peut s'ouvrir sur une discussion collective.

3. Faire lire silencieusement les deux documents écrits et poser des questions de compréhension.

RESSOURCES :
– 1 tableau récapitulatif.
– 1 texte.
– 1 sondage.

CONSEILS... SUGGESTIONS... REMARQUES...

Il s'agit de faire émerger les représentations que les élèves peuvent avoir de certaines nationalités et de les amener à les nuancer.

Cette activité peut déclencher des remous dans le groupe. Le rôle de l'enseignant est de modérer les propos. Il assure une place de médiateur.

C'est en favorisant les échanges que les opinions et les préjugés se transformeront progressivement.

OBJECTIFS :
Exprimer la négation.

FICHE FLASH ≈ 40 MINUTES

1. Faire écouter une fois la conversation avec des trous (activité 1).
2. Demander aux élèves de trouver ce que dit René. Vérifier si cela est cohérent par rapport aux répliques de Pierre.
3. À partir des informations, faire travailler les élèves par groupes de trois : un élève pose une question à un second (Roger), puis à une troisième (Annie). Vérifier s'ils utilisent correctement « moi si, moi non, moi aussi, moi non plus » ; leur demander de consulter le tableau de « Mise en forme » pour trouver les réponses.
4. Faire écrire un petit texte sur Roger et Annie, en reprenant si possible « lui aussi, elle aussi » (cf. activité « Écrit »).

CORRECTIONS :

1. *Écoutez et imaginez ce que dit René au téléphone :*
– Allô, c'est Julie ?
– Non, c'est Pierre. Salut, René !
– Ça va ?
– Oui, très bien. Et toi ?
– Oui.
– Qu'est-ce que tu fais ?
– Je travaille.
– Moi aussi.
– Julie n'est pas là ?
– Si, elle est là.
– Elle travaille aussi ?
– Non, elle lit.
– Je n'ai pas terminé mon travail.
– Moi non plus.
– Et je dois le faire pour lundi.
– Moi aussi.
– Vous faites quelque chose ce soir ?
– Non.
– On se rappelle plus tard ?
– D'accord. À bientôt.
– Salut.
– Salut.

RESSOURCES :
– 1 dialogue.
– 1 tableau récapitulatif.

TRANSCRIPTIONS :

À vous !
–...
– Non, c'est Pierre. Salut René !
–...
– Oui, très bien. Et toi ?
–...
– Qu'est-ce que tu fais ?
–...
– Moi aussi.
–...
– Si, elle est là !
–...
– Non, elle lit.
–...
– Moi non plus.
–...
– Moi aussi.
–...
– Non.
–...
– D'accord. À bientôt.
–...
– Salut !

OBJECTIFS :
Reprise de tous les acquis des unités 1, 2, 3.

FICHE FLASH ≈ **30 MINUTES**

1. Demander aux élèves de consulter les illustrations qui correspondent aux deux personnages et d'imaginer momentanément, sans préparation préalable à la mise en scène, le dialogue.

2. Chaque groupe joue son dialogue devant l'ensemble de la classe.

RESSOURCES :
– Une image suggérant la rencontre de deux personnages et le sujet de leur conversation.

CONSEILS... SUGGESTIONS... REMARQUES...

Cette activité orale permet de faire le point sur les trois premières unités. Une multitude d'activités peuvent être développées à partir des signes du zodiaque. Vous pouvez demander aux élèves de préciser leur signe, leur date de naissance, les traits de caractère qu'ils associent à chacun des signes (par exemple : le Lion est volontaire). Vous pouvez aussi leur demander de regrouper les signes par éléments : l'eau, l'air, la terre et le feu. Si vous disposez des symboles de chacun de ces signes, il est intéressant de les comparer d'une culture à l'autre car ils peuvent être différents.

Les deux signes du zodiaque en haut à gauche des « bulles » sont la Vierge (23 août - 22 septembre) et le Lion (23 juillet - 22 août).

Il y a dix autres signes qui sont :

Bélier (21 mars)	Scorpion (23 octobre)
Taureau (21 avril)	Sagittaire (22 novembre)
Gémeaux (22 mai)	Capricorne (21 décembre)
Cancer (22 juin)	Verseau (21 janvier)
Balance (23 septembre)	Poissons (20 février)

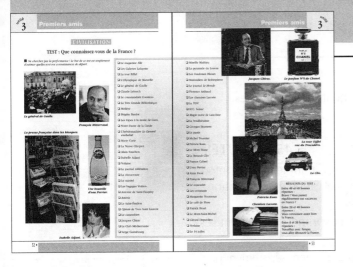

PAGES 52/53

unité **3**

CIVILISATION

OBJECTIFS :

Sensibilisation à quelques réalités culturelles françaises.

FICHE FLASH   ≈ **30 MINUTES**

1. Demander aux élèves de dire ce qu'ils connaissent dans la liste proposée, les faire travailler par groupes de quatre afin que les connaissances des membres du groupe puissent être mises en commun.
2. Leur demander des informations sur chacun des items.

RESSOURCES :
– 1 série de photos.
– 1 test.

Le magazine *ELLE* : hebdomadaire féminin.

Les Galeries Lafayette : grand magasin parisien.

La tour Eiffel : monument parisien construit pour l'exposition universelle de Paris (1887-1889) par l'ingénieur G. Eiffel. Symbole de Paris.

L'Olympique de Marseille : club de football de Marseille.

Le Général de Gaulle : homme politique, président de la République de 1958 à 1969.

Claude Lelouch : réalisateur de cinéma (film célèbre : *Un homme et une Femme*).

Le commandant Cousteau : océanographe français.

La Très Grande Bibliothèque : monument construit sous la présidence de F. Mitterrand.

Les tripes à la mode de Caen : plat à base d'intestins.

Notre-Dame de La Garde : église connue de Marseille.

Le Canard enchaîné : journal satirique hebdomadaire.

Marie Curie : physicienne française d'origine polonaise (1867-1934).

La Veuve Clicquot : marque de champagne.

Alain Souchon : chanteur (dernier succès : *Foule sentimentale*).

Isabelle Adjani : actrice de cinéma.

Voltaire : écrivain du 18e siècle dit « siècle des Lumières » (1694-1778).

Le journal *Libération* : quotidien ; directeur : Serge July.

La choucroute : plat à base de chou et de charcuterie, spécialité alsacienne.

Le minitel : appareil permettant la consultation de services à travers une ligne téléphonique.

Les bagages Vuitton : marque de bagages.

Antoine de Saint-Exupéry : aviateur et écrivain connu pour *Le Petit Prince* (1900-1944).

Astérix : héros de bande dessinée.

Le Saint-Émilion : cru connu de la région de Bordeaux.

Opium de Saint Laurent : parfum.

Le camembert : fromage à pâte molle fait en Normandie.

Jacques Chirac : homme politique, élu président de la République en 1995.

Le Club Méditerranée : chaîne française de complexes pour les vacances dans le monde entier.

Serge Gainsbourg : chanteur.

Mireille Mathieu : chanteuse.

La Pyramide du Louvre : monument construit dans la cour du Louvre.

Les Gauloises bleues : cigarettes populaires.

Robespierre : homme politique, révolutionnaire (1758-1794).

Le journal *Le Monde* : quotidien de l'après-midi, fondé en 1944.

Florence Arthaud : navigatrice en solitaire.

Les chemises Lacoste : marque de chemises.

TGV : train à grande vitesse.

MC Solaar : chanteur, rappeur.

Magie noire de Lancôme : parfum.

La bouillabaisse : plat à base de poissons, spécialité de Marseille.

Georges Brassens : chanteur.

Le Pastis : apéritif populaire surtout dans le Sud de la France.

Michel Tournier : écrivain (*Vendredi ou les limbes du Pacifique*).

Patricia Kaas : chanteuse.

Le Mont Blanc : montagne la plus élevée de France.

La Renault Clio : petite voiture de Renault.

Francis Cabrel : chanteur.

L'eau Perrier : eau gazeuse.

Alain Prost : coureur de F1 (Formule 1).

François Mitterrand : homme politique, président de la République de 1981 à 1995.

Le Muscadet : vin blanc de l'ouest de la France.

Les croissants : petits pains sucrés que l'on mange le matin.

Marguerite Yourcenar : écrivain connue pour *Mémoires d'Hadrien* (1903-1987).

Le café de Flore : café parisien, boulevard St-Germain, à la mode dans les années 50.

Patrick Bruel : chanteur.

Le Mont Saint-Michel : mont en Bretagne entouré, à marée haute, par la mer .

Gérard Depardieu : acteur.

Verlaine (Paul) : poète (1844-1896).

Le 14 juillet : fête nationale, qui célèbre la prise de la Bastille (prison) pendant la Révolution française.

ÉVALUATION

OBJECTIFS :

Évaluation des acquis dans les quatre compétences.

FICHE FLASH ≈ 45 MINUTES

Compréhension écrite : il s'agit de trouver dans trois mini-lettres des informations précises sur les activités de Julie, Gilles et Stéphanie. Attention : Gilles, en français, est un prénom masculin.

Expression écrite : l'objectif principal consiste à exprimer simplement ses goûts et ses activités.

Compréhension orale : faire écouter chaque enregistrement séparement puis demander de compléter la grille. Une seule écoute devrait suffire.

Expression orale : faire remplir le questionnaire par l'élève puis passer l'enregistrement afin qu'il puisse répondre oralement aux questions posées. Il est important que les apprenants s'habituent tôt, dans leur apprentissage de la langue, à d'autres voix que celle de leur enseignant. Par conséquent, éviter de répéter ou de reformuler les questions enregistrées.

CONSEILS... SUGGESTIONS... REMARQUES...

À la fin de ces trois unités, les élèves peuvent se débrouiller dans une situation de communication minimale où ils seront amenés à donner des informations sur eux-mêmes ou sur les autres, à prendre contact et à faire connaissance. Ils sont familiarisés avec les premiers éléments incontournables de la morphosyntaxe. Ils sont également capables de rédiger et de comprendre de brefs messages.

CORRECTIONS :

COMPRÉHENSION ÉCRITE (CE)

Lisez les trois textes et remplissez la grille (goûts et activités de Julie, Gilles et Stéphanie) :

	Julie	Gilles	Stéphanie
Cinéma	x		x
Voyages			x
Lecture		x	x
Dessin			x
Musique classique			x
Musique moderne	x		
Sports	x		
Télévision		x	

COMPRÉHENSION ORALE (CO)

1. Écoutez le dialogue et remplissez la grille concernant Claude et Josette :

	Claude	Josette
1. Aime le jazz :	non	oui
2. Est célibataire :	oui	oui
3. Connaît Madrid :	non	oui
4. Aime Paris :	non	oui
5. Est très sympathique :	oui	oui

RESSOURCES :
– 3 documents écrits (CE).
– 3 enregistrements (CO), (EO).

TRANSCRIPTIONS :

Compréhension orale 1
– Tu aimes le jazz ?
– Non, je n'aime pas ça.
– Moi si, j'adore ça.
– Tu es mariée ?
– Non.
– Moi non plus.
– Tu connais Madrid ?
– Non.
– Moi si.
– Tu veux un café ?
– Oui, volontiers.
– Je n'aime pas beaucoup Paris.
– Moi si, c'est une ville fantastique.
– Tu es très sympathique.
– Merci, toi aussi.

TRANSCRIPTIONS :

Compréhension orale 2
– Qu'est-ce que tu as fait hier ?
– Qu'est-ce que tu fais ?
– Où est-ce que tu travailles ?
– Lundi, j'ai travaillé, mardi aussi. Mercredi, je me suis reposé.
– Avant-hier, je suis allé chez Marc.

Expression orale
1. – Je parle anglais. Et vous ?
2. – J'aime beaucoup la musique classique. Et vous ?
3. – Je ne connais pas Athènes. Et vous ?
4. – Je suis célibataire. Et toi ?
5. – Je suis étudiante. Et toi ?

RESSOURCES :
– 1 enregistrement (CO).
– 1 extrait d'un texte (EO).

2. Écoutez et dites si l'on parle au présent ou au passé :

	présent	passé
1		x
2	x	
3	x	
4		x
5		x

Le Diplôme d'Études en Langue Française (DELF) se compose de six unités. L'unité 1 a comme objectif de communiquer dans des situations simples de la vie quotidienne.

Les épreuves se déroulent en un temps limité et s'articulent autour d'épreuves écrites et orales.

Cette première préparation au DELF se fait uniquement à l'oral qui peut être collectif et/ou individuel.

Dans le cas de la page 54, on propose une compréhension orale collective à partir d'un document enregistré et une expression orale individuelle.

Ces deux épreuves évaluent la capacité à :
– parler de soi, de ses goûts et de ses activités ;
– identifier des informations simples liées à des situations de la vie quotidienne. Vous pouvez prévoir pour les deux activités 30 minutes, soit 15 minutes chacune.

CONSEILS... SUGGESTIONS... REMARQUES...

Il vous est également possible, en utilisant les annales du DELF, de trouver d'autres exercices accessibles aux élèves à l'issue de ces trois unités.

CORRECTIONS :

COMPRÉHENSION ORALE (CO)

1. Écoutez l'enregistrement et choisissez les bonnes réponses :
Claude Laurier habite à Grenoble.
Il habite au centre-ville.
Il aime beaucoup la mer.
Il vient de Grenoble.
Il est ingénieur en télécommunications.

TRANSCRIPTIONS :

Compréhension orale
– Je me présente, Alain Lambert.
– Enchanté, je m'appelle Claude Laurier.
– Enchanté. Vous venez d'où ?
– De Grenoble, mais je suis né à Bordeaux. Je suis à Brest depuis quinze jours.
– Vous êtes chimiste, je crois ?
– Non, je suis ingénieur, je travaille au Centre de Télécommunications.
– Vous avez trouvé un appartement ?
– Oui, au centre-ville, près du garage Renault.
– Vous aimez Brest ?
– Beaucoup, j'adore la mer.

16. Poser une question

Trouvez la question :
1. Comment vous vous appelez ?
   Je m'appelle Marie Simonin. Et vous ?
2. Vous êtes célibataire / Vous êtes marié(e) ?
   Je suis célibataire.
3. Où habitez-vous ?
   J'habite à Melun, 30, rue des Roses.
4. Où travaillez-vous ?
   Je travaille à la Poste. Je suis facteur.
5. Quel âge avez-vous ?
   J'ai 30 ans.

17. Être, avoir, s'appeler, habiter

Complétez les phrases :
1. – Comment tu t'appelles ?
   – Je m'appelle Claire.
2. – Vous avez quel âge ?
   – J'ai trente-cinq ans.
3. – Vous êtes ingénieur ?
   – Je suis médecin.
4. – Vous habitez à Paris ?
   – Non, j'habite à Dijon.
5. – Vous vous appelez René ?
   – Je m'appelle Georges.
6. – Tu es célibataire ?

18. Adjectifs de nationalité

Mettez les adjectifs qui correspondent :
1. Le tango est une danse argentine.
2. Le camembert est un fromage français.
3. Amsterdam est un port hollandais.
4. Marseille est la troisième ville française.
5. Hans et Günter sont allemands.
6. Madrid est la plus belle ville espagnole.
7. Les musées italiens sont très intéressants. Surtout le musée de Florence.
8. Le Sud tunisien est très touristique. C'est la partie de la Tunisie que je préfère.
9. Amalia et Rosa habitent à Lisbonne. Elles sont portugaises.
10. Il est en vacances dans une île grecque. Cythère, je crois.

19. Écrire les nombres

Complétez les phrases (écrivez les nombres en lettres) :
1. Vingt et trente égalent cinquante, plus dix cela fait soixante.

2. – Vingt et un, c'est quel département ?
   – La Côte-d'Or.
3. Quarante-trois moins sept égalent trente-six.
4. Il est né en 1920. Il a donc soixante-seize ans.
5. – Il a trois filles et deux garçons.
   – Cinq enfants ! C'est beaucoup !
6. Quinze et douze égalent vingt-sept.
7. Trois paquets à dix-sept francs. Cela fait cinquante et un francs.
8. En France la majorité est à dix-huit ans.

20. Comprendre les nombres

Écoutez et écrivez les nombres que vous avez entendus :
1. Il est né en 1927. Il a 70 ans.
2. Il ne va pas à l'école. Il a 2 ans.
3. 26 plus 12, cela fait 38.
4. Il a acheté une Peugeot 205.
5. En France, la vitesse est limitée à 90 km/h sur les routes, à 130 km/h sur les autoroutes et à 50 km/h dans les villes.
6. 9 fois 12 égalent 108.
7. Les vacances de Pâques, c'est du 9 au 23 avril.
8. Ce soir au ciné-club, *Fahrenheit 451*, un film de François Truffaut.
9. Tu as vu *2001 l'Odyssée de l'espace* de Stanley Kubrick ?
10. C'est ouvert 24 heures sur 24.

21. Conjugaisons

Complétez avec un des verbes suivants : être, s'appeler, parler, habiter, avoir, connaître.
1. Julie et Anne parlent grec.
2. Cindy et Carol sont américaines.
3. Pierre habite à Paris.
4. Elle s'appelle Claire.
5. Monsieur et Madame Verdon ont deux enfants. Ils habitent à Orléans.
6. Julio et José habitent à Madrid, ils sont espagnols, mais ils parlent bien français.
7. Ils ne connaissent pas la France.
8. Elles sont grecques.

22. Masculin/féminin

Dites si c'est un homme (H), une femme (F) ou si on ne peut pas savoir (?) qui a écrit ces petits textes :
1. Je m'appelle Claude. Je suis suisse. (?)
2. Je suis bibliothécaire. (?)
   Je suis mariée et j'ai deux enfants. (F)

3. J'adore le football. (?)

4. Je suis coiffeuse pour hommes. (F)

5. Je suis née en Pologne. (F)

6. J'ai 57 ans, je suis veuve. (F)

7. Je suis élève au lycée de jeunes filles de Sainte-Marie. (F)

8. Je suis championne du monde de boxe thaïlandaise. (F)

23. Masculin/féminin

Écoutez les enregistrements et dites si on parle d'un homme, d'une femme ou si on ne sait pas :

1 H - 2 F - 3 F - 4 ? - 5 H - 6 F - 7 H - 8 F - 9 F 10 H.

24. C'est un/c'est une, il est/elle est

Complétez ce texte en utilisant « c'est un »/«c'est une », « il est »/«elle est » :

1. Jacqueline vit à Paris. Elle est secrétaire. C'est une jeune femme très sympathique. Elle est mariée avec Jacques. Lui, il est professeur. Il parle anglais et allemand. C'est un homme charmant.

2. Je vous présente Alberto. C'est un ami mexicain. Il est étudiant en architecture.

3. J'habite à Quimper. C'est une petite ville de l'Ouest de la France. Ma femme n'est pas bretonne. Elle est alsacienne.

4. Tu connais Maryline ? C'est une fille très sympathique. Elle est institutrice à Dole. Dole ? C'est une petite ville dans le Jura.

25. Oui, non, si

Répondez en utilisant « oui », « non », « si » :

1. – Tu es marié ?
   – Non, célibataire.

2. – Tu ne connais pas Lyon ?
   – Si, très bien. Je suis né à Lyon.

3. – Vous aimez le fromage ?
   – Non, je déteste ça.

4. – Vous n'avez pas de voiture ?
   – Si, une Peugeot.

5. – Elle parle allemand ?
   – Oui, allemand et espagnol.

6. – Ton ami est français ?
   – Non, espagnol.

7. – Vous n'avez pas d'enfants ?
   – Si, trois.

8. – Elle est italienne ?
   – Non, portugaise.

26. Moi aussi/moi non plus

Trouvez les réponses en utilisant « moi aussi », « moi non plus », « moi non », « moi si » :

1. – J'aime le cinéma. Et toi ?
   – Moi aussi, surtout le cinéma italien.

2. – Je n'ai pas d'enfants. Et toi ?
   – Moi si, j'ai une petite fille de 4 ans et demi.

3. – Je n'aime pas le froid. Et toi ?
   – Moi non plus, j'adore le soleil.

4. – Je n'ai pas de voiture. Et toi ?
   – Moi non plus, je roule en vélo, c'est plus écologique.

5. – Je connais bien Lisbonne.
   – Moi aussi, mes grands-parents sont portugais.

6. – Je ne connais personne à Paris.
   – Moi si, je vais te présenter mes amis.

7. – J'adore le rock.
   – Moi non, je suis plutôt classique.

8. – J'adore le café.
   – Moi non, je bois toujours du thé.

9. – Désolé, je ne suis pas libre, ce soir…
   – Moi non plus, ma mère vient dîner à la maison.

10. – Je n'aime pas du tout ce garçon.
    – Moi si, il est très sympa.

27. Présenter quelqu'un

Écrivez un texte sur Pierre et Paul et sur Julie et Marie :

Nom : Pierre Durand

Âge : 30 ans

Profession : médecin

Adresse : 3, rue du Four (Lyon)

Langues parlées : allemand, espagnol

Par exemple : Il s'appelle Pierre Durand. Il a 30 ans. Il est médecin. Il habite 3, rue du Four à Lyon. Il parle allemand et espagnol.

28. Moi, toi, lui, elle, eux, elles

Complétez les phrases suivantes en utilisant « moi », « toi », « lui », « elle », « eux », « elles » :

1. Moi, je ne comprends pas.

2. Quand je parle français avec eux, ils ne comprennent rien.

3. Lui, il travaille beaucoup.

4. – Elles sont d'où les deux filles ?
   – Elles ? Françaises, je crois.

5. – Tu connais Paul et Vincent ?
   – Bien sûr, je travaille avec eux.

6. Et toi, tu habites où ?

7. Et eux ? Qu'est-ce qu'ils font ?

8. – Tu vas bien ?
   – Oui, très bien. Et toi ?

9. Tu connais le numéro de téléphone de Josette et Anne-Marie ? J'ai un message pour elles.

10. – Tu connais Nina ?
   – Bien sûr, je travaille avec elle.

11. – Est-ce qu'il y a une lettre pour M. Leveau ?
   – Non, aujourd'hui, il n'y a rien pour lui.

12. – J'ai un paquet pour Monsieur et Madame Puis-seguin.
   – Désolée, ils ne sont pas chez eux.

29. Présent/passé

Dites si c'est le présent ou le passé que vous avez entendu :

1. présent	6. passé
2. passé	7. passé
3. présent	8. présent
4. passé	9. présent
5. présent	10. passé

30. La négation

Dites si la phrase entendue est positive ou négative :
1-P, 2-P, 3-N, 4-N, 5-P, 6-N, 7-N, 8-N, 9-P, 10-P.

31. Les adjectifs possessifs

Complétez en utilisant le possessif qui convient :
1. C'est ma voisine. Elle est très sympa.
2. Votre nom, c'est Dupois ou Duroi ?
3. – C'est votre sœur ?
   – Non, c'est ma mère.
4. Tu peux me donner ton adresse ?
5. Vos papiers, s'il vous plaît !
6. Je ne retrouve pas mes clés.

32. Les adjectifs possessifs

Complétez en choisissant :
1. Tu connais sa sœur ?
2. Ma voisine est partie en vacances.
3. On prend ma voiture ou on y va à pied ?
4. Je vais téléphoner à mes parents.
5. Mon fils est étudiant en médecine.
6. Je te présente mon grand-père. Il est journaliste.
7. Excuse-moi, j'ai pris ta place.
8. Monsieur ! Vous oubliez vos cigarettes !
9. Dans ma rue, il y a un petit restaurant pas cher.
10. Ton téléphone, c'est bien le 45 47 65 78 ?
11. J'ai perdu mes clés.
12. Je te présente ma famille.

33. Singulier/pluriel

Écoutez et dites si on parle d'une personne, de plusieurs personnes ou si on ne peut pas savoir :

1. plusieurs personnes.	7. plusieurs personnes.
2. plusieurs personnes.	8. on ne sait pas.
3. on ne sait pas.	9. plusieurs personnes.
4. une personne.	10. plusieurs personnes.
5. une personne.	11. plusieurs personnes.
6. plusieurs personnes.	12. plusieurs personnes.

34. Singulier/pluriel

Complétez en utilisant « le », « l' », « la » ou « les » :
1. Les français parlent très vite.
2. J'aime beaucoup les enfants.
3. Où est la clé de la bibliothèque ?
4. J'adore prendre l'avion.
5. C'est bientôt les vacances.
6. J'apprends le français.
7. Les allemands voyagent beaucoup.
8. Le matin, je lis les journaux.
9. Tu écoutes souvent la radio ?
10. Le mardi, les musées sont fermés.
11. Il n'y a pas beaucoup de monde dans les rues.
12. Tu peux me donner l'adresse de Jacques ?

35. Le pluriel des verbes

Complétez en utilisant le verbe indiqué entre parenthèses :
1. Ils vont souvent au cinéma.
2. Ils ne comprennent pas très bien le français.
3. Ils apprennent vite.
4. Ils font un voyage autour du monde.
5. Ils ne peuvent pas partir.
6. Elles travaillent à la télévision.
7. Mes enfants partent demain.
8. Elles vivent à Paris.
9. D'où est-ce qu'elles viennent ?
10. Ils lisent des journaux.

36. Passé composé

Mettez les verbes entre parenthèses au passé composé :
1. Hier, j'ai rencontré ton frère.
2. Il a trouvé un petit appartement.
3. Hier, nous avons mangé au restaurant.
4. Ils ont voyagé en train.
5. Vous avez compris ?
6. Ce week-end, j'ai visité Dijon.
7. Dimanche ? J'ai regardé la télévision.

8. Elle a appris le français à l'université.
9. Tu as aimé ce film ?
10. J'ai parlé à mon professeur.

37. Passé composé (être/avoir)

Complétez en utilisant le verbe « être » ou « avoir » :

1. Je suis sorti le premier.
2. Il a trouvé un passeport.
3. Vous êtes venu en voiture ?
4. J'ai regardé la télévision.
5. Dimanche, je suis allé à la piscine.
6. Nous avons beaucoup aimé ce film.
7. Ils ont travaillé toute la journée.
8. Il est parti à midi.
9. Il n'a rien compris.
10. Il est arrivé à 22 h 10.

38. Masculin/féminin

Mettez les phrases suivantes au masculin (les prénoms aussi) :

1. René est instituteur.
2. Raymond est caissier dans un magasin.
3. Roland est blond. Il est très beau.
4. Valentin est pharmacien.
5. Augustin est très vieux.
6. Paul est directeur d'une petite entreprise.
7. Adrien est agriculteur.
8. Frédéric est musicien.
9. François, c'est mon grand ami.
10. Martin est marié avec une mathématicienne.
11. Michel est très grand.
12. Sylvain est cuisinier.

39. Masculin/féminin

Mettez les phrases suivantes au féminin (les prénoms aussi) :

1. Lucienne est électricienne.
2. Jeanne est très gentille.
3. Andrée est informaticienne.
4. Gilberte ? C'est une petite brune.

5. Justine est née en février.
6. Joëlle est canadienne.
7. Julienne est plus grande que Marcelle.
8. Louise est mariée. Elle a deux enfants.
9. Denise est boulangère.
10. Christiane est très intelligente.
11. Marcelle est sportive.
12. Danielle est actrice.

40. Questions/affirmations

Dites si vous avez entendu une question ou une affirmation :

1-Q, 2-Q, 3-A, 4-A, 5-Q, 6-A, 7-A, 8-Q, 9-Q, 10-A.

41. Tu/vous

Transformez les phrases suivantes en utilisant « tu » à la place de « vous » :

1. Qu'est-ce que tu fais ce soir ?
2. Tu veux un renseignement ?
3. Tu peux entrer.
4. Tu ne dis rien.
5. Tu es de la région ?
6. Où est-ce que tu vas ?
7. Tu comprends ?
8. Tu as du feu ?
9. Tu viens ?
10. Tu t'appelles comment ?

42. Tu/vous

Complétez en choisissant « tu » ou « vous » :

1. Où est-ce que vous habitez ?
2. Tu parles très bien français.
3. Est-ce que tu vas bien ?
4. Vous êtes marié ou célibataire ?
5. Tu as combien d'enfants ?
6. Tu es de quelle nationalité ?
7. Est-ce que vous connaissez Lyon ?
8. Vous parlez quelles langues ?
9. Vous vous appelez Schmidt. Vous êtes allemand ?
10. Comment allez-vous ?

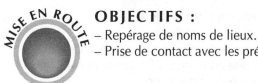

OBJECTIFS :
MISE EN ROUTE
– Repérage de noms de lieux.
– Prise de contact avec les prépositions.

FICHE FLASH ≈ 20 MINUTES

1. Partir du support visuel et demander aux élèves d'observer les sept cartes postales. Faire situer sur la carte page 10 les différentes villes. Sont-elles au nord, au sud, à l'est ou à l'ouest ?

2. Faire écouter la chanson en faisant relever dans un premier temps les lieux qui y sont évoqués.

3. Demander aux élèves de repérer le refrain puis leur poser des questions afin de dégager l'idée générale : quel sentiment éprouve le chanteur ? Que veut-il arrêter de faire ?

CONSEILS... SUGGESTIONS... REMARQUES...

Les unités 4-5-6 ont comme objectif commun d'amener les apprenants à s'exprimer sur leur environnement, de demander et de donner des informations sur un lieu, un itinéraire.

C'est en ancrant les échanges dans l'environnement immédiat que vous favoriserez la communication, et ceci dès le début de l'apprentissage.

La barbe à papa : sucrerie de couleur rose que l'on vend surtout dans les foires ou fêtes foraines.

Des idées noires : avoir des idées noires, ne pas avoir le moral, avoir le cafard.

RESSOURCES :
– enregistrement de la chanson.
– 1 carte de France (p. 10).
– 7 cartes postales.

TRANSCRIPTIONS :

EMMÈNE-MOI
(© Greame Allwright)

J'ai voyagé de Brest à Besançon
depuis la Rochelle jusqu'en Avignon
de Nantes jusqu'à Monaco
en passant par Metz et Saint-Malo
et Paris
et j'ai vendu des marrons
à la foire de Dijon
et de la barbe à papa

> *Refrain*
> Emmène-moi,
> mon cœur est triste
> et j'ai mal aux pieds
> Emmène-moi,
> je ne veux plus voyager

J'ai dormi toute une nuit dans un abreuvoir
J'ai attrapé la grippe et des idées noires
J'ai eu mal aux dents et la rougeole
J'ai attrapé des rhumes
et des petites bestioles
qui piquent
sans parler de toutes les fois
que j'ai coupé mes doigts
sur une boîte à sardines

> *Refrain*

Je les vois tous les deux
comme si c'était hier
au coucher du soleil
maman mettant le couvert
et mon vieux papa avec sa cuillère
remplissant son assiette de pommes de terre
bien cuites
et les dimanches
maman coupant une tranche
de tarte aux pommes

> *Refrain*

COMPRÉHENSION

OBJECTIFS :
Repérer et observer les prépositions (à, au, en, de) après les verbes (être, aller, venir, habiter).

FICHE FLASH ≈ 10 MINUTES

1. Faire écouter le premier dialogue une fois.
2. Demander aux apprenants de cocher les bonnes réponses.
3. Faire réécouter le dialogue et mettre en commun les réponses pour vérifier.
4. Procéder de la même manière pour les dialogues 2 et 3.

CONSEILS... SUGGESTIONS... REMARQUES...

Appuyez-vous sur les réponses des apprenants pour construire la phase de conceptualisation qui va être abordée dans la « Mise en forme ».

M.S.F. (Médecins Sans Frontières) : organisation non gouvernementale, créée en 1971, connue aussi sous le nom de « French doctors ». Cette organisation mène des missions humanitaires dans le monde entier.

O.M.S. : L'Organisation Mondiale de la Santé est une institution spécialisée des Nations unies. Son siège est à Genève et son objectif est d'amener tous les peuples à un niveau de santé optimum.

CORRECTIONS :
Écoutez chaque dialogue et choisissez la proposition qui convient :

DIALOGUE 1
La conversation se passe au Burundi.
Le médecin travaille à Bujumbura (Burundi).

DIALOGUE 2
Il va en vacances en Grèce.
Il est de Grenoble.

DIALOGUE 3
Il habite en Indonésie.
Il a travaillé 6 ans au Soudan.
Il rentre en France.

RESSOURCES :
– 3 dialogues enregistrés.
– 3 QCM (questionnaires à choix multiple).

TRANSCRIPTIONS :

Compréhension

1. – Vous venez d'où ?
   – De Bujumbura.
   – Et qu'est-ce que vous faites au Burundi ?
   – Je suis médecin à Médecins Sans Frontières.
   – Ah ! Un « french doctor » ! Et qu'est-ce que vous faites à Nairobi ?
   – Je viens pour un congrès de l'OMS.
2. – Vous habitez en Grèce ?
   – Non, j'y vais en vacances.
   – Et vous êtes d'où ?
   – De Grenoble.
3. – Vous voyagez beaucoup ?
   – Oui, j'habite à Djakarta depuis 2 ans et j'ai travaillé 6 ans au Soudan, à Khartoum.
   Mais maintenant, je rentre à Brest.

RESSOURCES :
– 2 exercices d'entraînement.
– 2 tableaux récapitulatifs.

MISE EN FORME

OBJECTIFS :
Conceptualiser le choix d'utilisation entre « à, au, en » et « de, d', du ».

FICHE FLASH ≈ 20 MINUTES

1. Demander aux apprenants de lire les phrases du tableau p. 62, puis d'en produire d'autres sur les mêmes modèles.
2. Les amener à réfléchir sur la correction de leurs productions.
3. Établir une première distinction entre « à » et « de ».
4. Écrire au tableau un exemple avec chacune des possibilités, puis amener les élèves à déduire les règles.
5. Faire produire par deux des mini-dialogues sur le modèle de ceux qui ont été écoutés, en utilisant le tableau récapitulatif des pays. Puis faire les exercices d'entraînement 43 et 44 p. 63. Pour faciliter l'exercice 43, vous pouvez noter au tableau le nom du pays avec l'article.

CONSEILS... SUGGESTIONS... REMARQUES...

Il s'agit, à partir d'une démarche déductive qui implique une phase d'observation, de supposition, de s'approprier le fonctionnement de « au/en » + noms de pays.

Ne pas faire mémoriser les tableaux mais veiller surtout à la compréhension du fonctionnement des prépositions.

CORRECTIONS :

ENTRAÎNEMENT
au/en
+ noms de pays

Exercice 43

Complétez les phrases suivantes en utilisant un nom de pays :
1. Il habite Vilnius, en **Lituanie**.
2. Je suis allé à Kiev, en **Ukraine**.
3. Il vit à Bogota, en **Colombie**.
4. J'ai visité Baalbek, au **Liban**.
5. J'ai un ami à Porto, au **Portugal**.
6. Je vais en vacances à Bari, en **Italie**.
7. Il travaille à Khartoum, au **Soudan**.
8. – Douala, c'est dans quel pays ?
   – C'est au **Cameroun**.
9. Il va à Tegucigalpa, au **Honduras**.
10. Je suis né à Damas, en **Syrie**.

Exercice 44

ENTRAÎNEMENT
de/à/en

Complétez le texte suivant :
Je suis touriste.
Je viens **de** Caen, en France.
Je suis **à** l'hôtel Éphèse, **à** Adana.
C'est la première fois que je viens **en** Turquie et cela me plaît beaucoup. Demain, je vais **à** Istanbul, puis je rentre **en** France.

PHONÉTIQUE

OBJECTIFS :

Travailler le son [ʀ].

FICHE FLASH   ≈ 5 MINUTES

1. Faire écouter et répéter le texte. Le livre reste fermé pour les premières écoutes.
2. Procéder de la même façon avec le livre ouvert.

CONSEILS... SUGGESTIONS... REMARQUES...

L'exercice proposé autour du son [ʀ] est simple. Il s'agit d'écouter puis de répéter le texte. Nous tenons cependant à attirer votre attention sur le fait que ce son est prononcé différemment suivant les régions d'origine des locuteurs. Dans le Sud-Ouest de la France, le [ʀ] est souvent roulé, ce qui n'est pas le cas dans le Nord. Signaler ce phénomène à vos élèves afin qu'ils ne soient pas surpris lors d'un voyage ou lors de l'écoute d'un autre enregistrement audiovisuel.

RESSOURCES :
– 1 exercice de phonétique.

TRANSCRIPTIONS :

Phonétique : le son [ʀ]
Bernard.
Il est tard.
Il est au port.
D'abord, il appelle son père.
Ensuite, il téléphone à sa mère.
Il part.
C'est un dur.
Il n'a pas peur.

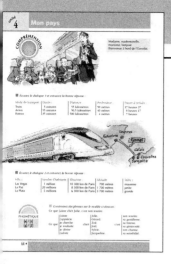

RESSOURCES :
– 2 dialogues avec éléments à choisir.

TRANSCRIPTIONS :

Compréhension

1. Madame, mademoiselle, monsieur, bonjour. Bienvenue à bord de l'Eurostar qui vous fera traverser la Manche, de Coquelles à Cheriton, en 35 min. La longueur du tunnel est de 50,500 km. Nous voyagerons à 40 m sous le fond de la mer et nous arriverons à Cheriton à 17 h 37. Bonne traversée !

2. Mesdames, messieurs, bonjour. Ici votre commandant de bord, Pierre Scratch. Nous survolons actuellement La Paz, petite capitale d'un million d'habitants qui, avec ses 3 700 m d'altitude, est la ville la plus haute du monde. Nous avons parcouru les 10 300 km qui nous séparent de Paris en 14 heures. Je vous remercie d'avoir choisi Air Évasion pour ce voyage et je vous souhaite un bon séjour en Bolivie.

RESSOURCES :
– 1 exercice de phonétique.

COMPRÉHENSION

OBJECTIFS :
Comprendre et repérer des nombres qui caractérisent un lieu ou un trajet : distance, durée, profondeur, heure, altitude, etc.

FICHE FLASH ≈ 15 MINUTES

1. Faire écouter le dialogue témoin puis demander aux élèves dans quel lieu on peut entendre ce genre de discours. Il s'agit ici de faire identifier, à l'aide de l'image et du dialogue, le contexte.

2. Faire écouter le premier dialogue puis demander aux élèves d'entourer les réponses qui correspondent à ce qu'ils ont compris. Procéder à une correction collective.

3. Faire de même pour la deuxième activité et le dialogue 2.

CONSEILS... SUGGESTIONS... REMARQUES...

Il s'agit de développer une compréhension plus fine des apprenants en les conduisant à repérer des informations précises (nombres, durée, distances, heures, etc.) au sein d'un discours. La compréhension des nombres dans une langue étrangère n'est pas évidente mais elle est sans aucun doute nécessaire dans un grand nombre de situations de communication. C'est pour cela qu'il faut habituer les apprenants très tôt au maniement et à la compréhension de ces outils.

Pour votre information : Eurostar est un train TGV qui assure la liaison entre Paris et Londres. La première rame a été mise en service en 1994.

PHONÉTIQUE

OBJECTIFS :
Distinction des sons [s]/[z] et [ʒ]/[ʃ].

FICHE FLASH ≈ 5 MINUTES

Faire construire des phrases en demandant aux élèves de piocher un élément dans chacune des colonnes.

CONSEILS... SUGGESTIONS... REMARQUES...

Les deux nouveaux sons à travailler sont [ʒ] et [ʃ].
Vous pouvez rencontrer deux cas de figures :
• L'opposition de ces deux sons existe dans la langue maternelle des apprenants. Dans ce cas, elle ne pose aucun problème.
• Les deux sons n'existent pas. Il s'agit alors de travailler la tension ou la labialité. Tension quand le [ʒ] est prononcé [dʒ] et [ʃ] prononcé [tʃ]. Labialité quand le [ʃ] est assimilé à [s] et [ʒ] à [z].

OBJECTIFS :

Acquisition d'éléments permettant de situer et de caractériser un lieu.

FICHE FLASH   15 MINUTES

1. Demander aux élèves de situer des lieux qu'ils connaissent (villes ou pays) en posant des questions qui leur permettent d'utiliser les points cardinaux, les distances. Par exemple : où est la France par rapport à la Grèce ? À combien de kilomètres se trouve Madrid de Porto ? etc. Les élèves peuvent se référer au tableau lorsqu'ils en ont besoin.

2. Passer à l'activité d'expression « À Vous » à l'aide d'une carte si c'est nécessaire. Laisser les élèves faire des hypothèses sur la situation géographique des pays dont il est question.

3. Faire travailler à l'oral et par groupes de deux l'exercice 45.

RESSOURCES :
– 1 tableau récapitulatif.
– 1 exercice d'entraînement.

CONSEILS... SUGGESTIONS... REMARQUES...

Cette activité vous permet de reprendre systématiquement « du », « de la », « de l'». Elle apporte de nouveaux éléments linguistiques à utiliser pour situer un lieu (au nord, à... kilomètres, etc.). Pour favoriser les échanges, appuyez-vous sur l'environnement immédiat des apprenants, utilisez l'espace classe pour encourager les déplacements. Bien souvent, c'est par la kinésique, c'est-à-dire le mouvement, que les apprenants saisissent le mieux les différentes utilisations des prépositions.

Vous pouvez vous procurer des photos, des images de villes connues. Vous les étalez sur le sol de la classe et demandez aux élèves de se déplacer d'une ville à l'autre, en disant : « je vais à..., je viens de... ».

CORRECTIONS :

Exercice 45 :

ENTRAÎNEMENT
distances

À faire oralement.

Indiquez la distance par la route qui sépare les villes suivantes :

Exemple :
Paris/Lyon : 481 km.
   Paris **est à** 481 kilomètres **de** Lyon.
   Il y a 481 kilomètres **de** Paris **à** Lyon.

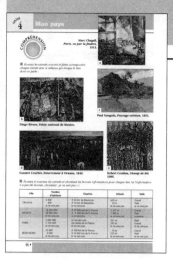

Marc Chagall, *Paris, vu par la fenêtre*, 1913.

66 •

RESSOURCES :
– 5 illustrations.
– 4 extraits sonores et une grille de réponses.

TRANSCRIPTIONS :

Compréhension

1. Chers auditeurs, bonjour ! Nous sommes aujourd'hui dans la charmante petite ville d'Ornans. Située à 20 km de Besançon, la capitale régionale, Ornans a été rendue célèbre par un de ses enfants : le peintre Gustave Courbet. Elle compte 5 000 habitants. Une rivière la traverse : la Loue qui fait, l'été, la joie des pêcheurs et des amateurs de canoë kayak.

2. Je suis actuellement à Mexico pour le match retour de football France-Mexique. Située à 2 277 m d'altitude, la capitale du Mexique est devenue en quelques années l'une des plus grandes villes du monde avec une population d'environ 25 millions d'habitants.

3. Il y a à Paris 2 150 000 habitants, Paris est situé à 255 m d'altitude. Nous sommes partis du pont Neuf et nous remontons la Seine. Derrière nous, la tour Eiffel. Devant nous, Notre-Dame.

4. – Allô, maman. C'est moi.
– Tu es où ?
– À Bora-Bora.
– Bora-Bora ? C'est où, Bora-Bora ?
– C'est une île de Polynésie, maman. C'est tout petit : il y a moins de 5000 habitants. C'est à 16 000 km de la France !
– Oh là ! Et tu es bien ?
– L'hôtel est à côté de la plage. Il fait chaud. C'est magnifique !

OBJECTIFS :
Comprendre de manière analytique des éléments de localisation et de caractérisation d'un lieu.

FICHE FLASH ≈ 30 MINUTES

1. Faire parler les élèves sur les tableaux en leur demandant de faire des hypothèses sur les lieux représentés.
2. Faire écouter le premier enregistrement et demander de retrouver l'illustration qui correspond au document sonore.
3. Procéder à une deuxième écoute pour repérer les éléments de la grille.
4. Procéder de la même manière avec les trois autres enregistrements. Attention ! l'image "e" ne correspond à aucun dialogue.

CONSEILS... SUGGESTIONS... REMARQUES...

Cette activité reprend, à travers un support iconographique riche, les éléments de localisation et de caractérisation d'un lieu vus précédemment. C'est pour vous l'occasion de faire la synthèse et de consolider ou de reprendre les notions non encore acquises.
Ne pas négliger les illustrations qui doivent permettre aux élèves de faire des hypothèses.

Marc Chagall : peintre d'origine russe (Vitebsk 1887 - Saint-Paul-de-Vence 1985). Il reconstruit, en accord avec son imaginaire, un univers nourri de souvenirs d'enfance et de rêves.

Diego Rivera : peintre mexicain (Guanajuato 1886 - Mexico 1957). Engagé politiquement, il cherche son inspiration dans la culture locale. Il est surtout connu pour son travail de muraliste.

Paul Gauguin : peintre français (Paris 1848- Îles Marquises 1903), surtout connu pour ses toiles peintes à Tahiti. Ses œuvres sont marquées par des apports exotiques.

Gustave Courbet : peintre français (Ornans 1819 - La Tour-de-Peilz 1877). Le réalisme de certaines de ses œuvres, entre autres *L'Enterrement à Ornans*, a déclenché des polémiques. Courbet a affirmé son art en luttant contre le conformisme académique.

Robert Combas : peintre contemporain, très à la mode depuis les années 80.

CORRECTIONS :

Écoutez à nouveau les extraits et choisissez les bonnes informations pour chaque lieu (si l'information n'a pas été donnée, choisissez « je ne sais pas ») :

Ville	Nombre d'habitants	Situation	Altitude	Taille
Ornans	5 000	20 km de Besançon	...	petite
Mexico	25 millions	...	2 277 m	grande
Paris	2 150 000	...	255 m	grande
Bora-Bora	5 000	16 000 km de la France	...	petite

PAGE 67

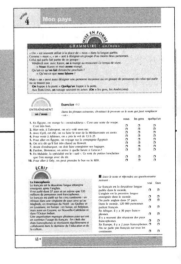

Mon pays

OBJECTIFS :
Présenter un lieu et dire ce qui le caractérise.

FICHE FLASH ≈ 30 MINUTES

1. Travailler d'abord sur le tableau de grammaire, les élèves lisent les exemples, discutent entre eux pour s'expliquer mutuellement le fonctionnement des présentatifs.
2. Demander aux élèves de trouver d'autres exemples.
3. Bien faire repérer les différences entre « c'est + adjectif »/« c'est un + nom »/« c'est le + nom » en montrant que pour « c'est le + nom », il y a toujours un élément qui permet de déterminer le nom.
4. Passer à l'activité « À vous ». Demander à chaque élève de présenter un des quatre lieux avec les informations disponibles.
5. Leur demander ensuite de présenter un autre lieu qu'ils connaissent.

RESSOURCES :
– 4 images.
– 1 tableau avec informations.
– 1 tableau récapitulatif.

CONSEILS... SUGGESTIONS... REMARQUES...

Les élèves reconnaîtront certainement parmi les présentatifs, « C'est... », déjà abordé dans l'unité 1 p. 18. Il est important d'attirer leur attention sur les différences entre « c'est + adjectif » (c'est beau) et « c'est + article + nom » (c'est un homme).

C'est l'occasion pour vous de traiter les articles définis, indéfinis et partitifs, vus çà et là dans *Tempo,* mais non encore systématisés. Le tableau consacré à ce point de grammaire résume les trois cas.

L'activité, comme beaucoup d'activités de *Tempo,* présente un double intérêt : elle permet de réemployer les outils linguistiques qui servent à présenter un lieu mais aussi d'offrir aux élèves des informations extra-linguistiques. Cet aspect peut être renforcé en demandant aux élèves de rechercher dans un dictionnaire, une encyclopédie, des informations sur un pays, une ville de leur choix.

PAGES 68/69

OBJECTIFS :
Utilisation de « on »/« nous ».

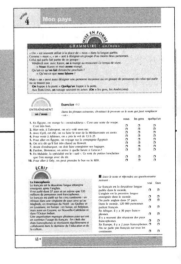

FICHE FLASH ≈ 15 MINUTES

1. Expliquer le tableau « Grammaire » en demandant aux élèves de préciser, pour chaque exemple, par quoi « on » peut être remplacé.
2. Faire trouver d'autres exemples avec « on » et, de même, demander à chaque fois de le remplacer. Par exemple : « On dit que... » « Les gens disent que... ».
3. Vérifier la compréhension en demandant aux élèves de faire l'exercice 46 individuellement.

RESSOURCES :
– 1 tableau récapitulatif.
– 1 exercice d'entraînement.
– 1 carte des pays francophones.

CONSEILS... SUGGESTIONS... REMARQUES...

L'ensemble de ces activités porte sur l'utilisation de « on ». Vous pouvez éventuellement recourir à la traduction, en demandant aux élèves de traduire dans leur langue maternelle le « on » puis le « nous ».

Faire remarquer aux élèves que la substitution du « on » entraîne souvent un changement dans la phrase : On a mangé → Nous avons mangé.

CORRECTIONS :

Exercice 46

Dans les phrases suivantes, choisissez le pronom ou le nom qui peut remplacer « on » :

1. En Égypte, **les gens** mangent la « mouloukheya ». C'est une sorte de soupe. C'est très bon.
2. Hier soir, à l'aéroport, **quelqu'un** m'a volé mon sac.
3. Avec Cyril, cet été, **nous** allons faire le tour de la Méditerranée en moto.
4. Pour venir à Athènes, **nous** avons pris le vol de 13 h 25.
5. Pour aller en Égypte, **nous** voyageons sur la compagnie Égyptair.
6. **Quelqu'un** m'a dit qu'il fait très chaud au Koweït.
7. Avant d'embarquer, **nous** devons faire enregistrer nos bagages.
8. Pardon, Monsieur, **nous** arrivons à quelle heure à Caracas ?
9. En Malaisie, la spécialité est le « saté ». Ce sont de petites brochettes que **les gens** mangent avec du riz.
10. Pour aller à Orly, **nous** pouvons prendre le bus ou le RER.

RESSOURCES :
– 1 texte.

ÉCRIT

OBJECTIFS :

– Compréhension d'un document écrit.
– Présentation de la francophonie.

FICHE FLASH   ≈ 30 MINUTES

1. Demander aux élèves dans quels pays on parle le français.
2. Faire lire le texte « la francophonie » puis demander aux élèves de répondre au questionnaire. La correction s'effectuera collectivement.
3. Faire observer la carte p. 69. Expliquer la légende puis demander aux élèves dans quels pays on parle l'arabe, le portugais, l'anglais et l'espagnol.

CONSEILS... SUGGESTIONS... REMARQUES...

La compréhension du texte ne devrait pas poser de problèmes, par contre, le questionnaire réclame une lecture attentive. Habituer les élèves à lire les phrases en faisant bien attention aux moindres détails.

L'échange entre les élèves pendant la correction collective est un moment privilégié. Laissez-les communiquer entre eux, s'auto-corriger. Votre rôle est de favoriser les échanges et de les arbitrer.

Si vous désirez des informations complémentaires sur la francophonie, nous vous conseillons de vous référer à l'unité 5 - p. 198 du livre d'Annie Monnerie, *La France aux cent visages*, Hatier/Didier.

CORRECTIONS :

Lisez le texte et répondez au questionnaire suivant :

	vrai	faux
Le français est la deuxième langue parlée dans le monde.	x	
L'anglais est la première langue enseignée dans le monde.	x	
On parle anglais dans 37 pays.		x
Dans le monde, 120 000 personnes parlent français.		x
En Afrique, il y a 30 pays francophones.		x
Il y a souvent des réunions des pays francophones.	x	
En Europe, il y a 2 pays francophones.		x
On ne parle pas français sur tous les continents.		x

unité 4

PAGE 70

COMPRÉHENSION

OBJECTIFS :
Compréhension d'une chanson.

FICHE FLASH   ≈ 25 MINUTES

1. Effectuer la phase de sensibilisation avant d'ouvrir le livre, en demandant aux élèves de terminer oralement les deux phrases suivantes : « J'ai des amis… » et « J'aime… ». Cette phase de sensibilisation doit s'effectuer rapidement.

2. Faire ouvrir les livres et demander aux élèves de commenter les photos. Lire les extraits de la chanson, les expliquer si c'est nécessaire.

3. Avant la première écoute, demander aux élèves d'imaginer sur quel rythme, quel type de musique, les paroles ont été mises.

4. Faire écouter la chanson et leur demander de mettre les extraits dans l'ordre.

5. Procéder à une deuxième écoute, en demandant d'identifier les lieux cités du plus précis (par exemple, Portugal) au plus imprécis (n'importe où, par exemple).

CONSEILS… SUGGESTIONS… REMARQUES…

La chanson est un document riche qui permet de travailler les signifiants linguistiques et non linguistiques (voix, rythme, mélodie).

Avant de vous plonger dans le texte, nous vous conseillons de vous arrêter sur les aspects non linguistiques qui facilitent la compréhension du texte et les échanges entre participants.

RESSOURCES :
– 5 dessins.
– 1 enregistrement d'une chanson.

TRANSCRIPTIONS :
Compréhension
NI PLUS NI MOINS
(Paroles de Kent - Musique de Kent/Jacques Bastello - Arrangements : François Breant - ©1991 THOOBETT/WARNER CHAPPELL MUSIC FRANCE)
J'ai des amis hollandais
J'ai des amis javanais
J'ai des amis au Portugal
J'ai des amis au Sénégal
J'ai des amis dans les villes
J'ai des amis dans les îles
J'ai des amis proches ou lointains
J'ai des amis dans tous les coins
Refrain
   Tant que la terre sera ronde
   J'irai autour du monde
   Voir d'autres êtres humains
   Ni plus ni moins
J'aime les déserts d'Arabie
J'aime les moussons de l'Asie
J'aime les galets d'Étretat
J'aime les glaces de l'Alaska
J'aime être ici ou ailleurs
J'aime les gens qui vont ailleurs
J'aime les gens qui viennent d'ailleurs
Près des yeux près du cœur
Depuis que la terre est ronde
On est tous du même monde
De simples êtres humains
Ni plus ni moins
Refrain
Devant ma mappemonde
Je parcours le monde
Tout est si près d'ici
On n'a qu'une terre
Y'a pas de mystère
On n'a qu'une vie
J'ai des amis de partout
J'ai des amis n'importe où
J'aime aller dans tous les sens
Rencontrer des différences
Depuis que la terre est ronde
On est tous du même monde
De simples êtres humains
Ni plus ni moins
Refrain

RESSOURCES :
– 5 dessins.
– 2 séries d'enregistrements.
– 1 tableau récapitulatif.

TRANSCRIPTIONS :

Les nombres

1. – 222 et 389, ça vous fait 611 F.
   – Voilà.
   – 620, 650 et 50 qui font 700.
2. Le loto aujourd'hui : le 2, le 48, le 30, le 25, le 18 et le 32 ; numéro complémentaire, le 17. Je répète : le 2, le 48, le 30, le 25, le 18, le 32, plus le 17.
3. Voilà les mesures pour la moquette : 7 m sur 5.
4. Tu veux parler à Jacques ? Son numéro, c'est le 82 00 74 51 et au travail, c'est le 82 55 46 99.
5. – Ils sont à combien vos melons ?
   – 12 F pièce, c'est pas cher et j'ai de belles tomates à 8 F le kilo.

Entraînement : les nombres

1. Lyon, c'est à 45 km.
2. Il y a une station-service à 20 km.
3. Il reste 500 m.
4. Toulouse-Montpellier, il y a 250 km.
5. Montpellier-Valence, 210 km.
6. Valence-Lyon, 90 km.
7. En tout, il y a 550 km.
8. J'habite à 46 km de Rouen.

OBJECTIFS :

LES NOMBRES

Systématisation de l'utilisation des nombres.

FICHE FLASH ≈ 20 MINUTES

1. Faire repérer, à partir de l'observation des cinq images, les situations dans lesquelles se déroulent les dialogues qu'ils vont écouter (un supermarché, un jeu télévisé, etc.).
2. Demander aux élèves d'imaginer un dialogue pour chacune des images.
3. Faire écouter ensuite les dialogues enregistrés et noter les chiffres entendus.
4. Demander aux élèves de confronter leurs résultats puis effectuer une correction collective.
5. Passer à l'observation du tableau.
6. Faire faire l'exercice 47 de la p. 72.

CONSEILS... SUGGESTIONS... REMARQUES...

Dés l'unité 1, les élèves sont exposés à l'utilisation de chiffres dans des situations qui nécessitent leur emploi ou qui incitent au jeu (le loto p. 35, par exemple).

Il est plus important, et surtout plus utile pour les élèves, de savoir utiliser, de pouvoir comprendre les nombres, plutôt que de savoir les écrire. Le tableau est donné à titre indicatif, il ne s'agit pas de l'apprendre par cœur mais de s'initier à l'orthographe des nombres. L'acquisition des nombres demande beaucoup de pratique, il faut donc faire des exercices rapides et fréquents sur ce point.

Vous pouvez signaler aux élèves les variantes comme septante et nonante, pour 70 et 90, en Suisse et en Belgique.

CORRECTIONS :

Exercice 47

ENTRAÎNEMENT
les nombres

Écoutez les phrases et écrivez les nombres que vous entendez :

1. quarante-cinq.
2. vingt.
3. cinq cents.
4. deux cent cinquante.
5. deux cent dix.
6. quatre-vingt dix.
7. cinq cent cinquante.
8. quarante-six.

PAGE 72

GRAMMAIRE : les adjectifs démonstratifs

OBJECTIFS :

Systématisation des adjectifs démonstratifs.

FICHE FLASH ≈ 15 MINUTES

1. Faire observer le tableau « Grammaire » sur les adjectifs démonstratifs. Répondre aux éventuelles questions des élèves.

2. Leur demander ensuite de trouver d'autres phrases avec des adjectifs démonstratifs et de les classer dans le tableau (masculin/féminin/pluriel).

3. Enfin, passer à l'exercice 48. En cas de difficultés, renvoyer les élèves au tableau de grammaire. Procéder à une correction collective qui permet une véritable interaction entre les participants (élèves/enseignants).

RESSOURCES :
– 1 tableau récapitulatif.
– 2 exercices d'entraînement.

CORRECTIONS :

ENTRAÎNEMENT
les démonstratifs

Exercice 48

Choisissez le mot qui convient pour compléter la phrase :

1. Je voudrais acheter ce **dictionnaire**.
2. J'aime beaucoup cette **région**.
3. Jean-Paul habite dans cette **rue**.
4. Je préfère ce **modèle**.
5. Passe-moi cette carte, là, sur la **table**.
6. Ma copine travaille dans un de ces **immeubles**.
7. Je crois que je vais acheter cette **robe**.
8. Je ne viens pas cet **après-midi** ?
9. Je voudrais bien rencontrer cet **artiste**.
10. Je voudrais bien terminer ce travail cette **année**.

ÉCRIT

OBJECTIFS :

Rédiger des informations sur un lieu.

FICHE FLASH ≈ 30 MINUTES

1. Demander aux élèves de repérer d'emblée le lien entre les photos et les deux textes sans les avoir lus.

2. Faire émettre des hypothèses sur les objectifs visés dans cette page : d'après vous, qu'allons-nous vous demander de réaliser dans les activités de cette page ? De quoi s'agit-il ?

3. Passer au premier document sur La Rochelle. Demander aux élèves si cette ville a déjà été présentée, citée dans le livre (p. 61, photo et chanson). Que connaissent-ils de La Rochelle ?
   Faire commenter la photo « Francofolies » puis lire le texte en recherchant les informations suivantes : nombre d'habitants, localisation, situation géographique, climat, spécialité, curiosités, etc.

4. Enfin, leur demander de rédiger individuellement un texte sur Toulouse, similaire à celui de La Rochelle.

5. Procéder à une correction individuelle ou demander aux élèves de se corriger entre eux.

CONSEILS... SUGGESTIONS... REMARQUES...

Nous vous recommandons de bien exploiter les supports visuels avant de passer aux textes, exercices, etc. Les images, photos, dessins et autres sont d'excellents déclencheurs qui facilitent la contextualisation et incitent à la prise de parole.

C'est aussi pour vous le moment propice pour apporter un certain nombre d'informations qui permettront ultérieurement une meilleure compréhension du document écrit ou oral.

Essayez d'établir un va-et-vient constant entre texte et image. Vous pouvez demander aux élèves si l'on retrouve dans les deux supports les mêmes informations ou si ces informations sont complémentaires les unes des autres. Quel est le rôle des illustrations ? Est-il illustratif ou explicatif ?

Quelques informations sur les Francofolies de La Rochelle : ce festival est vieux de dix ans. Il a lieu chaque année au début du mois de juillet et il réunit pendant quelques jours des chanteurs francophones. Une manifestation similaire a lieu à Montréal à un autre moment de l'année. Les Francofolies attirent de plus en plus de monde.

Vous expliquerez rapidement le jeu de mots : «Francofolies»/«Francophonie».

LE TEMPS

OBJECTIFS :

Travailler sur les temps du passé.

FICHE FLASH ≈ 60 MINUTES

1. Prendre le temps de faire commenter par les élèves toutes les images. Attirer leur attention sur les détails et leur faire émettre des hypothèses sur les mini-dialogues qu'ils vont écouter.

2. Faire écouter les dialogues et retrouver les images qui leur correspondent.

3. Passer à la deuxième activité. Lire la grille et la liste des indicateurs de temps qu'il faudra expliquer, soit en dessinant au tableau une ligne du temps, soit en traduisant.

4. Faire écouter les dialogues en expliquant très clairement qu'il s'agit de repérer dans les sept dialogues les expressions de temps.

5. Dans la troisième activité, la tâche est aussi très précise. L'objectif est le repérage de quelques formes du passé composé. Avant de commencer cette activité, demander aux élèves de relever les passés composés qu'ils connaissent déjà, les renvoyer aux pages 35 et 45.

6. La quatrième activité est une phase d'expression. À partir des images non utilisées, faire imaginer des mini-dialogues comme ceux entendus auparavant.

CONSEILS... SUGGESTIONS... REMARQUES...

Après avoir travaillé sur les indicateurs de temps « présent/passé » (unité 3, p. 44) où il s'agissait seulement de les distinguer, nous allons maintenant un peu plus loin dans l'apprentissage et proposons un travail sur les indicateurs du temps du passé. Le puzzle commence à prendre forme puisqu'à l'étude de ces indicateurs est associé le passé composé (temps du passé abordé dès la première unité).

Cette séquence est construite en trois étapes qui forment un tout :
– Faire correspondre un texte/une image.
– Reconnaissance auditive des expressions de temps.
– Reconnaissance de quelques formes du passé composé.
– Expression.

Comme vous pouvez le remarquer, les tâches s'affinent et deviennent de plus en plus précises.

Quelques informations : Saint-Tropez est un village situé sur la Côte d'Azur. Il est immortalisé par la célèbre actrice des années 60, Brigitte Bardot (BB). C'est un haut lieu de villégiature fréquenté par les gens du show-business.

La Baule est une station balnéaire réputée, située à l'ouest de Saint-Nazaire, sur l'Océan Atlantique.

Le Ballon d'Alsace est un des sommets des Vosges, montagnes situées dans l'est de la France.

RESSOURCES :
– 12 images.
– 7 dialogues.
– 2 grilles.

TRANSCRIPTIONS :

Le temps

1. – Qu'est-ce que tu as fait ce week-end ?
   – Je suis allé au cinéma.
2. – À quelle heure tu es rentré cette nuit ?
   – À 4 heures du matin !
3. – Tu as vu Luc, ces jours-ci ?
   – Oui, on a mangé ensemble hier au restaurant du Parc.
4. – Tu as déjà fait de la planche à voile ?
   – Oui, l'an dernier, à La Baule.
5. – Je peux parler à Monsieur Benoît Simon ?
   – Ah ! Désolé monsieur. Monsieur Simon est parti en vacances avant-hier.
   – Il est parti où ?
   – À Saint-Tropez.
6. – Vous êtes sortis dimanche dernier ?
   – On est allé au Ballon d'Alsace.
7. – J'ai déménagé la semaine dernière !
   – Tu habites où maintenant ?
   – J'ai trouvé une petite maison pas chère à la campagne.

CORRECTIONS :

2. Notez les expressions de temps que vous avez entendues :

	dial.1	dial.2	dial.3	dial.4	dial.5	dial.6	dial.7
aujourd'hui							
hier			x				
avant-hier					x		
ce matin							
cette nuit		x					
ce week-end	x						
cette semaine							
la semaine dernière							x
le mois dernier							
dimanche/lundi dernier						x	
l'an dernier				x			

3. Écoutez à nouveau les dialogues et dites quelles formes du passé composé vous avez entendues dans chaque dialogue :

infinitif	passé composé	dial.1	dial.2	dial.3	dial.4	dial.5	dial.6	dial.7
voir	tu as vu			x				
manger	on a mangé			x				
faire	tu as fait	x			x			
aller	je suis allé	x					x	
faire	vous avez fait							
déménager	j'ai déménagé							x
trouver	j'ai trouvé							x
partir	il est parti					x		
sortir	vous êtes sortis						x	
aller	on est allé							
rentrer	tu es rentré		x					

CIVILISATION

OBJECTIFS :

Travailler sur des faits de vie quotidienne.

FICHE FLASH   ≈ 45 MINUTES

1. Demander aux apprenants de répondre individuellement à un maximum de questions posées. Ils travailleront ensuite par deux, puis par quatre. Il s'agit alors de discuter des réponses, de compléter le questionnaire, de soulever un certain nombre de questions. À l'issue de cette activité, les groupes de quatre devront se mettre d'accord sur les réponses puis en discuter avec les autres groupes lors d'un débat.

2. Profiter de la discussion finale pour demander aux élèves de justifier leur choix et surtout d'identifier le document qui peut apporter une réponse à une question posée. Par exemple : La réponse à la question 1 est donnée par l'image en bas de la page 77.

3. Amener les élèves à établir des comparaisons entre les habitudes françaises et les leurs. Sont-elles différentes ? Qu'est-ce qui est différent ?

CONSEILS... SUGGESTIONS... REMARQUES...

Si vous avez le temps, vous pouvez proposer à votre classe de rédiger en commun un questionnaire identique à celui de ces deux pages, sur leur propre pays. Cette activité demande un travail de réflexion préliminaire sur ce qui caractérise leur pays.

L'activité peut être plus ciblée si vous vous contentez de proposer un travail plus approfondi sur le document « la journée alimentaire des Français », qui pourrait déboucher sur une discussion autour des habitudes alimentaires des Français et les propres habitudes alimentaires du pays des élèves.

RESSOURCES :
– 1 série de documents.
– 1 questionnaire.

CORRECTIONS :

Choisissez la réponse qui convient :

1. le lundi
2. 9 heures
3. le mercredi
4. à une heure
5. le mardi
6. 20 heures
7. poste et bureaux de tabac
8. 21 juin
9. 2e possibilité
10. 18 ans
11. 2 enfants
12. 1re possibilité
13. 22
14. le 18
15. le 12
16. 59 millions
17. vrai
18. 14 juillet

RESSOURCES :
– 2 enregistrements (CO).
– 2 documents écrits (EO), (CE).

TRANSCRIPTIONS :

Compréhension orale 1
– Je viens de la Côte-d'Ivoire.
– La Côte-d'Ivoire ? C'est en Afrique de l'Est ?
– Non, c'est à l'ouest, entre le Libéria et le Ghana.
– Ah oui ! Et la capitale, c'est Abidjan.
– Eh non, c'est Yamoussoukro. Mais Abidjan, c'est la plus grande ville de la Côte-d'Ivoire.
– Il y a combien d'habitants ?
– Environ 12 millions.
– On parle français ?
– Oui, mais aussi dioula, baoulé.
– Ils s'appellent comment les habitants de la Côte-d'Ivoire ?
– Les Ivoiriens.

Compréhension orale 2
J'habite à Strasbourg. C'est une ville de l'Est de la France. C'est près de l'Allemagne, au sud de la Lorraine. Strasbourg, c'est la capitale de l'Alsace, mais c'est aussi une ville importante pour l'Europe. Il y a 256 000 habitants.
Le centre-ville est très joli. Strasbourg est célèbre pour sa cathédrale. On y mange bien et la spécialité gastronomique de cette région est la choucroute. Beaucoup de Strasbourgeois parlent alsacien.

ÉVALUATION

OBJECTIFS :
Évaluer les acquis dans les quatre compétences.

FICHE FLASH ≈ 45 MINUTES

Compréhension orale : les deux documents oraux (un dialogue et un monologue) apportent des informations générales sur un lieu. Il s'agit par conséquent de vérifier les compétences des apprenants à saisir ces informations. La tâche est ici très précise.

Expression orale : l'apprenant devra présenter le Viêt-nam à partir d'une liste d'informations sur ce pays. La tâche est très précise. Évaluer tout particulièrement la capacité à réemployer les outils linguistiques travaillés dans l'unité 4 (les chiffres, les prépositions, les présentatifs, etc.).

Compréhension écrite : vous pourrez remarquer qu'au fur et à mesure que l'on avance dans *Tempo,* les textes de CE se complexifient. Ce texte reprend tous les éléments éparpillés ça et là dans l'unité 4 mais aussi dans l'unité 2 (par exemple : l'adjectif « montagneux » a été présenté p. 39).

Expression écrite : plusieurs choix sont offerts aux apprenants. Les plus aventureux pourront se risquer à présenter leur pays ou un pays de leur choix, alors que les autres s'appuieront sur le texte de la compréhension écrite pour rédiger leur carte postale.

CORRECTIONS :

COMPRÉHENSION ORALE (CO)

1. Écoutez le dialogue et cochez la bonne réponse :
1. La Côte-d'Ivoire se trouve en Afrique de l'Ouest.
2. Elle se trouve entre le Ghana et le Liberia.
3. La capitale de la Côte-d'Ivoire, c'est Yamoussoukro.
4. À Abidjan, il y a 12 millions d'habitants.
5. Les habitants de la Côte-d'Ivoire s'appellent les Ivoiriens.

2. Écoutez le dialogue et remplissez la grille :
1. Strasbourg, c'est la capitale de l'Alsace.
2. Strasbourg se trouve à l'est de la France.
3. Il y a 256 000 habitants.
4. Les habitants de Strasbourg s'appellent les Strasbourgeois.
5. La spécialité de Strasbourg c'est la choucroute.

COMPRÉHENSION ÉCRITE (CE)

Lisez ce texte et complétez le questionnaire :
La Suisse est très peuplée. (F) - En Suisse, tout le monde parle français. (F) - La Suisse est un pays montagneux. (V) - La Suisse fait partie de l'Union européenne. (F) - La Suisse est un pays neutre. (V).

OBJECTIFS :
Comprendre un itinéraire.

FICHE FLASH   ≈ **40 MINUTES**

1. Faire écouter l'enregistrement intégralement puis le faire réécouter en arrêtant après chaque phrase pour que les apprenants puissent choisir la bonne réponse.

2. Effectuer une correction collective.

3. Faire repérer les expressions indiquant la situation d'un lieu : la rue en face/jusqu'au bout/vous tournez à droite/vous continuez jusqu'au feu rouge/vous tournez à gauche/vous traversez une place/vous passez devant la boulangerie/c'est juste en face du Palais des Sports.

CONSEILS... SUGGESTIONS... REMARQUES...

Donner aux apprenants, si c'est nécessaire, le sens des verbes et des expressions utilisés.

Cette unité est tout particulièrement consacrée au déplacement dans l'espace. Nous vous encourageons vivement à amener le plus souvent possible vos élèves à se mouvoir dans l'espace classe. Voici quelques activités qui vous aideront à animer ces séquences :

1. L'objet caché : un objet a été caché dans la classe. En quelques minutes, un des participants doit le retrouver. Il pose des questions auxquelles les autres peuvent répondre par oui ou par non. Par exemple : est-ce que l'objet est à côté de la chaise rouge ? etc.

2. Un parcours : diviser la classe en deux équipes. Un des membres d'une des équipes a les yeux bandés. Cette personne devra arriver à un endroit précis de la classe, guidée par les indications de son groupe, sans rien toucher. Les instructions à suivre sont : tourne à droite, arrête, va tout droit, etc. Chaque fois que la personne aux yeux bandés heurte un objet, son groupe reçoit un point de pénalisation. L'équipe gagnante sera celle qui aura totalisé le moins de points.

RESSOURCES :
– 1 dessin.
– 1 enregistrement.
– 8 énoncés à choisir.

TRANSCRIPTIONS :

Mise en route
– Pardon monsieur, pour aller au club Les Tonnelles, s'il vous plaît ?
– Les Tonnelles ? Attendez. Ah oui ! Vous prenez la rue en face, là, tout droit.
C'est la rue de la préfecture. Vous allez jusqu'au bout et vous tournez à droite. Vous continuez jusqu'au feu rouge. Au feu, vous tournez à gauche et vous prenez la route de Lyon. Au feu suivant, vous tournez de nouveau à gauche. Vous restez sur la route de Lyon pour sortir de la ville. Vous traversez une place, la place de la Liberté. Vous passez devant la boulangerie Malcuit et vous verrez, c'est juste après, en face du Palais des Sports.
– Je vous remercie, monsieur.
– À votre service.

COMPRÉHENSION

OBJECTIFS :

Repérer un lieu ou une situation à travers l'ambiance sonore ; repérer les éléments qui sont significatifs dans un itinéraire (verbes, lexique, prépositions).

RESSOURCES :
– 1 série d'enregistrements.
– 1 illustration.
– 1 planche de symboles.
– 1 plan.

TRANSCRIPTIONS :
Compréhension
1. Elles sont belles mes tomates !
2. Allô ? C'est Pierre !
3. Allez les bleus ! Allez les bleus !
4. Pierre et Marie, je vous déclare unis par les liens du mariage.
5. Vive la mariée ! Vive la mariée !
6. Allô ! Commissariat de Villeneuve ! Je vous écoute…
7. L'exposition Van Gogh, c'est magnifique !
8. En avant !
9. Le numéro 5, il va à la gare ?
10. 2 timbres à 3 F, s'il vous plaît !
11. Patrick ! Attention ! Tu vas tomber !
12. Je voudrais un plan de la ville.
13. Après le pastis, une petite pétanque ?
14. Voilà votre clé. Chambre 205.
15. Garçon ! Deux cafés !
16. Le train 2033 en direction de Marseille va partir ! Attention à la fermeture des portières.
17. Le Monde et un paquet de Gauloises sans filtre.
18. – Tu fais des courses ?
    – Oui, c'est les soldes.
19. – C'est où le cours de philo ?
    – À l'amphi Descartes.
20. – Bonjour monsieur, j'ai perdu mes papiers.

Dialogues
1. Moi, je n'habite pas loin d'ici. Au feu rouge, tu vas tout droit. Tu traverses le pont. À droite il y a une grande place. Tu passes devant un café et là, tu tournes à gauche. C'est juste en face du cinéma.
2. – Je veux aller au Palais des Sports, au concert de Voulzy.
   – Vous prenez le boulevard, là, à droite. Vous allez passer devant un grand garage Renault. Après le garage, vous ne prendrez pas la première rue à droite mais vous continuez environ 500 m. Là, il y a un grand carrefour. Vous prenez la deuxième rue. Vous faites 100 m. Vous allez voir, c'est un grand bâtiment. Vous ne pouvez pas vous tromper.

FICHE FLASH   ≈ 30 MINUTES
ACTIVITÉ 1
1. Faire écouter une fois l'ensemble des enregistrements pour que les élèves repèrent les différentes ambiances sonores.
2. Puis écouter chaque extrait, demander aux élèves de faire des hypothèses et de justifier leur choix.
3. À l'issue de cette première activité, les élèves auront acquis le lexique permettant de parler de différents lieux.

ACTIVITÉS 2, 3, 4
1. Traiter de la même manière les activités 2 et 3 en travaillant d'abord sur la compréhension globale puis sur le repérage des verbes, expressions et prépositions qui permettent de structurer un itinéraire.
2. Faire réaliser le plan de l'activité 3 par groupes de deux.
3. Pour l'activité 4, demander aux élèves de trouver un point de départ et un point d'arrivée et d'imaginer un dialogue.

CONSEILS… SUGGESTIONS… REMARQUES…

Vous pouvez réaliser l'activité 4 sous forme de jeu de rôles. Vous demanderez aux élèves de travailler par deux, de choisir d'abord deux personnages et de définir où ils se trouvent. L'un des deux personnages veut aller dans un lieu situé sur le plan. Ils prépareront oralement le dialogue qui sera ensuite proposé au groupe.
Comment évaluer le travail ? Vous noterez la cohérence entre la demande formulée et l'explication donnée en fonction du plan ; vous évaluerez les expressions indiquant le mouvement, la localisation puisqu'elles ont été travaillées dans les trois activités précédentes.

CORRECTIONS :

1. *Écoutez les 20 extraits sonores et identifiez le lieu qu'ils évoquent.*
On arrivera aux correspondances suivantes : 1 : marché ; 2 : cabine téléphonique ; 3 : stade ; 4 : mairie ; 5 : parvis de l'église ; 6 : commissariat ; 7 : musée ; 8 : cinéma ; 9 : arrêt d'autobus ; 10 : poste ; 11 : square ou jardin public ; 12 : syndicat d'initiative ; 13 : café ; 14 : hôtel ; 15 : café ; 16 : gare ; 17 : bureau de tabac ; 18 : magasin ; 19 : faculté ; 20 : commissariat.

OBJECTIFS :
Comprendre les expressions permettant de localiser.

FICHE FLASH   ≈ 30 MINUTES

1. Partir du dialogue témoin pour annoncer les objectifs de l'activité à venir.
2. Demander aux élèves de prendre connaissance de la grille. Expliquer les expressions.
3. Faire écouter les dialogues en demandant aux élèves d'identifier les expressions utilisées.
4. Corriger collectivement l'activité 1.
5. Réécouter chaque dialogue afin de compléter le questionnaire.

CONSEILS... SUGGESTIONS... REMARQUES...

Vous pouvez, soit en début de cours, soit à la fin, demander aux apprenants de trouver quels sont les objectifs des activités qu'ils vont faire ou qu'ils ont effectuées. C'est un moyen rapide qui permet soit de cerner les activités, soit de s'assurer de leur impact.

CORRECTIONS :

1. Pour chacun des dialogues suivants, dites quelles expressions vous avez entendues :

Expressions	dial. 1	dial. 2	dial. 3	dial. 4	dial. 5
en banlieue					
dans la banlieue de...	x		x		
au centre-ville	x			x	
au centre de/du...	x				x
rue....					
à... kilomètres de...					
près de...		x			
dans un quartier ancien					
dans un village					x
à l'extérieur de...					x
à côté de...					x
en face de...					x

2. Écoutez à nouveau les dialogues et choisissez les réponses qui correspondent :

1. Elle travaille dans la banlieue de Rouen.
   Elle habite au centre-ville.
   Elle habite un appartement.
2. Marcel habite dans un village.
   C'est à 15 kilomètres de Dijon.
3. Elle a trouvé une maison.
   Elle l'a trouvée dans la banlieue parisienne.

    C'est près de son travail.
    C'est à 20 minutes en RER.
4. Il habite dans la ville ancienne.
   Il habite au centre-ville.
   Son appartement est calme.
5. Elle cherche une maison au centre du village.
   C'est près de Grenoble.

RESSOURCES :
– 1 série d'enregistrements.
– 1 grille d'analyse.
– 1 QCM.

TRANSCRIPTIONS :

Dialogue témoin
– Tu habites où à Paris ?
– J'habite en banlieue, mais je travaille au centre, près du Forum des Halles.

Dialogues
1. – Vous travaillez où ?
   – Dans la banlieue de Rouen.
   – Et où est-ce que vous habitez ?
   – Au centre-ville, rue de Compiègne, près de la poste.
   – Vous avez une maison ?
   – Non, j'habite dans un appartement.
2. – Tu sors ce soir ?
   – Je vais chez Marcel, il fait une fête.
   – Il habite où, Marcel ?
   – À Charmes, près de Dijon.
   – C'est loin ?
   – Non, c'est tout près, à 15 km.
3. – Je déménage.
   – Ah bon ? Tu vas où ?
   – J'ai trouvé un appartement dans une petite maison, dans la banlieue de Paris.
   – Bof... la banlieue...
   – Oui, mais c'est moins cher.
   – Et c'est où exactement ?
   – À Fontenay-aux-Roses, à 20 minutes de mon travail.
   – En voiture ?
   – Non en RER, en voiture, il faut presque une heure.
4. – Tu habites au centre-ville maintenant ? Tu es content ? Ce n'est pas trop bruyant ?
   – Non, mon nouvel appartement est très calme. Et puis c'est dans la ville ancienne, il y a tous les commerces.
5. – Allô, je vous téléphone pour la maison.
   – Oui, je vous en prie.
   – La maison est dans le village ou à l'extérieur du village ?
   – Elle est au centre du village, en face de l'église, à côté de la mairie.
   – Et c'est loin de Grenoble ?
   – Non, c'est à 25 km.
   – Quand est-ce que je pourrais la visiter ?
   – Ce week-end, si vous voulez.

MISE EN FORME
PHONÉTIQUE

OBJECTIFS :

– Systématisation de tous les éléments qui permettent de parler d'un lieu.
– Travailler le son [y].

FICHE FLASH ≈ 30 MINUTES

Cette page se travaille en trois temps :

1. Travailler le tableau « Grammaire - dans la ville/en dehors de la ville » qui récapitule des éléments permettant de parler d'un lieu.

   Poser des questions qui entraînent l'emploi de ces éléments : où est l'école ? Où habitez-vous ? C'est au centre ? etc.

2. Passer ensuite au tableau des ordinaux qui ne doit pas poser de problèmes. Faire faire l'exercice 49 individuellement.

3. Enfin, faire écouter l'enregistrement concernant la phonétique. Le son [y] a déjà été abordé tout au début de *Tempo* (Unité 1, pages 13-15). Il est ici seul et isolé. Il ne s'agit pas de comprendre les phrases mais de prêter attention à l'intonation, à la prononciation.

RESSOURCES :

– 1 tableau récapitulatif.
– 1 exercice d'entraînement.
– 1 exercice de phonétique.

TRANSCRIPTIONS :

Phonétique : le son [y]

Petit déjeuner :
1. Tu aimes la confiture ?
2. La vie c'est dur sans confiture.
3. Zut alors !
4. Je t'assure, c'est super.
5. Du sucre ? Plus ? Encore plus de sucre ?

Désaccord :
6. C'est sûr ? Tu es sûr ? Absolument sûr ?
7. Oui, c'est sûrement ça.
8. Allons, c'est stupide, c'est absurde.

Rendez-vous :
9. Tu viens ?
   Dans une heure ?
   Dans une demi-heure ?
   Tout de suite ?
   Dans une minute ?

CONSEILS... SUGGESTIONS... REMARQUES...

« Un verre, ça va ; deux verres, bonjour les dégâts » est un slogan d'une campagne publicitaire menée il y a quelques années contre l'alcoolisme en France. Il est passé dorénavant dans la langue parlée et il est très souvent utilisé par les jeunes.

CORRECTIONS :

ENTRAÎNEMENT
les ordinaux

Exercice 49

Complétez :

1. « Un verre, ça va ; deux verres, bonjour les dégâts ». Vous prenez un **troisième** verre ?
2. À la course, je suis arrivé **dixième** sur onze coureurs, c'est-à-dire avant-dernier !
3. La **neuvième** symphonie de Beethoven a été écrite en 1824.
4. Le Jour de l'An (1er janvier), c'est le **premier** jour de l'année.
5. Le vainqueur du match Marseille-Bordeaux en **huitième** de finale, affrontera Nice en quart de finale.
6. On appelle le cinéma : le **septième** art.
7. On est trois pour jouer au bridge, il en faut un autre pour faire le **quatrième**.
8. Samedi, c'est le **sixième** jour de la semaine.
9. Si une personne est inutile, on dit qu'elle est « la **cinquième** roue de la voiture ».
10. Sur un bateau, le **deuxième** personnage après le commandant, c'est le second.

PAGES 84/85

À VOUS ! OBJECTIFS :
Se situer dans l'espace.

FICHE FLASH ≈ 45 MINUTES

Ce travail doit s'effectuer en deux temps :

1. Lire l'ensemble des phrases et répondre aux questions des élèves. Expliquer qu'un photographe se promène dans un quartier de Besançon et qu'il s'agit de localiser ses déplacements sur un plan, puis sur des photos.
   Enfin, laisser les élèves prendre connaissance du plan sur lequel il faut localiser, d'après les phrases, les positions successives du photographe. Les cercles fléchés correspondent à la position du photographe, par exemple : la phrase 1 correspond à la lettre F.
   Attirer l'attention des élèves sur les mots-clés qui sont : au coin de, entre, etc.

2. Passer aux photos de la page 85. Faire identifier les différents lieux évoqués dans les phrases de la page 84 sur les photos.
   a) La terrasse du café de la mairie. Le bâtiment au fond de la photo est la mairie. Vous pouvez demander aux élèves : « À votre avis, quel est le bâtiment que l'on voit au fond de la photo ? » (le nom du café est un indice).
   b) L'emplacement est facilement identifiable grâce à l'enseigne Lissac.
   c) Demander aux élèves quels sont les lieux qu'ils reconnaissent puis, d'après tous ces indices, leur demander d'imaginer où se trouve la mairie (elle est à droite de la rue).
   d) On retrouve ici l'église. Par déduction, les élèves devraient trouver la réponse.
   e) Que reconnaissez-vous sur cette photo ? Au fond à gauche, le magasin Lissac est reconnaissable à la bâche rouge. Le magasin La brioche dorée est déjà vu sur la photo C. Nous sommes dans la Grande-Rue.

CONSEILS... SUGGESTIONS... REMARQUES...

L'essentiel est de faire dialoguer les élèves afin qu'ils manient le plus naturellement possible les prépositions et de réutiliser les expressions permettant de situer un lieu.
Cette activité peut être prolongée en proposant le jeu suivant : séparer le groupe en équipes, le nombre d'équipes dépendra du nombre d'élèves dans la classe. Constituer une banque de données à partir de photos ou de cartes postales de la ville où se trouvent les élèves. Ces documents peuvent être apportés soit par vous, soit par les apprenants. Il faut que tous les lieux soient connus par tous les participants.
Piocher dans la banque une des images, la donner à une équipe qui doit faire deviner aux autres où elle se trouve sans mentionner le monument, l'endroit représentés sur la photo. Donner une autre image à l'équipe qui trouve la réponse et ainsi de suite.

Quelques informations :
Lissac : magasins franchisés, que l'on trouve dans toutes les villes françaises. Vendent exclusivement des lunettes.
Brioche dorée : magasins franchisés, assez répandus en France. Vendent du pain, des croissants, des petits pains au chocolat, etc.

RESSOURCES :
– 1 plan.
– 9 photos prises sur une place.

CORRECTIONS :
1. Écrivez le numéro de la phrase dans le cercle fléché qui correspond sur le plan :
1-f
2-h
3-b
4-e
5-g
6-d
7-c
8-a
9-i

2. Numérotez chaque photo de la page 85, selon son emplacement sur le plan.
Expliquez votre choix.
a-3
b-5
c-6
d-7
e-2
f-4
g-8
h-9
i-1

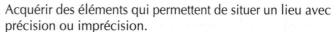

RESSOURCES :
– 1 tableau récapitulatif.
– 1 exercice d'entraînement.
– 2 exercices de phonétique.

TRANSCRIPTIONS :

Exercice 50

1. Jean ? Il habite juste à côté du bureau de tabac, dans l'avenue de la Gare.
2. Chez Christophe ? C'est du côté de la poste.
3. On a rendez-vous à 6 heures, à la terrasse du café du Théâtre.
4. J'ai oublié mes clés quelque part. Je ne les retrouve pas.
5. Janine a trouvé un appartement juste en face de son travail.
6. Je l'ai rencontrée devant les Nouvelles Galeries.
7. Il est quelque part dans le Sud.
8. Hier, il y a eu un incendie dans le quartier des Orchamps.
9. Louis et Vincent, ils habitent toujours dans le coin ?
10. J'ai garé ma voiture du côté de chez Swann.
11. Hier soir, au dîner, j'étais assis en face de l'ambassadeur du Mexique !
12. Ma chambre donne sur la rue des Glacis.
13. Le restaurant se trouve avenue Fontaine-Argent.
14. Gérard, c'est le garçon que tu vois, là, entre le monsieur à lunettes et la grande fille blonde, au premier rang.
15. Gray ? Je crois que c'est dans la direction de Dijon.
16. Notre bureau est situé rue des Granges, au numéro 8. Passez-nous voir !
17. Jacques s'est acheté une petite maison dans la banlieue de Strasbourg.
18. André ? Je l'ai vu tout à l'heure. Il doit être dans les environs.

OBJECTIFS :

Acquérir des éléments qui permettent de situer un lieu avec précision ou imprécision.

FICHE FLASH ≈ 30 MINUTES

1. Demander aux élèves de rechercher dans leur langue maternelle comment ils parleraient d'un lieu avec précision ou imprécision.
2. Expliquer le tableau « Pour communiquer ». Vérifier la compréhension des élèves en leur demandant de trouver d'autres exemples pour chacune des prépositions.
3. Proposer l'exercice 50. Le corriger au fur et à mesure en demandant aux élèves de justifier leur choix.
4. Réécouter l'enregistrement de l'exercice 50 et faire noter à l'écrit les prépositions utilisées dans ces phrases pour parler d'un lieu avec précision ou imprécision. Les faire classer dans deux colonnes « précis »/« imprécis ».

CONSEILS... SUGGESTIONS... REMARQUES...

Cette activité est un premier pas vers les nuances de la langue. Accordez assez de temps à l'étude du tableau. Vous pouvez, si cela s'avère nécessaire, passer par la langue maternelle. Laisser les apprenants s'expliquer entre eux les nuances.

CORRECTIONS :

ENTRAÎNEMENT
lieu précis/
lieu imprécis

Exercice 50

Dites si on parle d'un lieu avec précision ou avec imprécision :

	précision	imprécision		précision	imprécision
1	x		10		x
2	x		11	x	
3	x		12	x	
4		x	13	x	
5	x		14	x	
6	x		15		x
7		x	16	x	
8		x	17		x
9		x	18		x

OBJECTIFS :

PHONÉTIQUE

Distinction des sons [e] et [ɛ], [k] et [g].

FICHE FLASH ≈ 15 MINUTES

Faire écouter et répéter les phrases et les dialogues des deux exercices de phonétique. Dans un premier temps le livre est fermé.

CONSEILS... SUGGESTIONS... REMARQUES...

Vous pouvez faire répéter les phrases des exercices de phonétique sur le même ton que celui de l'enregistrement, puis demander de varier le ton ou faire dire la même phrase par un jeune enfant, par une sorcière, etc. Il est important de casser la monotonie et d'approcher ces exercices d'une manière ludique.

PHONÉTIQUE

TRANSCRIPTIONS :

Phonétique : [e]/[ɛ]
1. Qu'est-ce que tu as fait hier ?
2. Hier, j'ai fait la fête.
3. Hier, avec ma mère, j'ai acheté une veste.
4. Hier, avec mon père, je suis allé à la pêche.
5. Hier, j'ai acheté des lunettes de soleil.
6. Hier, j'ai rangé mon étagère.
7. Hier, j'ai regardé la mer.
8. Hier, j'étais fatigué et j'ai fait la sieste.
9. Hier, j'ai rêvé d'été.
10. Hier, j'ai rencontré Pierre.

Phonétique : [k]/[g]
1. – C'est qui ?
   – C'est Guy.
2. – Que fait-il ?
   – Il va à la gare prendre le car.
3. – Où va-t-il ?
   – Quelque part entre Gand et Caen.
4. – Quand part-il ?
   – Il part à 3 heures moins le quart, avec Edgar.
5. – Qu'emporte-t-il ?
   – Il emporte un cadeau. C'est un bon gâteau.
6. – C'est pour qui ?
   – C'est pour sa copine Agathe.
7. – Il quitte le quai très gai car il sait qu'Agathe l'attend sur un quai entre Caen et Gand.

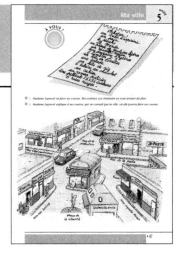

OBJECTIFS :
Introduire le lexique des magasins.

FICHE FLASH   ≈ 30 MINUTES

1. Faire identifier aux élèves les documents de la page : une liste de courses, un plan de ville.
2. Leur demander où ils pourraient, chez eux, acheter chaque article inscrit sur la liste de Mme Legrand. Faire faire les deux activités proposées dans le livre, c'est-à-dire reconstituer l'itinéraire de Mme Legrand et imaginer le dialogue entre Mme Legrand et sa cousine qui ne connaît pas la ville (voir « corrections »).

RESSOURCES :
– 1 liste de courses.
– 1 plan de ville.

CONSEILS... SUGGESTIONS... REMARQUES...

Voilà une autre activité très riche en informations culturelles. Encouragez les élèves à établir des comparaisons entre leurs coutumes et celles des Français. Appuyez-vous sur leurs connaissances afin d'engager des échanges en classe. Certains sont déjà venus en France, d'autres ont voyagé dans différents pays, ont vu des documentaires, ont entendu dire que... Laissez-les discuter avant de leur apporter les réponses suivantes :
– à la pharmacie : tube d'aspirine ;
– à la boucherie : steaks ;
– tabac - journaux : *Le Monde* (quotidien national), paquet de cigarettes Gauloises (cigarettes françaises), des timbres ;
– à l'horlogerie : un réveil ;
– à la poissonnerie : des huîtres ;

– à la poste : des timbres ;
– fruits et légumes : tomates, salade ;
– à l'épicerie : le riz ;
– à la pâtisserie : les éclairs au chocolat (gâteaux individuels) ;
– à la librairie : un cahier et un roman ;
– chez le photographe : une pellicule ;
– chez le fleuriste : des roses ;
– dans une quincaillerie, vous pouvez trouver des produits ménagers, des outils (marteaux, clous…), etc. ;
– dans une charcuterie, vous trouvez des plats préparés, du jambon, du saucisson, du pâté. Bien souvent boucherie et charcuterie ne forment qu'un seul magasin ;
– à la boulangerie, vous trouvez du pain et quelques viennoiseries (pains au chocolat, croissants, brioches…).

CORRECTIONS :

2. Madame Legrand explique à sa cousine, qui ne connaît pas la ville, où elle pourra faire ses courses.

Modèle d'un dialogue possible entre Mme Legrand et sa cousine :
– La cousine : j'ai quelques courses à faire. Pourrais-tu m'indiquer où je peux acheter un tube de dentifrice et des piles ?
– Mme Legrand : pour le tube de dentifrice, tu dois aller à la pharmacie qui se trouve rue de la Préfecture, entre la pâtisserie et le photographe. Pour les piles, tu peux aller chez l'horloger, chez le quincaillier, ou au marchand de tabac. L'horloger se trouve au coin de la rue de Chateaubriand et de la préfecture.

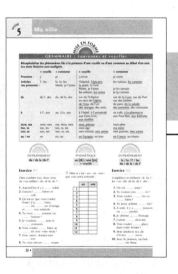

OBJECTIFS :

– Récapitulation des phénomènes liés à la présence d'une voyelle ou d'une consonne.
– Sensibilisation à l'article partitif (du, de la, des, de l').

RESSOURCES :
– 1 tableau récapitulatif.
– 2 exercices d'entraînement.
– 1 exercice de phonétique.

FICHE FLASH ≈ 20 MINUTES

1. Demander aux élèves d'observer le tableau de grammaire « consonnes et voyelles ». Répondre à leurs éventuelles questions.
2. Attirer leur attention sur l'article partitif.
3. Faire faire individuellement les exercices 51 et 52 puis proposer une correction collective.

CONSEILS… SUGGESTIONS… REMARQUES…

Un des objectifs est de sensibiliser les apprenants à la différence entre l'article indéfini et l'article partitif. Laissez-les tâtonner en leur demandant de faire les deux exercices puis, lors de la correction, expliquez-leur le plus simplement possible la différence. Il y a en français deux sortes de quantificateurs :
– ceux qui servent à compter (un, deux, trois…) ;

– ceux qui servent à quantifier des masses (de, du, de la).

Vous pouvez, si vous le voulez, vous reporter au chapitre 15, p. 234, de *La Grammaire utile du français.*

CORRECTIONS :

ENTRAÎNEMENT
du/de la/de l'

Exercice 51

Dites combien (un, deux, trois, etc.) ou utilisez « du, de la, de l'» :

1. Aujourd'hui il y a **du** soleil.
2. Garçon ! **Deux** bières et **un** café.
3. Qu'est-ce que vous voulez boire ? J'ai **de la** bière, **du** vin, **du** jus d'orange et **de l'**eau minérale.
4. Tu veux **une** pomme ou **une** banane ?
5. Je voudrais **un** pain et **six** croissants.
6. Vous voulez **des** frites ou **du** riz avec votre steak ?
7. Non, merci, donnez-moi **de** l'eau.
8. Tu veux encore **de la** soupe.

ENTRAÎNEMENT
le/la/les
du/de la/de l'/ des

Exercice 52

Complétez en utilisant « le, la, l', les » ou « du, de la, de l', des » :

1. Où est **le** pain ?
2. Tu n'aimes pas **le** riz ?
3. Vous voulez **du** vin ou **de la** bière ?
4. Tu peux acheter **du** lait ?
5. À midi, il y a **du** poisson ou **du** poulet.
6. Je déteste **le** fromage.
7. J'adore **le** chocolat.
8. Vous voulez **de la** glace dans votre Perrier ?
9. Mon médecin m'a dit d'éviter **le** sucre.
10. Avec le poisson, on boit **du** vin blanc.

PHONÉTIQUE

OBJECTIFS :

Distinction des sons [œ̃], [yn].

FICHE FLASH ≈ 10 MINUTES

1. Passer l'enregistrement en demandant aux apprenants de cocher, dans la bonne colonne, le son entendu.
2. Procéder à une correction collective.

PHONÉTIQUE
[œ̃]/[yn]
+ voyelle

CORRECTIONS :

Dites si c'est [œ̃] ou [yn] que vous avez entendu :

	un	une
1		x
2		x
3	x	
4	x	

	un	une
5		x
6	x	
7	x	
8	x	

	un	une
9	x	
10		x
11	x	
12	x	

TRANSCRIPTIONS :

Phonétique : [œ̃]/[yn]

1. Tu veux une orange ?
2. J'ai une amie belge.
3. Pour moi, un orangina.
4. Il y a un avion à 22 heures.
5. Le Perrier, c'est une eau minérale gazeuse.
6. J'habite un appartement très calme.
7. Tu as un appareil photo ?
8. Le calvados, c'est un alcool de pomme.
9. Tu veux un œuf ?
10. C'est une histoire triste.
11. Est-ce qu'il y a un aéroport à Dijon ?
12. Je suis dans un hôtel en face de la gare.

RESSOURCES :
– 1 dessin.
– 1 exercice d'entraînement.

OBJECTIFS :
Introduire le lexique de la maison et travailler les prépositions
« à », « aux », « à l' » « dans ».

FICHE FLASH ≈ **20 MINUTES**

1. Faire décrire la maison afin de donner aux élèves le lexique nécessaire.
2. Demander aux élèves qui le souhaitent de décrire leur appartement, leur maison.
3. Faire l'exercice 53 par groupes de deux, puis le corriger collectivement en expliquant au fur et à mesure le vocabulaire inconnu.

CONSEILS... SUGGESTIONS... REMARQUES...

Comme il s'agit d'arriver à une systématisation, vous jugerez de la nécessité de prolonger cette activité ; vous pourrez d'ailleurs reprendre rapidement ce point, avant une activité suivante, par quelques questions pour vérifier qu'il est bien acquis.

CORRECTIONS :

Exercice 53

ENTRAÎNEMENT
au/à la/à l'/dans

Complétez en choisissant :

1. Je vais au **lit**, j'ai sommeil.
2. Il est dans la **salle de séjour**, il regarde la télévision.
3. Elle est à la **cuisine**, elle prépare le repas.
4. On passe au **salon**, prendre l'apéritif ?
5. Pierre ? Il est à la **salle de bains**, Il prend une douche.
6. Vous allez aux **toilettes** ? Attendez, c'est occupé !
7. Passez à la **salle à manger**, le repas est prêt.
8. Il est dans sa **chambre**, il dort.
9. Je vais chercher du vin à la **cave**.
10. Il est au **jardin**, il prépare le barbecue.

OBJECTIFS :
Systématisation de l'article partitif.

FICHE FLASH   ≈ 15 MINUTES

1. Partir du tableau de grammaire pour faire observer aux élèves la syntaxe des phrases négatives « ne... pas », « ne... plus ».
2. Faire l'exercice 54. Les élèves peuvent s'aider du tableau. Procéder à une correction collective.

CONSEILS... SUGGESTIONS... REMARQUES...
Cette phase de systématisation peut être prolongée ultérieurement en proposant des exercices ponctuels (cf. *La Grammaire utile du français*).

RESSOURCES :
– 1 tableau récapitulatif.
– 1 exercice d'entraînement.

CORRECTIONS :

Exercice 54

ENTRAÎNEMENT
pas de/plus de
pas le/plus le

Complétez les phrases suivantes :
1. Je n'aime pas **la** pluie.
2. Je ne comprends pas **le** français.
3. Tu peux payer ? Je **n'ai pas de** monnaie.
4. Vous n'avez pas **de** chance.
5. Il n'a pas d'**argent**. Il est au chômage.
6. Il n'est pas **d'**ici. Il vient de Strasbourg.
7. C'est fini, je n'ai plus **d'**argent.
8. C'est mercredi, il n'y a pas **de** magasins ouverts.

OBJECTIFS :
Distinction des sons [p] et [b].

PHONÉTIQUE

RESSOURCES :
– 1 exercice de phonétique.

TRANSCRIPTIONS :

Phonétique : [p]/[b]
Pierre ! Pas de bière ?
Paul ! Pas de bol !
Pépé ! Le bébé !
Baptiste ? Il n'est pas triste.
Pour Boris ? Non, pour Brice.
Bernard ? Il est peinard.
Babette ? Elle n'est pas prête !
Il est en bas papa ?
Banane ou papaye ?
Barbara part au bar ?

FICHE FLASH   ≈ 5 MINUTES
Faire écouter et répéter les phrases le livre fermé.

CONSEILS... SUGGESTIONS... REMARQUES...
Les sons [p] et [b] sont des consonnes occlusives qui exigent une fermeture complète du passage de l'air au moment de leur émission. Le [p] est sourd, c'est-à-dire qu'il est émis sans vibration des cordes vocales, alors que le [b] est sonore, c'est-à-dire que les cordes vocales vibrent lors de son émission. Pour marquer la différence entre ces deux sons, nous vous conseillons de travailler le [p] en position initiale.

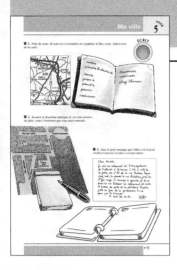

RESSOURCES :
– 2 enregistrements – 2 plans.
– 1 message écrit – 1 bloc-notes.

TRANSCRIPTIONS :
Dialogue 1
– Allô, Pierre ? C'est Daniel.
– Salut Daniel.
– Alors, toujours d'accord pour venir à l'anniversaire de Thomas ?
– Bien sûr !
– Bon, alors je t'explique où se trouve Versailleux. Tu viens en voiture ?
– Oui, François m'accompagne.
– Bon, tu sors de Bourg par le sud, en direction de Lyon et tu prends l'autoroute.
– D'accord.
– Tu suis l'autoroute pendant une dizaine de kilomètres jusqu'à la sortie Pont-d'Ain.
– Oui.
– Là, tu prends la route de Chalamont.
– Chalamont, d'accord.
– Tu passes un premier village, Varambon, puis un deuxième, Les Carronnières.
– Oui.
– Tu continues pendant 19 km et tu arrives à Chalamont. Tu traverses Chalamont, tu continues tout droit pendant 5 km et tu arrives à Versailleux.
– Et il habite où Thomas ?
– À côté de la mairie. C'est sur la place du village.

Dialogue 2
– Allô, Catherine ? Bonjour, c'est Annie.
– Bonjour Annie.
– Alors, ton nouvel appartement, il est bien ?
– Super ! Mais passe donc me voir. Je te ferai visiter.
– Ben, cet après-midi, si tu veux, je ne travaille pas.
– Je t'explique où c'est. Depuis chez toi, tu prends la rue Delcour.
– Oui.
– Au milieu de la rue Delcour, tu prends à droite et tu traverses la place des Ursulines.
– D'accord.
– De l'autre côté de la place, tu prends à droite dans la rue de Gagny, puis à gauche, la rue Courrier.
– Oui, je vois.
– Tu suis la rue Courrier jusqu'au bout et tu prends à droite jusqu'au square Moissan. C'est là, j'habite au n° 19, au 2e étage.
– D'accord.
– Ah ! Tu peux me rendre ma Grammaire utile du français ?
– Pas de problème. À tout à l'heure.

ÉCRIT

OBJECTIFS :
Comprendre un itinéraire à l'oral et à l'écrit et pouvoir en donner un.

FICHE FLASH ≈ 40 MINUTES

1. Faire observer la carte, lire les consignes. Faire écouter le dialogue n°1 puis faire compléter. Corriger collectivement.

2. Procéder de la même façon que pour le 1.

3. Demander aux élèves d'effectuer individuellement cette activité puis la corriger par groupes de deux. Ils doivent se mettre d'accord sur un plan et un seul qui correspond au message de Gilles.
   Un des groupes proposera au tableau son plan et en discutera avec le reste du groupe.

CONSEILS... SUGGESTIONS... REMARQUES...
Lorsque les élèves travaillent entre eux, par groupes de deux ou de quatre, il faut essayer de les encourager dès le début de l'apprentissage à communiquer en français. Cependant, il ne faut ni bannir ni interdire leur langue maternelle lorsqu'elle facilite la compréhension.

PAGES 92/93

CIVILISATION

OBJECTIFS :

Présentation de différentes villes françaises.

FICHE FLASH   ≈ 40 MINUTES

1. Demander aux élèves de situer sur la carte, page 10, les trois villes représentées en photo (Lille, Montpellier et Grenoble).

2. Les amener à repérer les critères qui ont été retenus pour établir le palmarès des villes de France.

3. Vérifier la compréhension des statistiques en posant quelques questions : quelle est la ville où il fait bon vivre ? Quelle est la ville la plus ensoleillée ?
   Assurez-vous que toutes ces villes soient bien situées sur la carte de France.

4. Passer à l'activité 1 puis à la 2.

5. Demander enfin aux élèves quelle est, d'après eux, la ville de leur pays la plus ensoleillée, la plus gastronomique...

CONSEILS... SUGGESTIONS... REMARQUES...

Cette activité permet aux élèves de réutiliser tous les outils présentés dans les deux dernières unités pour localiser un lieu.

Vous pouvez, lors de la lecture des documents, donner aux élèves quelques explications : cambriolage, tiercé, aïoli (sauce à l'ail qui accompagne la bouillabaisse), Erasmus (programme européen d'échanges d'élèves).

RESSOURCES :
– 1 sondage.
– 3 photos.
– Carte de France pour situer les villes, p. 10.

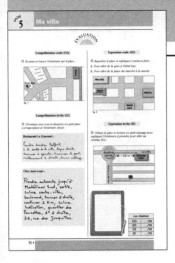

RESSOURCES :
– 1 enregistrement (CO).
– 3 plans (CO), (EO), (EE).
– 2 documents écrits (CE).

TRANSCRIPTIONS :

Compréhension orale

Pour aller à la gare, vous prenez la première rue à gauche, vous traversez le pont, puis vous allez tout droit. Au bout de la rue, vous tournez à gauche et la gare est juste sur votre droite.

ÉVALUATION

OBJECTIFS :
Évaluer les acquis dans les quatre compétences.

FICHE FLASH   ≈ 30 MINUTES

Compréhension orale : faire écouter l'enregistrement puis tracer sur le plan l'itinéraire.

Compréhension écrite : deux notes sont proposées aux élèves. Ils doivent en choisir une et dessiner le plus simplement possible l'itinéraire.

Expression orale : cette activité doit être organisée individuellement. Prévoir 5 minutes par élève.

Expression écrite : pour réaliser la tâche demandée, les élèves peuvent s'aider des deux notes de la compréhension écrite.

Le point de départ de leur itinéraire correspond au rectangle rouge.

CONSEILS... SUGGESTIONS... REMARQUES...

Les objectifs des unités 4, 5 et 6 (donner, obtenir un itinéraire) mobilisent plus les compétences orales qu'écrites. Il est par conséquent logique d'apporter une attention spéciale aux activités qui évaluent la compréhension et l'expression orales.

PAGE 95

MISE EN ROUTE

OBJECTIFS :
Repérer des informations précises sur un lieu.

FICHE FLASH ≈ 30 MINUTES

1. Faire identifier aux élèves les documents de la page. De quel type de documents s'agit-il ? D'où proviennent-ils ?
2. Leur demander de caractériser la région Franche-Comté à partir des documents. Faire situer cette région sur la carte page 36. Les amener à commenter les mots inscrits sur la grande affiche. Avec quel pays la Franche-Comté est-elle comparée ? Faire justifier les réponses.
3. Leur demander de lire le texte « Découvrez la Franche-Comté… » et faire remplir le questionnaire.
4. Effectuer une correction collective en demandant aux élèves de justifier leur choix.

RESSOURCES :
– 1 texte.
– 1 affiche.
– 1 questionnaire.

CONSEILS… SUGGESTIONS… REMARQUES…
Axer la correction sur la manière de trouver des informations dans un texte : les sous-titres, les mots qui tournent autour d'un même thème : par exemple, l'eau.

CORRECTIONS :
Lisez les deux textes et choisissez les bonnes réponses :
La Franche-Comté est **proche de la Suisse**.
On peut y pratiquer des sports : **la pêche, le vélo et le canoë-kayak**.
On peut se promener en Franche-Comté : **à pied, à cheval et en vélo tout terrain**.
La Franche-Comté est une région de forêts : **vrai**.
La Franche-Comté est une région de rivières et de lacs : **vrai**.
La Franche-Comté est riche en monuments historiques : **vrai**.

PAGE 96

MISE EN ROUTE

OBJECTIFS :
Repérer des informations précises sur un lieu.

FICHE FLASH ≈ 15 MINUTES

1. Faire situer le Maroc sur la carte page 69. Demander aux élèves ce qu'ils savent sur ce pays (langues parlées, capitale, régime politique…).
2. Amener les élèves à commenter la carte et les deux photos de la page.
3. Leur demander de lire individuellement le texte « le Moyen Atlas marocain » puis de répondre à deux au questionnaire. Chaque réponse doit être justifiée et illustrée par une phrase extraite du texte.
4. Effectuer une correction collective.

RESSOURCES :
– 1 texte.
– 1 carte.
– 2 photos.
– 1 questionnaire.

CONSEILS… SUGGESTIONS… REMARQUES…
Vous pouvez demander aux élèves de reprendre quelques expressions dans des exemples pour les resituer dans un contexte.

CORRECTIONS :

Lisez les deux textes et choisissez les bonnes réponses :

Le Moyen Atlas est **proche de Meknès et de Fès.**

On peut y pratiquer **le ski.**

On peut se promener **dans les forêts de cèdres.**

Le Moyen Atlas est **une région de forêts.**

Le Moyen Atlas est une région **de rivières et de lacs.**

Le Moyen Atlas **n'est pas une région riche en monuments historiques.**

COMPRÉHENSION

OBJECTIFS :

Identifier les manières positives et négatives de caractériser un lieu.

FICHE FLASH

1. Faire commenter chacune des photos : qu'évoquent-elles pour vous ?

2. Faire écouter la série d'enregistrements. Un jugement peut s'appliquer à plusieurs photos et vice-versa. Par exemple, pour la photo 4, on peut dire : c'est le paradis ! Je me sens bien ici ! Quel coucher de soleil fantastique !… Attention, il faut rester cohérent dans le choix de ses réponses. Après chaque phrase, et d'après l'intonation, demander aux élèves si le jugement porté est positif ou négatif.

3. Faire réécouter l'enregistrement et remplir la grille.

CONSEILS… SUGGESTIONS… REMARQUES…

Le vocabulaire sera présenté lors des commentaires des photos ou à la fin de l'activité. Avant de donner des explications, encourager les élèves à émettre des hypothèses sur la signification des phrases. Attirer leur attention sur l'intonation et travailler sur l'intuition. Cette activité amène les élèves à émettre des jugements personnels qu'il faut absolument respecter.

RESSOURCES :
– 5 photos.
– 1 série d'enregistrements.
– 1 grille.

TRANSCRIPTIONS :

Compréhension

1. C'est le paradis !
2. Quelle horreur !
3. Je me sens bien ici !
4. Je ne supporte plus la ville.
5. Ça me fait peur…
6. J'ai horreur de la campagne. Je préfère la ville.
7. Quel coucher de soleil fantastique !
8. J'aime beaucoup ça, c'est moderne.
9. J'aime le calme, la tranquillité, la nature.
10. Ici, c'est l'enfer…
11. Je voudrais vivre ici jusqu'à la fin de ma vie…
12. Je m'ennuie ici.
13. On s'en va ? Je n'en peux plus.
14. C'est un vrai cauchemar.
15. Je déteste l'art moderne.
16. J'adore la campagne.

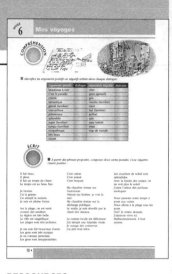

COMPRÉHENSION

OBJECTIFS :
Porter un jugement positif ou négatif sur un lieu.

FICHE FLASH ≈ 25 MINUTES

1. Faire lire et expliquer les arguments positifs et négatifs inscrits dans le tableau.
2. Passer l'enregistrement et compléter la grille.

CORRECTIONS :

Identifiez les arguments positifs ou négatifs utilisés dans chaque dialogue :

arguments positifs	dialogue	arguments négatifs	dialogue
beaucoup à voir	3	cher	7
c'est le paradis	8	gens agressifs	2
coloré	8	gris	5
fantastique	3	moche	9
génial	4	mort	5
merveilleux	1	nul	2
pittoresque	8	pollué	9
splendide	6	sale	7
super	1	sans intérêt	9
sympa	9	triste	5
sympathique	6	trop de monde	2
très beau	6		
vivant	8		

ÉCRIT

OBJECTIFS :
Utiliser des arguments descriptifs et appréciatifs sur un lieu dans la rédaction d'une carte postale.

FICHE FLASH ≈ 25 MINUTES

1. Demander aux élèves de lire les phrases. Leur apporter les explications nécessaires.
2. Faire classer ces phrases en deux colonnes positive/négative.
3. Demander aux élèves de choisir, pour les deux cartes à rédiger, un destinataire et un lieu différents.
4. Leur laisser une quinzaine de minutes pour rédiger ces cartes.
5. Procéder à une correction individuelle.

CONSEILS... SUGGESTIONS... REMARQUES...

Dans la correction, prendre en compte la cohérence de l'ensemble dans un sens positif ou négatif.
Encourager la créativité des élèves par rapport au canevas donné.

RESSOURCES :
– 1 série d'enregistrements.
– 1 grille.

TRANSCRIPTIONS :
Compréhension

1. – Tu viens d'où ? Tu es toute bronzée !
– J'ai passé une semaine merveilleuse aux Antilles. C'était super !
2. – Alors, ces vacances dans le midi, c'était bien ?
– Nul ! Il y avait trop de monde. Et puis les gens étaient très agressifs.
3. – Alors, tu es parisien, maintenant ?
– Je découvre Paris. C'est une ville fantastique. Il y a beaucoup de choses à voir.
4. Je ne sais pas quoi faire pendant les vacances.
– Va faire un tour à Rome. Rome, c'est génial.
5. – Ça te plaît, Le Mans ?
– C'est mort, c'est triste, c'est gris. À 10 heures, il n'y a plus personne dans les rues et je n'aime pas trop la région.
6. La Crète, c'est très beau. Il y a la mer et la montagne. Les gens sont sympathiques. C'est un pays splendide.
7. – J'ai passé une semaine au camping Clair Soleil.
– C'était bien ?
– C'est sale et en plus c'est cher : 80 F par jour et par personne. On a fini à l'hôtel.
8. – Tiens, il y a une carte postale de François.
– Fais voir ! Un grand bonjour de Marrakech. Je passe mes journées sur la place J'mah El Fnah. C'est très pittoresque, c'est vivant, coloré. C'est le paradis. À bientôt.
9. – Je vais à Ankara la semaine prochaine.
– Ankara ? Il paraît que c'est moche, sans intérêt. C'est triste comme ville et en plus c'est pollué.
– Non, tu te trompes, j'y suis allé deux fois. Quand on connaît, c'est une ville très sympa.

RESSOURCES :
– 1 corpus de phrases.

À VOUS !

OBJECTIFS :

Parler des activités que l'on peut mener dans un lieu.

FICHE FLASH ≈ 20 MINUTES

1. Laisser les élèves observer et commenter entre eux les photos des pages 99 et 100.
2. Présenter le tableau « Pour communiquer », page 100.
3. Leur demander de comparer l'Aquitaine à l'Ardèche en réemployant les éléments présentés dans le tableau.

CONSEILS... SUGGESTIONS... REMARQUES...

Vous pouvez demander aux élèves, si cette activité se réalise rapidement, de choisir une région de leur pays qu'ils connaissent bien et de la décrire.

RESSOURCES :
– 7 photos.
– 2 cartes.
– 1 texte.
– 1 tableau récapitulatif.

PAGE 101

unité
6

À VOUS ! ÉCRIT

OBJECTIFS :

Parler des activités que l'on peut mener dans un lieu.

FICHE FLASH ≈ 20 MINUTES

1. Travailler la compréhension du texte à partir des photos et des grands titres du document écrit.
2. Faire lire le texte silencieusement et individuellement.
3. Faire imaginer le dialogue de l'activité « À vous ».
4. Passer à l'activité « Écrit ». L'objectif est d'écrire une carte postale de Quiberon dans laquelle on présente la ville et les activités que l'on peut y mener.

CONSEILS... SUGGESTIONS... REMARQUES...

Ces dernières années, les centres de thalassothérapie se sont multipliés en France. Chaque centre est spécialisé dans un domaine : remise en forme, perte de poids…

Si vous avez le temps, vous pouvez demander à vos élèves quel type de vacances est à la mode chez eux.

RESSOURCES :
– 1 texte authentique.

PAGES 102/103

À VOUS !

OBJECTIFS :

Utiliser les acquisitions précédentes sur la manière de parler d'un lieu dans une situation de dialogue.

FICHE FLASH ≈ 25 MINUTES

1. Demander aux élèves d'imaginer la conversation entre le client et l'employé. Préciser clairement l'objectif de cette activité qui est de se renseigner et de donner des informations sur un lieu.

2. Demander aux groupes qui le désirent de présenter à la classe leur dialogue.

CONSEILS... SUGGESTIONS... REMARQUES...

Les documents des pages 102 et 103 servent de support à l'élaboration du dialogue.

Pendant la rédaction des dialogues, vous pouvez passer entre les groupes pour répondre à leurs questions et vérifier les productions. Pendant la mise en scène du dialogue, n'interrompez pas les élèves et signalez leurs erreurs à la fin.

RESSOURCES :
– 3 documents publicitaires avec textes et photos.

PAGE 104

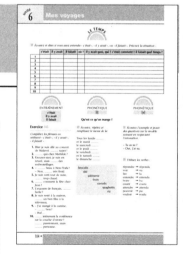

LE TEMPS

OBJECTIFS :

Comprendre et pratiquer une valeur de l'imparfait comme décor.

FICHE FLASH ≈ 35 MINUTES

1. Sensibiliser les élèves à l'objectif de l'activité « temps » en leur demandant ce qu'ils faisaient hier, quel jour c'était...

2. Expliquer clairement la tâche à accomplir lors de l'écoute des enregistrements. Vous pouvez décomposer l'activité en deux temps :
   – demander aux élèves de repérer « c'était/il y avait/il faisait » ;
   – leur faire préciser le lieu et autres éléments du décor.

3. Faire l'exercice 55 et le corriger collectivement.

RESSOURCES :
– 1 série d'enregistrements.
– 1 grille.
– 1 exercice d'entraînement.
– 1 série d'images.
– 1 tableau récapitulatif.

TRANSCRIPTIONS :

Le temps

1. Hier, je suis allé à la patinoire : il y avait un monde fou !
2. Samedi, la fête chez Nathalie, c'était vraiment très bien.
3. Ce week-end, je suis allé faire du ski à Chamonix, il faisait très froid.
4. Pourquoi tu n'es pas venue au cours de yoga, hier soir ? C'était intéressant.
5. Quelle chaleur, hier, à la piscine ! Il faisait au moins 30°.
6. Ah ! Les années 70 : c'était des années sympas !
7. Hier, j'ai passé la journée à la plage. Il faisait un temps magnifique.
8. Mardi, je suis allé au musée. C'était fermé.
9. Lundi à la télé, il y avait un match de foot de la Coupe des clubs champions. Tu l'as vu ? C'était un beau match.
10. Vendredi, le repas chez Pierre, c'était très sympa.

CONSEILS... SUGGESTIONS... REMARQUES...

Cette activité doit amener les apprenants à marquer la différence entre un événement au passé composé et la valeur de l'imparfait. Vous pouvez vous référer au tableau page 105. L'explication de ces deux temps du passé doit être le plus possible simplifiée. L'acquisition des valeurs et de l'emploi de ces temps se fera en contexte, au fur et à mesure de l'apprentissage. L'essentiel, à ce stade de l'apprentissage, c'est que l'apprenant soit sensibilisé aux différentes valeurs et aux emplois de ces temps.

CORRECTIONS :

LE TEMPS

Écoutez et dites si vous avez entendu « c'était », « il y avait », ou « il faisait ». Précisez la situation :

	C'était	il y avait	il faisait	où	préciser
1		x		x	patinoire/du monde
2	x				fête/très bien
3			x	x	Chamonix/froid
4	x			x	cours de yoga/intéressant
5			x	x	piscine/30 degrés
6	x				des années sympas
7			x	x	plage/un temps magnifique
8	x			x	musée/fermé
9		x			télé/beau match
10	x			x	chez Pierre/très sympa

Exercice 55

ENTRAÎNEMENT
c'était
il y avait
il faisait

Complétez les phrases en utilisant « c'était », « il y avait », « il faisait » :

1. Hier, je suis allé au concert de Malavoi. **C'était** super !
2. **Il y avait** qui chez Mathilde ?
3. Excusez-moi, je suis en retard, mais **il y avait** des embouteillages.
4. – **Il faisait** beau à New York ?
   – Non, **il faisait** très froid.
5. Je suis sorti tout de suite, **il faisait** trop chaud.
6. **C'était** comment la fête chez Jean ?
7. L'examen de français, **c'était** facile ?
8. Je suis resté à la maison, **il y avait** un bon film à la télévision.
9. – J'ai mangé à la cantine.
   – **C'était** bon ?
   – Bof…
10. – **C'était** intéressant la conférence sur la couche d'ozone ?
    – **C'était** passionnant, mais **il n'y avait** personne.

PAGE 104 (suite)

PHONÉTIQUE

OBJECTIFS :
Étude des sons [i] et [y].

RESSOURCES :
– 2 exercices de phonétique.

TRANSCRIPTIONS :

Phonétique : le son [i]
Tous les lundis spaghettis
et le mardi brocolis
le mercredi raviolis
et le jeudi pâtisserie
le vendredi un peu de riz
et le samedi quelques fruits
le dimanche un petit rôti

Phonétique : le son [y]
– Tu as su ?
– Oui, j'ai su.

FICHE FLASH   ≈ 10 MINUTES

1. Travailler le son [i] en faisant écouter puis répéter le menu. Faire remplir le menu avec la liste des plats proposés à la fin de l'exercice 1.

2. Passer à l'exercice de phonétique sur le son [y]. À partir de l'exemple que vous écoutez, faire reproduire d'autres questions. Attention : il faut respecter l'intonation.

CONSEILS... SUGGESTIONS... REMARQUES...
Ces deux sons ont déjà été abordés dans les unités précédentes. Le [i] est aigu et tendu, alors que le [y] est grave et tendu.

PAGE 105

À VOUS !

OBJECTIFS :
Raconter un événement passé.

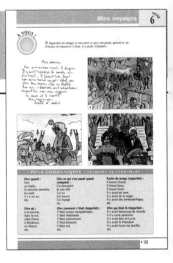

RESSOURCES :
– 1 série d'images.
– 1 tableau récapitulatif.

FICHE FLASH   ≈ 15 MINUTES

1. Faire lire la carte et demander aux élèves de souligner les phrases qui nous informent sur la situation (il y avait... il faisait...).

2. Proposer aux élèves de regarder les trois images et de raconter les scènes, en précisant surtout la situation dans laquelle elles se déroulent.

Le tableau et la carte postale rédigée constituent des supports visuels sur lesquels les élèves peuvent se reposer.

CONSEILS... SUGGESTIONS... REMARQUES...
Vous pouvez aider les élèves dans la réalisation de leur production en leur donnant les éléments dont ils ont besoin. Bien marquer la différence entre un événement au passé composé et la valeur de l'imparfait.

CIVILISATION

OBJECTIFS :

Avoir une approche des départements et territoires d'outre-mer.

FICHE FLASH ≈ 30 MINUTES

1. Faire relever les différents départements et territoires à partir du premier texte intitulé *Les DOM-TOM*.
2. Demander de chercher la différence entre un DOM et un TOM.
3. Localiser les pays des DOM-TOM sur la carte p. 69.
4. Leur demander de lire les textes et élaborer avec eux une grille, au tableau, dans laquelle ils pourront intégrer les différentes informations à tirer des textes des deux pages : localisation ; population ; superficie ; langue ; ressources ; statut ; villes ; célèbre pour…
5. Mettre les informations en commun.

RESSOURCES :
– 1 série de textes.
– Des photos.

CONSEILS… SUGGESTIONS… REMARQUES…

Un jeu de questions/réponses peut être organisé après ces différentes activités, afin de reprendre toutes les informations accumulées sur ce qu'on appelle souvent « la France d'outre-mer ».

DOM : Départements d'Outre-Mer, régions dotées d'un conseil général et d'un conseil régional.

TOM : Territoires d'Outre-Mer, administrés localement.

CT : Collectivités Territoriales (Saint-Pierre et Miquelon, Mayotte) assimilées à des départements.

RESSOURCES :
– 1 enregistrement (CO).
– 1 image (EO).
– 1 texte (CE).

TRANSCRIPTIONS :

Compréhension orale

Venise est la capitale de la Vénétie. Elle est construite en partie sur des îles et en partie sur la mer Adriatique. Il y a 325 000 habitants. On les appelle les Vénitiens. C'est une très belle ville et c'est une capitale touristique connue dans le monde entier pour ses 200 canaux et ses 400 ponts. A Venise, les églises et les musées sont très nombreux. Un des lieux les plus célèbres de Venise est la place Saint-Marc. Mais Venise est menacée par l'eau, la pollution et le trop grand nombre de touristes. Venise est la ville que choisissent des milliers de jeunes mariés pour leur voyage de noces, ce qui en fait la ville la plus romantique du monde.

OBJECTIFS :

ÉVALUATION

Évaluer les acquis dans les quatre compétences.

FICHE FLASH ≈ 45 MINUTES

Compréhension orale : il s'agit de repérer, à partir de la présentation orale d'une ville, un certain nombre d'informations précises sur celle-ci.

Expression orale : cette activité s'équilibre entre une partie dirigée (présentez le lieu et Monsieur Valère) et une partie plus imaginative (imaginez ce qu'il…). Il faudra donc tenir compte de ces deux paramètres pour évaluer la performance orale.

Compréhension écrite : la compréhension écrite, tout comme la compréhension orale de cette page, porte sur la recherche d'informations précises, d'où le choix d'un questionnaire vrai/faux pour en vérifier la compréhension.

Expression écrite : le texte écrit sur Venise, ainsi que le document oral de la compréhension orale, constituent deux bases de travail pour la rédaction de la carte postale.

CONSEILS... SUGGESTIONS... SUGGESTIONS...

À la fin de ces trois unités, l'élève peut obtenir et donner des informations précises sur un lieu et comprendre un texte descriptif. Il est capable de parler d'un pays, de demander son chemin.

CORRECTIONS :

COMPRÉHENSION ORALE (CO)

Écoutez l'enregistrement et répondez au questionnaire :

1. Venise est la capitale de la Vénétie.
2. Venise est au bord de la mer Adriatique.
3. Venise a 325 000 habitants.
4. Ses habitants s'appellent les Vénitiens.
5. C'est une capitale touristique.
6. Venise est connue pour ses ponts et ses canaux.
7. Le lieu le plus célèbre de Venise est la Place St-Marc.
8. À Venise, il y a 200 canaux et 400 ponts.
9. La pollution, l'eau, le trop grand nombre de touristes.

COMPRÉHENSION ÉCRITE (CE)

Lisez le petit texte suivant et répondez au questionnaire :

	vrai	faux
La ville de Venise ne veut pas gagner d'argent.		x
Beaucoup d'étrangers se marient à Venise.	x	
On pense que Venise est une ville très romantique.	x	
Les mariages ont lieu sur le Pont des Soupirs.		x
Le Salon des Stucs est une salle de la mairie de Venise.	x	
Les couples de jeunes mariés aiment se promener en gondole.	x	
La gondole est une voiture (FIAT).		x
Un mariage à Venise, ça ne coûte pas cher.		x
Ce sont surtout les Japonais et les Américains qui viennent se marier à Venise.		x
Avec l'argent gagné avec les mariages, la ville de Venise construit un hôpital.		x

CONSEILS... SUGGESTIONS... REMARQUES...

Demander aux élèves de faire des hypothèses sur le sens du texte *Toulouse*.

Expliquer « cogner », la « castagne » (= se battre, les deux expressions sont familières), « mémés » (= grand-mères), « Minimes » (= quartier de la ville).

CORRECTIONS :

COMPRÉHENSION ORALE (CO)

Écoutez le dialogue et cochez les bonnes réponses :

Il est allé en vacances au sud du Maroc.
Il est allé à Agadir et Marrakech.
Il a aimé.
Les gens sont sympathiques.
Ses activités au Maroc : aller à la mer, visiter des villes, se promener.
Il a passé une semaine dans un village.

RESSOURCES :
– 1 enregistrement (CO).
– 1 extrait d'une chanson (CO).

TRANSCRIPTIONS :

Compréhension orale

– Je suis allé au Maroc pendant les vacances.
– Où ?
– Dans le sud, à Agadir et à Marrakech.
– C'est comment ?
– C'est beau. Il y a la mer et la montagne, des couleurs extraordinaires.
– Et les Marocains ?
– Sympathiques, chaleureux, hospitaliers, gentils. C'est agéable, tu peux aller à la mer, visiter des villes, te promener. Il y a un village, au sud de Marrakech, superbe. Je suis resté là une semaine.

56. Prépositions + noms de pays

Complétez en utilisant la préposition qui convient :
1. Je suis allé au Brésil pendant le Carnaval.
2. Je ne suis jamais allé en Hongrie.
3. Il habite au Honduras.
4. Le film a été tourné au Guatemala.
5. Il vit au Mali depuis 10 ans.
6. Il a émigré aux États-Unis en 1948.
7. Mon oncle vit en Ouganda.
8. Il est rentré en Argentine en septembre.
9. Je viens de Bilbao, en Espagne.
10. Maracaïbo, c'est au Venezuela ?

57. Le/la/l'/les/du/de la/de l'/des

Complétez les phrases :
1. Je n'aime pas le poisson.
2. J'ai acheté des fruits. Il y a des pommes, des fraises et des pêches.
3. Tu veux du sucre dans ton café ?
4. Aujourd'hui, il y a du poulet avec du riz ou du poisson avec des pommes de terre.
5. Le poisson, c'est bon avec du citron.
6. L'eau, c'est la vie.
7. Tu as faim ? Il y a du pain et du fromage.
8. J'adore le fromage.
9. Je n'aime pas le sucre.
10. Tu veux du lait dans ton café ?

58. Le pronom « on »

Complétez en utilisant « on », ou « il/elle » :
1. En France, on consomme chaque année 6 kilos de café par habitant.
2. Cette année, ma femme et moi, on va au Portugal.
3. Dans cette région, on est très hospitalier.
4. Il est très sympathique, ton frère.
5. Elle habite toute seule dans un grand appartement.
6. Ce soir, on mange tous les deux au restaurant.
7. Il parle très bien l'anglais. C'est un excellent traducteur.
8. Nous, on aime beaucoup voyager.
9. Quand on est français, on n'a pas besoin de visa pour aller aux USA.
10. J'ai une Renault. Elle consomme 6 litres aux cents kilomètres.

59. Ne... pas le/Ne... pas de

Transformez les phrases à la forme négative.
Exemple :
J'aime le chocolat. → Je n'aime pas le chocolat.
Il y a du café. → Il n'y a pas de café.

1. Je ne veux pas de café.
2. Je ne prends pas le train.
3. Tu ne connais pas le Maroc.
4. Je ne prends pas de thé.
5. Tu ne bois pas de lait.
6. Il n'a pas bu de vin ?
7. Il ne boit pas de vin ?
8. Vous n'aimez pas le soleil ?
9. Vous n'avez pas de pain.
10. Il n'a pas le journal d'hier.

60. Les démonstratifs

Complétez à l'aide d'un démonstratif :
1. Tu vas où cet été ?
2. Je ne connais pas ce pays.
3. J'adore cette région.
4. Je vais acheter ces chaussures.
5. On va dans ce magasin ?
6. Cette année, je ne pars pas en vacances.
7. Ils sont avec vous, ces enfants ?
8. Il est très gentil, ce garçon.
9. Qu'est-ce que tu fais ce week-end ?
10. Elle est à vous, cette voiture ?

61. Les démonstratifs

Complétez en choisissant :
1. Tu travailles ce matin.
2. J'aime beaucoup cette robe bleue.
3. Cette région est très belle.
4. Tu connais cette fille ?
5. Qu'est-ce que tu fais cette semaine ?
6. Ce week-end, je vais à Paris.
7. Elle s'appelle comment, cette rue ?
8. Cet hôtel est très cher.
9. Cet après-midi, je visite le musée.
10. Elle est à vous, cette mobylette ?

62. Au/à la/à l'

Complétez en choisissant :
1. Tu vas au bureau de tabac ? Tu peux m'acheter deux timbres à 3 F ?
2. Il est parti à l'aéroport. Il attend le vol de 22 h 50.
3. Il travaille à la banque. Il est caissier.
4. Il est étudiant à la faculté de médecine. Il veut être médecin.
5. Elle est à l'hôpital. On va l'opérer demain.
6. Salut ! Je vais boire une bière au Café du Théâtre.
7. Il travaille au zoo. Il s'occupe des crocodiles.
8. Qu'est-ce qu'il y a ce soir à la télévision ?

63. Du/de la/des + noms de pays

Complétez en utilisant « du/de la/des » suivi d'un nom de pays :
1. Les habitants du Kirghizistan s'appellent les Kirghizes.
2. La capitale des Pays-Bas, c'est La Haye ou Amsterdam ?
3. Le Texas, c'est dans le sud des États-Unis.
4. Il travaille à Buenos Aires, la capitale de l'Argentine.
5. La Bretagne ? C'est à l'ouest de la France.
6. Les habitants de la Finlande, ce sont les Finnois ou les Finlandais ?
7. La Namibie, c'est à l'ouest du Botswana.
8. La capitale du Honduras, c'est Tegucigalpa.
9. La spécialité de la France, c'est le vin et le fromage.
10. Les principales villes du nord de l'Italie sont Milan, Turin et Florence.

64. Prépositions + noms de pays

Complétez en choisissant :
1. Il vient de Bogota en Colombie.
2. J'ai passé quinze jours de vacances en Espagne.
3. Au Mozambique, on parle portugais.
4. Il est médecin en Angola.
5. Au Québec, on parle français.
6. Il travaille à Johannesbourg, en Afrique du Sud.
7. Il a ouvert un restaurant en Uruguay.

65. Articles définis/indéfinis

Complétez en utilisant « le/la/les » ou « un/une » :
1. C'est la mère de Pierre.
2. J'ai un ami qui habite Rio.
3. La capitale du Brésil, c'est Rio ou Brasilia ?
4. Bordeaux ? C'est une ville du sud-ouest de la France.
5. J'habite un petit village à 30 kilomètres de Florence.
6. Lons-Le-Saunier, dans le Jura, c'est la ville natale de Rouget de Lisle, l'auteur de La Marseillaise.
7. Il travaille où, le mari de Christine ?
8. La Grèce, c'est un pays très touristique.
9. La Hollande, c'est le pays des tulipes et des moulins à vent.
10. La gare, c'est près de la rue où j'habite.

66. Les chiffres

Écoutez et écrivez les nombres que vous entendez :
1. Je suis né en 1976.
2. Paris-Strasbourg ? Cela fait 456 kilomètres.
3. Le record de vitesse du T.G.V. ? 515 km/heure. C'est le record du monde sur rail.
4. Je gagne 8 500 francs par mois.
5. Mon téléphone ? C'est le 45. 24. 32. 65.
6. Dans mon village, il y a 524 habitants.
7. De la terre à la lune, il y a 384 000 kilomètres.
8. Voilà, cela fait 443 francs.
9. Le sommet du Mont Blanc ? C'est à 4 807 mètres d'altitude.
10. La tour Eiffel fait 312 mètres de haut.

67. Passé composé

Complétez en choisissant :
1. Tu as vu ce film ?
2. Qu'est-ce que vous avez fait ce week-end ?
3. J'ai lu un roman policier.
4. Hier, j'ai mangé au restaurant avec Sylvie.
5. Cette semaine, j'ai beaucoup travaillé.
6. J'ai trouvé 100 francs dans la rue.
7. Hier soir, j'ai regardé la télévision.
8. Samedi, je suis allé au cinéma.

68. En/y

Complétez en utilisant « en » ou « y » :
1. – N'oublie pas, tu dois aller à la banque !
– Oui, j'y vais tout de suite.
2. – Vous allez au Japon ?
– Non, j'en viens. J'étais à Tokyo avant-hier.
3. – Vous travaillez chez Peugeot ?
– Oui, j'y suis depuis deux mois.
4. – Tu es allé à la poste ?
– Oui, j'en reviens.
5. – On y va ?
– D'accord !
6. – On s'en va ?
– Oui, il est tard.
7. – Tu en veux encore ?
– Non merci, je n'ai plus faim.
8. – Tu en as combien, d'enfants ?
– Deux. Un garçon et une fille.

69. Ne pas... ne plus

Mettez en relation les phrases du groupe 1 avec les phrases du groupe 2 :
1. f – 2. e – 3. b – 4. g – 5. c – 6. a – 7. j – 8. d – 9. h – 10. i.

70. La négation

Mettez les phrases suivantes à la forme négative :
1. Je n'ai pas de chance.
2. Je ne cherche pas de travail.
3. Je ne veux pas de sucre.
4. Ils n'ont pas d'enfants.
5. Ils ne prennent pas de thé.
6. Il n'y a pas de soleil.
7. Il ne veut pas d'argent.
8. Vous n'avez pas de courrier.
9. Il ne boit pas de vin.
10. Ils ne vendent pas de fruits.

71. Ne… pas/ne… plus

Complétez les phrases par « ne… pas » ou « ne… plus » :
1. Attends-moi. Je passe à la banque, je n'ai plus d'argent.
2. Il est fâché. On ne se parle plus.
3. Il n'y a plus de pain. Tu peux aller en chercher ?
4. Je n'ai pas reçu de courrier aujourd'hui.
5. Tiens ! Il ne pleut plus. Tu viens te promener avec moi ?
6. Non, Monsieur, je suis désolé, il n'y a plus de places assises.
7. Cette année, nous n'avons pas pris de vacances.
8. Je ne peux plus marcher. J'ai trop mal aux pieds !
9. Il n'y a plus rien à manger.
10. Non merci, je ne fume plus. J'ai arrêté il y a un mois.

72. La négation

Mettez les phrases suivantes à la forme négative :
1. Il ne travaille pas beaucoup.
2. Je ne connais pas bien Paris.
3. Je ne regarde pas souvent la télévision.
4. Ils n'ont pas beaucoup de travail.
5. Vous ne pouvez pas entrer.
6. Il ne sait pas nager.
7. Elle ne veut pas partir.
8. Je n'aime pas lire.
9. Je n'ai pas faim.
10. Je ne vais pas souvent au cinéma.

73. Le/la/l'/les, compléments

Complétez en utilisant « le/la/l' » ou « les » :
1. Je la connais très bien, c'est ma voisine.
2. Je les vois demain, ils viennent à la maison.
3. Je voudrais voir Pierre. Vous pouvez l'appeler ?
4. Où est ta sœur ? Je la cherche partout.
5. Vous le voulez comment votre café ? Avec ou sans sucre ?
6. La télévision ? Je ne la regarde jamais.
7. – Vous parlez très bien français.
   – Je l'ai appris à l'école.
8. Pierre et Mireille, je les aime beaucoup.
9. Ils arrivent ! Je les entends.
10. Lui, je ne l'aime pas beaucoup.

74. Au/à la/à l'/aux

Complétez les phrases suivantes :
1. Je vais à la banque.
2. Il habite à la campagne.
3. Je vais au lit, j'ai sommeil.
4. Ce week-end, je reste à la maison.
5. C'est à toi ou aux enfants ?
6. Il est à la cuisine.
7. J'ai réservé une chambre à l'hôtel Parisiana.
8. Je vais chercher les enfants au lycée.
9. J'habite au huitième étage.
10. Il est toujours à l'heure.

75. Passé composé négatif

Mettez les phrases suivantes à la forme négative :
1. Je n'ai pas beaucoup aimé cette conférence.
2. Je n'ai pas passé de bonnes vacances.
3. Je n'ai pas trouvé de solution.
4. Il n'est pas allé en Suisse.
5. Vous n'avez pas compris ?
6. Ils ne sont pas restés longtemps.
7. Elle n'a pas voulu rester.
8. Je n'ai pas lu le journal.
9. Il n'a pas fini son travail ?
10. Vous n'avez pas vu Lucie ?

76. Indications de temps

Complétez en utilisant l'indication de temps qui convient :
1. Il arrive demain.
2. Il est là depuis 5 minutes.
3. Hier, j'ai acheté une voiture.
4. Aujourd'hui, il faisait très chaud.
5. Il revient dans une heure.
6. Il attend depuis une heure.
7. Il a déménagé il y a une semaine.
8. Je l'ai rencontré ce matin.
9. Rendez-vous demain à 15 heures.
10. Demain, je ne suis pas là.
11. Il est parti depuis midi.
12. Depuis quinze jours, c'est les vacances.

77. Verbe + infinitif

Complétez en choisissant :
1. Il a voulu partir.
2. Il est sorti.
3. Il a téléphoné, il y a 5 minutes.
4. Il ne va pas vouloir.
5. Je n'ai pas pu lui parler.
6. Qu'est-ce que vous voulez faire ?
7. Il va chanter une chanson.
8. Vous devez attendre son retour.
9. Il n'aime pas attendre.
10. Qu'est-ce que vous allez dire ?

78. Verbes avec ou sans préposition

Complétez les phrases suivantes en utilisant « le/la/l'/les » ou « au/à la/à l'/aux » :
1. J'ai téléphoné aux enfants.
2. Tu demandes l'addition ?
3. Il a demandé l'addition au serveur.
4. J'ai parlé au professeur.
5. J'ai rencontré le directeur.
6. Je vais le dire aux voisins.
7. Est-ce que vous pouvez me dire le nom de jeune fille de votre mère ?
8. Je vais donner le courrier à la directrice.
9. J'ai appelé le plombier, mais c'est occupé.
10. Tu peux m'appeler à la maison.

79. Le/la/l'/les, compléments

Dites à quoi correspondent « le/la/l'/les » :
1. Vous le voulez comment votre steak ?
2. Vous les connaissez bien les Morand ?
3. Céline et Julie ? Je les aime beaucoup. Elles sont très sympathiques.
4. Tu la connais, sa sœur ?
5. – Ils ne sont pas là, tes collègues ?
   – Non, je les attends.
6. Tu la vois souvent, Sylvie ?
7. Vous pouvez appeler votre frère ? On le demande au téléphone.
8. Tu les invites, tes parents ?

80. Le/la/l'/les, compléments

Complétez en utilisant « le/la/l'/les » sur le modèle suivant :
– Tu connais les Dupont ?
– Je les connais depuis dix ans.

1. – Tu prends souvent le métro ?
   – Le métro ? Je ne le prends jamais. J'ai un vélo.
2. – Vous voyez souvent vos enfants ?
   – Non, je ne les vois pas souvent. Ils habitent à l'étranger.
3. – Vous avez reçu ma lettre ?
   – Non, je ne l'ai pas reçue.
   – Pourtant je l'ai envoyée hier.
4. – Vous avez retrouvé votre portefeuille ?
   – Non, malheureusement je ne l'ai pas retrouvé.
5. – Vous l'avez perdu où, votre portefeuille ?
   – Je l'ai perdu dans le bus.
6. – Vous regardez souvent la télévision ?
   – Non, je ne la regarde jamais. Je n'ai pas la télévision.
7. – Vous aimez ce garçon ?
   – Non, je ne l'aime pas. Il n'est pas du tout sympa.
8. – Vous avez les nouveaux contrats ?
   – Oui, je les ai. Ils sont signés.
9. – Vous avez traduit mon discours ?
   – Non, je ne l'ai pas traduit. Je vais le faire tout de suite.
10. – Vous avez lu le dernier Djian ?
    – Oui, je l'ai lu. C'est très bien.

81. C'était/Il y avait/Il faisait

Complétez en utilisant « c'était », « il y avait » ou « il faisait » :
1. C'était bien ton anniversaire ?
2. – Alors, ces vacances à la montagne ?
   – C'était super. Mais il faisait très froid.
3. – Il y avait qui à son mariage ?
   – Ben… la famille, les amis.
4. – C'était comment, le concert de Johnny ?
   – C'était très bien. Il y avait des jeunes et des moins jeunes.
5. – Qu'est-ce qu'il faisait dans ton bureau, Monsieur Lanvin ?
   – Il est venu pour signer un contrat.
6. – Tu as fait du vélo ce week-end ?
   – Non, il faisait trop chaud. Je suis allé à la patinoire.
7. – Il y avait beaucoup de monde à la piscine ?
   – Non, c'était tranquille, il n'y avait pas un chat.
8. Alors cet examen ? C'était facile ?
9. – J'ai emmené la voiture au garage.
   – Pourquoi ? Il y avait un problème ?
10. J'ai visité un bel appartement, mais c'était trop cher.

RESSOURCES :
– 1 dialogue.
– 2 photos.
– 1 horaire de train.
– 1 série de questions.

TRANSCRIPTIONS :
– Allô ! SNCF bonjour !
– Je vais à Saint-Gervais pour les vacances de Noël. Je voudrais savoir quels sont les horaires des trains.
– Vous voulez partir quel jour ?
– Le 22 décembre.
– Vous avez un TGV départ de Paris à 7 h 09. Il arrive à 12 h 46.
– 7 h 09 c'est un peu tôt pour moi.
– Après, vous avez 8 h 26, 9 h 18 ou 10 h 24.
– Il arrive à quelle heure, celui de 10 h 24 ?
– À 16 h 13 mais il faut changer deux fois : à Cluses et à Sallanches.
– Je préférerais un train direct.
– Un train direct ? Alors, il faut prendre celui de 8 h 26 ou 9 h 18.
– Je préfère le deuxième.
– Il arrive à 14 h 11.
– C'est parfait. Au revoir. Je vous remercie.
– À votre service.

CORRECTIONS :
1. *Écoutez le dialogue et dites quel train la dame va prendre :*
Elle va prendre le train de 9 h 18 au départ de Paris.

2. *Utilisez le document et répondez aux questions :*
1. Il y a 2 trains directs entre Paris et Saint-Gervais.
2. On peut manger en première classe dans un seul train, celui de 9 h 18.
3. Il n'y a pas de service bar dans les TGV numéro 931 et 607.
4. Non, ce n'est pas possible.
5. Date et heure de départ de Paris : le 18 février à 7 h 09.
Date et heure d'arrivée à Saint-Gervais : le 18 février à 12 h 46.

OBJECTIFS :
Se familiariser avec des horaires dans une situation de demande de renseignements.

FICHE FLASH ≈ 25 MINUTES

1. Partir de l'horaire de train afin que l'ensemble de la classe comprenne son fonctionnement.

   Poser des questions simples, telles que : ce train part de quelle ville et arrive dans quelle autre ville ? Combien de gares dessert-il ?

   Procéder pas à pas avant de faire répondre aux questions de l'activité 2.

2. Faire écouter l'enregistrement deux fois avant de poser aux élèves des questions de compréhension globale : à qui la dame téléphone-t-elle ? Où veut-elle aller ? Quel jour veut-elle partir ? Etc.

3. Faire réécouter l'enregistrement en demandant aux élèves de relever, même de façon imparfaite, les horaires des trains.

4. Demander ensuite quel train la dame veut prendre, pourquoi elle ne veut pas prendre celui de 10h 24.

CONSEILS... SUGGESTIONS... REMARQUES...

Vous pouvez prolonger cette activité en demandant aux élèves d'imaginer un dialogue identique à celui de l'enregistrement à partir de l'horaire de train ci-dessous.

Les unités 7-8-9 ont comme objectif de donner aux élèves les outils linguistiques nécessaires pour agir dans des situations de communication pratiques.

Numéro de train		46348	6348/9	6348/9	97609	97662/3	3501	6302/3		702/3	700/1	40860	7860/1	706/7	8206/7
Notes à consulter			1	2	3	3	4	5		6	7	8	9	10	10
										TGV	TGV			TGV	TGV
Tours	D	00.44				06.07		08.43		08.50	08.50	10.13			
St-Pierre-des-Corps	D	00.49	01.00	01.00		06.13		08.49		08.58	08.58	10.18	10.23		
Massy TGV	D									09.51	09.51			11.13	11.31	11.31
Montrichard	D				06.40										
St-Aignan-Noyers	D				06.54										
Gièvres	D				07.14										
Vierzon	D		02.08	02.08	06.59	07.41		09.53							
Bourges	D			02.33	07.32	08.01	08.09	10.14							
Saincaize	A						08.42	10.46							
Moulins-sur-Allier	A		03.43	03.43			09.09	11.13							
St-Germain-des-Fossés	A		04.15	04.15			09.32	11.37							
Roanne	A		05.14	05.14			10.13	12.19							
Lyon-Part-Dieu	A		06.40	06.40			11.31	13.38		12.05	12.05			13.41	13.41
Lyon-Perrache	A		06.54	06.54			11.41	13.49			12.16			13.58	13.58

1. Circule : tous les jours sauf les lun, sam et sauf les 29 sept, 1er, 12 nov, 1er avr, 1er, 8 et 20 mai;Circule les 2, 11 nov, 31 mars, 3, 10 et 19 mai- 2e CL- ✈ . ⬥.

2. Circule : les lun, sam sauf les 2, 11 nov, 31 mars, 3, 10 et 19 mai;Circule les 1er, 12 nov, 1er avr, 1er, 8 et 20 mai- 2e CL- ✈ .

3. Circule : tous les jours sauf les dim et fêtes- 🚲 .

4. Circule : les lun sauf les 11 nov, 31 mars et 19 mai;Circule les 12 nov, 1er avr et 20 mai- ⬥ .

5. 🍴 .

6. Circule : du 21 déc au 8 fév : les sam- 🍴- ⬥ .

7. Circule : jusqu'au 20 déc : tous les jours;du 22 déc au 28 fév : tous les jours sauf les sam;Circule à partir du 1er mars : tous les jours- 🍴- ⬥ .

8. Circule : tous les jours sauf les dim et fêtes.

9. Circule : tous les jours sauf les dim et fêtes- 🍴- ⬥ .

10. Circule : tous les jours sauf les 21, 28 déc, 22 fév et 1er mars- 🍴- ⬥ .

11. 🚲- 🍴 .

12. Circule : les 21, 28 déc, 4 jan, 22 fév, 1er mars, 12, 19 et 26 avr- 🍴- ⬥ .

13. Circule : jusqu'au 19 déc : les lun, mar, mer, jeu sauf les 31 oct et 11 nov;Circule du 21 déc au 7 jan : les lun, mar, mer;du 8 jan au 10 avr : les lun, mar, mer, jeu et les 22 fév et 1er mars;du 12 au 29 avr : tous les jours sauf les ven et dim;Circule à partir du 1er mai : les lun, mar, mer, jeu sauf le 7 mai- 🍴 .

14. Ne prend pas à Roanne de voyageurs en 2eme classe les jours de circulation du train 59887 et 59889- 🍴assuré certains jours-🍴- ⬥ .

15. 🍴- ⬥ .

16. Circule : tous les jours sauf les sam et sauf les 10 nov, 30 mars, 1er, 8 et 18 mai- 🍴- ⬥ .

17. Circule : les ven et les 31 oct, 25 déc, 1er jan, 30 avr et 7 mai- 🍴- ⬥ .

7 Rendez-vous

COMPRÉHENSION

OBJECTIFS :
Aborder d'une manière systématique les pronoms interrogatifs et les locutions interrogatives.

FICHE FLASH ≈ 20 MINUTES

1. Faire écouter le dialogue témoin en donnant comme consigne aux élèves de repérer la forme interrogative entendue.
2. Faire écouter l'ensemble des dialogues, puis prendre extrait par extrait, en leur demandant de remplir la grille. Corriger au fur et à mesure.
3. Passer à l'exercice 82. Expliquer la liste de mots et de locutions interrogatifs qui accompagne l'exercice. Procéder à une correction collective.

CONSEILS... SUGGESTIONS... REMARQUES...

La forme interrogative a été abordée dès l'unité 3 (pages 46-47). À ce stade de l'apprentissage, les élèves sont déjà familiarisés avec beaucoup de mots et de locutions interrogatifs qui sont sans cesse employés en classe. L'unité 7 n'est qu'une étape pour systématiser ce point.

CORRECTIONS :

Écoutez les dialogues et cochez la forme interrogative entendue :

dialogue n°	1	2	3	4	5	6	7	8	9	10	11	12
A quelle heure... ?	X	X										
Où est-ce que... ?											X	
Il / elle est où...?									X			
Qu'est-ce que...?							X	X				X
C'est qui...?								X	X			
Comment...?					X	X	X					

ENTRAÎNEMENT
les mots interrogatifs

Exercice 82

Complétez par le mot interrogatif ou la locution interrogative qui convient (cf. liste) :

1. – Où est-ce que je peux faire réparer ma montre ?
   – À la boutique « Le temps retrouvé ».
2. – À quelle heure est votre avion, demain après-midi ?
   – À 14 h 15.
3. – Il est où, mon pantalon ?
   – Là, sur la chaise !
4. – Où est-ce que je peux te joindre ?
   – Tiens, je te donne mon numéro de fax. C'est le 95.74.36.36.
5. – Le responsable de cette école, qui est-ce ?
   – C'est Monsieur CLAVELOUX. C'est le directeur.
6. – Qu'est-ce-que tu fais, la semaine prochaine ?

– Je suis en vacances. Je vais passer quelques jours dans ma famille.
7. – Qui est-ce qui peut m'accompagner à l'épicerie pour porter le carton d'eau minérale ?
   – Moi.
8. – Il est joli, ton chemisier. Tu l'as trouvé où ?
   – À « Vêtensoldes ». C'est une boutique de vêtements d'occasion.
9. – Pourquoi tu ne m'as pas parlé de tes ennuis ?
   – Je n'ai pas voulu te déranger.
10. – Est-ce que Gilles peut me prêter sa voiture, vendredi ?
   – Oui. Je pense qu'il n'y a pas de problème.

RESSOURCES :
– 1 dialogue témoin.
– 1 série d'enregistrements.
– 1 grille de compréhension analytique.
– 1 exercice d'entraînement.

TRANSCRIPTIONS :

Dialogue témoin
– Il part à quelle heure le prochain train pour Paris ?
– Où est Roger ?
– Roger ! Roger !
– Qu'est-ce que tu fais ?
– Je cherche mon billet.

Compréhension
1. – Le cours d'anglais, c'est à quelle heure ?
   – À 9 heures.
2. – Vous avez rendez-vous à quelle heure ?
   – À 12 h 15.
3. – Vous pourriez me dire comment faire pour aller à la gare, s'il vous plaît ?
   – Vous prenez le bus numéro 5.
4. – Tu es allé à Paris comment ?
   – En train.
5. – Tu paies comment ?
   – Par chèque.
6. – Qu'est-ce que tu lui as acheté pour son anniversaire ?
   – Le dernier livre de Le Clézio.
7. – Qu'est-ce que c'est que ce truc ?
   – C'est un vase égyptien.
8. – C'est qui Patrick ?
   – C'est le copain d'Annie.
9. – C'est qui le directeur de la banque ?
   – C'est le grand blond à lunettes.
10. – Elle est où ta maison de campagne ?
   – À vingt minutes du centre-ville.
11. – Où est-ce que vous habitez ?
   – À 10 minutes à pied du centre-ville.
12. – Qu'est-ce que tu fais ?
   – Je travaille.

OBJECTIFS :
– Travailler les différentes manières de poser une question.
– Savoir adapter une demande à une situation donnée.

FICHE FLASH ≈ **30 MINUTES**

1. Présenter l'activité en expliquant rapidement aux élèves les trois types de demande qu'ils peuvent rencontrer. Donner un exemple pour chacune d'entre elles.
2. Faire écouter les enregistrements un par un. Demander de préciser la situation (Où ? Qui ? À qui ?) et le type de demande.
3. Faire remplir la grille puis proposer une correction collective.
4. Enfin, demander aux élèves de prendre connaissance du tableau « Pour communiquer ». Répondre à leurs éventuelles questions.

CONSEILS... SUGGESTIONS... REMARQUES...

Les élèves sont exposés ici aux registres de langue. Il est important de leur donner les outils nécessaires pour qu'ils puissent adapter leurs discours à une situation donnée. Nous vous conseillons d'amener les élèves à réfléchir aux registres de langue dans leur langue maternelle.
Le conditionnel : dans un certain nombre de situations de communication, le conditionnel est indispensable. C'est ce que l'on appelle « le conditionnel de politesse ». Son emploi marque le respect, la reconnaissance de l'autre. Il doit être présenté très tôt dans l'apprentissage. Les formes en rouge sont celles qu'il faut connaître à ce stade de l'apprentissage.

CORRECTIONS :

Écoutez les phrases et cochez dans le tableau ce que vous avez entendu pour exprimer la demande :

	1	2	3	4	5	6	7	8	9	10	11	12	13	14	15	16	17	18	19	20
Demande polie	x			x					x	x	x				x		x		x	
Demande standard		x						x				x	x	x				x		
Demande directe			x		x	x	x									x				x

RESSOURCES :
– 1 série d'enregistrements.
– 1 grille de compréhension analytique.
– 1 tableau récapitulatif.

TRANSCRIPTIONS :

Dialogue témoin
C'est quelle heure ?
Vous pouvez me donner l'heure ?
Excusez-moi monsieur, est-ce que vous pourriez me donner l'heure ?

Compréhension
1. Vous pourriez me dire où est la gare ?
2. Vous pouvez me dire où vous passez vos vacances ?
3. Où est Pierre ?
4. Je voudrais deux kilos d'oranges.
5. Donnez-moi une bouteille d'eau d'Évian.
6. Je veux la robe bleue qui est en vitrine.
7. Tu arrives à quelle heure ?
8. Est-ce que vous pouvez me dire à quelle heure part le train pour Bordeaux ?
9. – Est-ce que je pourrais avoir un rendez-vous pour demain ?
   – À quelle heure ?
   – À 9 heures.
   – D'accord.
10. Je voudrais savoir si ma voiture est prête.
11. Vous pourriez me dire s'il y a une pharmacie dans l'aéroport ?
12. Excusez-moi, vous savez s'il y a un bureau de tabac ?
13. Vous savez qui est monsieur Bertrand ?
14. Vous pouvez me dire qui est le professeur de maths de mon fils ?
15. Est-ce que vous pourriez me dire si ce monsieur est le directeur de la société ?
16. C'est combien ?
17. Tu pourrais me dire combien ça coûte ?
18. Tu peux me dire combien tu as payé ta voiture ?
19. Je voudrais savoir quel est le prix de ce magnétoscope.
20. Tu as du feu ?

PAGES 118, 119

OBJECTIFS :
– Parler d'occupations quotidiennes.
– Donner des heures précises pour un emploi du temps.

FICHE FLASH ≈ 30 MINUTES

1. Demander aux élèves d'observer les 14 images et de les commenter.

2. Faire écouter l'enregistrement intégralement et leur demander ce qu'ils ont compris, puis repasser l'enregistrement en marquant des pauses pour qu'ils puissent faire correspondre une image avec une heure donnée.

3. Faire une correction collective en reprenant chaque extrait de l'enregistrement.

4. Demander aux élèves de composer deux emplois du temps : celui d'une personne qui travaille et celui d'une personne qui a du temps libre. Ils peuvent également, en utilisant les images comme base de travail, faire l'emploi du temps d'une de leurs journées.

5. Passez à l'activité « À vous ».

CONSEILS... SUGGESTIONS... REMARQUES...

Les activités « À vous », ou celles proposées dans la fiche flash, sont conçues pour amener les élèves à parler de leurs occupations quotidiennes. Vous pouvez les regrouper en équipes de deux pour qu'ils puissent comparer entre eux leurs emplois du temps.

CORRECTIONS :

Écoutez le dialogue. Mettez en relation une heure dans le tableau des horloges et ce que fait Gérard à cette heure-là :
images n° 1/n° 8/n° 10/n° 4/n° 6/n° 5/n° 11.

RESSOURCES :
– 1 dialogue.
– 1 série d'images.

TRANSCRIPTIONS :

Compréhension

– Allô, Gérard. On peut se voir aujourd'hui ?
– Holà ! Aujourd'hui, ça ne va pas être facile.
– Pourquoi ?
– À 8 heures, je laisse ma voiture au garage. À 9 heures, j'ai une réunion avec des Japonais. À 10 heures et quart, j'ai rendez-vous chez le dentiste. A midi, déjeuner d'affaires. À 2 heures, je visite une usine de montres. À 4 heures, je vais chercher les enfants à l'école. À 6 heures, je vais à un cocktail à la mairie. Si tu es libre, vers 8 heures, passe à la maison prendre l'apéritif.

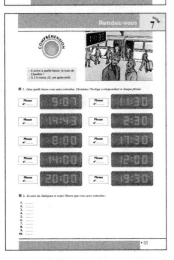

OBJECTIFS :

Travailler de manière systématique la façon de dire l'heure.

FICHE FLASH ≈ 25 MINUTES

1. Faire observer le tableau « Pour communiquer » qui explique la façon de dire l'heure. Amener les élèves à distinguer l'heure courante de l'heure officielle. Leur demander d'imaginer dans quelles situations l'heure officielle est le plus souvent utilisée.

2. Passer à l'activité de compréhension page 121. Demander aux élèves de vous donner l'heure indiquée sur chacune des 10 horloges.

3. Faire écouter l'enregistrement. Il s'agit de choisir l'horloge qui correspond à l'heure entendue. Appuyer vos explications sur le dialogue témoin et l'image qui l'accompagne.

4. Passer à l'activité 2. Il s'agit de noter l'heure.

5. Proposer aux élèves de faire l'exercice 83 sur le conditionnel. Ils peuvent se référer au tableau de la page 117.

CORRECTIONS

ENTRAÎNEMENT
conditionnel

Exercice 83

Complétez en utilisant « pouvoir, vouloir, aimer, avoir » au conditionnel :

1. Est-ce que vous pourriez me dire où se trouve le bar ?
2. Je voudrais savoir où je peux faire une réservation.
3. Tu pourrais m'indiquer la sortie ?
4. Où est-ce que je pourrais changer de l'argent ?
5. J'aimerais prendre un rendez-vous.
6. Je voudrais un renseignement.
7. Vous pourriez me dire où sont les toilettes ?
8. Excusez-moi, Mademoiselle, est-ce que vous voudriez un programme des spectacles ?
9. Tu n'aurais pas une carte de la région, par hasard ?
10. Tu pourrais m'expliquer où il habite ?
11. Je voudrais un café et un croissant.
12. Est-ce qu'il pourrait m'aider ? C'est lourd.

RESSOURCES :
– 1 tableau récapitulatif.
– 2 séries d'enregistrements.
– 10 horloges.
– 1 exercice d'entraînement.

TRANSCRIPTIONS :

Dialogue témoin
– Il arrive à quelle heure le train de Claudine ?
– À 3 h moins 25, cet après-midi.

Compréhension 1
1. – Aujourd'hui, je commence le travail à 8 heures.
2. – À 5 heures et demie, il y a beaucoup de monde dans les rues.
3. – Mon train part à 9 h 07.
4. – J'ai rendez-vous à 11 h 30.
5. – Je vais au ciné à la séance de minuit.
6. – Pierre arrive cette nuit à 2 heures et demie.
7. – J'ai cours à 2 heures.
8. – Le match de foot, c'est bien à 7 heures et demie sur la Une ?
9. – Le train en provenance de Paris arrivera en gare à 14 h 43.
10. – Mesdames, messieurs, bonsoir. Il est 20 heures. Voici notre journal.

Compréhension 2

1. – Bon, alors, rendez-vous à 5 heures et quart à la brasserie Granvelle. D'accord ?
   – D'accord.
2. Le train de 16 h 42 en provenance de Lyon est annoncé au quai numéro 3.
3. Les passagers du vol Singapour Airlines 524 à destination de Djakarta sont invités à se présenter à l'embarquement à partir de 18 h 45, porte numéro 7.
4. – Dépêche-toi ! J'ai cours à 8 heures et demie !
   – À quelle heure ?
   – 8 heures et demie.
5. – Tu vas au ciné, ce soir ?
   – Oui, à la séance de 10 heures moins 20.
6. – À quelle heure tu dois voir Jean-Paul ?
   – Demain après-midi vers 3 heures.
7. – À quelle heure tu vas chez le dentiste ?
   – À 9 heures et quart.
8. – Aujourd'hui, je pars à 5 heures et demie.
9. – J'ai regardé la Coupe du Monde jusqu'à 3 heures du matin !
10. – Ce matin il est arrivé en retard. Il est arrivé à 11 heures et quart.

1. Dites quelle heure vous avez entendue. Choisissez l'horloge correspondant à chaque phrase :
Phrases n° 3/n° 9/n° 1/n° 7/n ° 10/n° 4/n° 6/n° 2/n° 5/n° 8.
2. Écoutez les dialogues et notez l'heure que vous avez entendue :

1. 17h 15
2. 16h 42
3. 18h 45
4. 8h 30
5. 21h 40
6. 15h 00
7. 9h 15
8. 5h 30 / 17h 30
9. 3h 00
10. 11h 15

PHONÉTIQUE

OBJECTIFS :
Distinction des sons [y] et [u].

RESSOURCES :
– 2 exercices de phonétique.

TRANSCRIPTIONS :
Phonétique : [y]/[u]
– Édouard ? Oui, il est doux, c'est sûr.
– Lucie aussi, elle est douce, c'est sûr.
– Au début, il n'était pas doux.
– Lucie non plus, au début, elle n'était pas douce.
– Maintenant, il est de plus en plus doux.
– Elle aussi, elle est de plus en plus douce.

FICHE FLASH ≈ **10 MINUTES**

1. Commencer par le premier exercice. Il s'agit de trouver la deuxième partie de l'expression. Nous vous conseillons d'écrire dans le désordre au tableau les réponses à cet exercice.
2. Passer au deuxième exercice. L'objectif est de remplacer les adjectifs « doux » et « douce » par d'autres couples d'adjectifs proposés en bas de page. Demander aux élèves de faire cet exercice par groupes de deux.

CONSEILS... SUGGESTIONS... REMARQUES...

Vous pouvez donner des explications, voire des traductions des adjectifs. Nous vous rappelons cependant que la compréhension, dans ce type d'activité, n'est pas la priorité. Ce qui doit attirer votre attention, c'est la prononciation. L'opposition [y] / [u] a été abordée dès l'unité 1 (p. 13). Le son [y] a été présenté isolément unité 5 p. 83 et unité 6 p. 104.

PHONÉTIQUE
[y] / [u]

CORRECTIONS :
Trouvez la deuxième partie de l'expression :

1. Tu avances ou tu recules ?
2. Tu mets du sel ou du poivre ?
3. Tu éteins ou tu allumes ?
4. Tu ouvres ou tu fermes ?
5. C'est cuit ou cru ?
6. Tu veux ou tu ne veux pas ?
7. Tu pars ou tu restes ?
8. Tu entres ou tu sors ?

OBJECTIFS :
La prise de rendez-vous.

RESSOURCES :
– 2 images.
– 1 tableau récapitulatif.
– 3 dialogues.

FICHE FLASH ≈ 30 MINUTES

1. Faire identifier les lieux représentés par les deux images : une agence de voyage et le bureau d'un homme d'affaires. À partir de ces deux documents, faire imaginer, à l'oral, les dialogues entre le client et l'employée de l'agence puis entre l'homme d'affaires et un interlocuteur à définir. Il s'agit de travailler le schéma de la prise de rendez-vous et l'expression de l'heure. Demander aux élèves de s'aider du tableau de « Compréhension » qui donne rapidement le schéma de la prise de rendez-vous.

2. Faire écouter les trois dialogues. Les tâches demandées sont précises : demande, raison, jour et heure, possible/impossible, prendre congé. Effectuer cette activité à l'oral, puis proposer la transcription page 214.

CONSEILS... SUGGESTIONS... REMARQUES...

Les activités proposées dans cette page permettent d'une part de retravailler l'expression de l'heure et, d'autre part, le schéma de prise de rendez-vous. Vous pouvez, si vos élèves en éprouvent le besoin et si vous disposez de la cassette vidéo *Sur le vif* qui accompagne la méthode *Tempo*, utiliser le document 12 intitulé « Rendez-vous ». Une fiche pédagogique, pour l'exploitation de ce matériel complémentaire, vous est proposée à la fin de ce manuel.

TRANSCRIPTIONS :

Compréhension
Dialogues

1. – Bonjour. Je voudrais un rendez-vous avec Monsieur Malbosc.
   – Pour quand ?
   – Le plus vite possible. J'ai une rage de dents. Je souffre énormément.
   – Je regrette, mais ce n'est pas possible avant la semaine prochaine.
   – Ah ! Mais c'est vraiment urgent. J'ai très mal.
   – Bon, je vais essayer de vous placer entre deux rendez-vous. Ce que je vous propose, vous venez à 2 heures mais vous risquez d'attendre.
   – Ça ne fait rien. Je serai là à 2 heures. Merci beaucoup. C'est très gentil de votre part.

2. – Allô, je voudrais parler à Monsieur Dupuis.
   – Ne quittez pas, je vous le passe.
   – Allô, Monsieur Dupuis. Jean-François Lefèvre au téléphone. Je suis journaliste à La Voix du Nord. Je voudrais vous rencontrer à propos de l'affaire Leblanc. Est-ce que je peux passer demain, vers 14 heures ?
   – Je suis désolé, mon emploi du temps est très chargé. En ce moment, je suis débordé.
   – Si vous voulez, je peux passer en fin de journée. J'en ai pour dix minutes.
   – Non. Ce n'est vraiment pas possible. En fin de semaine, si vous voulez.
   – Mon article doit paraître après-demain et j'aimerais vraiment avoir votre point de vue. Ce matin, j'ai rencontré Monsieur Leblanc qui m'a appris des choses très intéressantes.
   – Ah bon. Écoutez... et si nous déjeunions ensemble ? Brasserie

Alsacienne, à 12 h 45, ça vous va ?
   – Parfait. À tout à l'heure.
   – Au revoir.

3. – Bonjour, mademoiselle, je voudrais prendre rendez-vous avec le docteur Lemercier.
   – Oui. Pour quand ?
   – Cet après-midi, si c'est possible. Je ne me sens vraiment pas très bien.
   – Oui... Attendez, je regarde... Voyons... Oui, 17 h 30, ça vous va ?
   – Oui, d'accord. Donc, cet après-midi, à 17 h 30.
   – Vous êtes Madame... ?
   – Madame Dufour.
   – D'accord. À tout à l'heure, Madame Dufour.

ÉCRIT

OBJECTIFS :
Écrire une lettre.

FICHE FLASH ≈ 30 MINUTES

1. Travailler sur la disposition graphique des deux lettres. Faire relever les points communs entre les deux documents. Sans les lire, comment pouvons-nous savoir qu'il s'agit du même type de document ?

2. Poser des questions générales qui amènent à trouver rapidement, dans un document que l'on n'a pas encore lu, les réponses. Par exemple : à qui écrit Julie ? D'où lui écrit-elle ? Quand lui a-t-elle écrit la lettre ? Procéder de la même façon pour la deuxième lettre.

3. Passer ensuite à une lecture plus détaillée. On pourrait demander ce que l'on sait de Jules, d'imaginer quel type de relations entretiennent Jules et Julie. Pouvons-nous retirer autant d'informations de la lettre de Claudine à Nicole ?

4. C'est à partir de ces deux modèles, et à l'aide du tableau « Pour communiquer », que les élèves pourront rédiger à leur tour une lettre personnelle (cf. activité « Écrit »).

CONSEILS... SUGGESTIONS... REMARQUES...

D'autres activités « Écrit » sur la rédaction d'une lettre sont proposées p. 124.

RESSOURCES :
– 1 tableau récapitulatif.
– 2 lettres.
– 2 séries d'enregistrements.

PHONÉTIQUE

OBJECTIFS
Distinction des sons [R] et [l]. Recherche du son [ɲ].

RESSOURCES :
– 2 exercices de phonétique.

FICHE FLASH ≈ 10 MINUTES

1. Faire écouter les phrases et demander aux élèves d'identifier les deux sons [R] et [l], puis de repérer leur emplacement dans le mot : où se trouve le son, dans la première ou la deuxième syllabe des mots ?

2. Repasser l'enregistrement et faire remplir la grille, puis corriger l'exercice collectivement.

3. Enfin, passer au deuxième exercice en demandant de rechercher des mots en français avec le son [ɲ]. Écrire les propositions au tableau et faire rechercher, à partir de cette liste, la graphie du son.

4. Procéder à l'écoute de l'enregistrement, faire remplir la grille et la corriger collectivement.

CONSEILS... SUGGESTIONS... REMARQUES...

Le son [R] a déjà été abordé page 63. Il est plus facile à prononcer lorsqu'il est en position finale. C'est un son doux.

Pour des raisons d'attention et de concentration, il est souvent préférable de commencer le cours par des exercices de phonétique qui doivent être fréquents mais brefs.

TRANSCRIPTIONS :

Phonétique : [l]/[R]

1. J'aime beaucoup les cigares.
2. Tu vas au bal ?
3. Pierre, il est malin.
4. Il lit beaucoup.
5. Elle habite Rabat.
6. Tu rappelles demain ?
7. Tu as lu l'histoire de l'homme ?
8. Je suis Armand.
9. Antoine Baud ? C'est un universitaire. Je crois qu'il est recteur.
10. J'aimerais bien le voir, Paul.

Phonétique : le son [ɲ]

1. C'est ma compagne.
2. Elle est où, Agnès ? Agnès !
3. Je suis en panne.
4. On va se baigner ?
5. Ça me fait de la peine.
6. Je peux vous payer ?
7. C'est un bon employé.
8. C'est ignoble !
9. C'est un noble.
10. Je n'aime pas les araignées.
11. Il vit dans la montagne.
12. C'est une région de vignobles.

PHONÉTIQUE
[R] / [l]

PHONÉTIQUE
[ɲ] comme dans
« campagne »

CORRECTIONS :

Écoutez et dites ce que vous avez entendu :

	[R]	[l]
1	x	
2		x
3		x
4		x
5	x	
6	x	
7		x
8	x	
9	x	
10		x

Écoutez et dites si vous entendez le son [ɲ] :

	ɲ	
	oui	non
1	x	
2	x	
3		x
4	x	
5		x
6		x
7		x
8	x	
9		x
10	x	
11	x	
12	x	

PAGE 124

ÉCRIT

OBJECTIFS :
Écrire une lettre administrative.

FICHE FLASH   ≈ 30 MINUTES

1. Revenir aux lettres de la page 123 et les comparer à celles de la page 124 : leurs dispositions sont-elles similaires ? Qu'est-ce qui les distingue les unes des autres ?

2. Faire identifier l'expéditeur de la lettre p. 124, ainsi que le destinataire. Demander aux élèves de relever la formule d'appel, la demande et la formule finale.

3. Passer ensuite à la deuxième lettre et procéder de la même façon.

   Les informations relevées dans ces deux documents pourront être complétées par le tableau « Pour communiquer » qui servira, par ailleurs, à la rédaction de la lettre.

RESSOURCES :
– 2 types de lettres administratives.
– 1 tableau récapitulatif.
– 1 exercice d'application.

CONSEILS... SUGGESTIONS... REMARQUES...

Suivant l'intérêt du groupe et les besoins spécifiques des élèves, vous pouvez créer, à partir du modèle de la lettre, une multitude d'autres canevas qui sont des supports absolument nécessaires, en début d'apprentissage, pour guider la rédaction.

PAGE 125

À VOUS !

OBJECTIFS :
Savoir prendre rendez-vous.

FICHE FLASH   ≈ 20 MINUTES

1. Faire écouter le dialogue témoin. Vérifier la compréhension en demandant aux élèves : qui est Pierre Marchand ? Que fait-il ? Avec qui veut-il prendre rendez-vous ? Pourquoi ?

2. Puis, à partir de l'agenda, faire imaginer la suite de la conversation entre P. Marchand et la secrétaire de M. Guillaume. Ne pas demander aux élèves d'écrire les dialogues mais les faire jouer immédiatement.

3. Passer à l'activité 2 : décrire avec la classe chaque image et apporter le lexique qui manque.

4. Puis, à partir du dialogue témoin, faire imaginer la conversation entre la secrétaire de Roger Larchet et un journaliste.

   Ne pas faire rédiger le dialogue mais donner une dizaine de minutes de préparation à chaque groupe de deux, puis faire jouer quelques-uns de ces dialogues.

RESSOURCES :
– 1 dialogue témoin/images.
– 1 agenda.
– 5 images.

TRANSCRIPTIONS :

Dialogue témoin

– Allô ?
– Oui, bonjour mademoiselle. Pierre Marchand, journaliste au Républicain lorrain. Je voudrais rencontrer monsieur Guillaume pour réaliser une interview, demain par exemple.
– Demain ? Attendez, je consulte son emploi du temps.

CONSEILS... SUGGESTIONS... REMARQUES...

Il est préférable de ne pas forcer les groupes qui ne le désirent pas à se produire devant la classe. Travailler dans un premier temps avec les plus téméraires, puis veiller à ce que tout le monde participe en les encourageant et en les rassurant.

Vous pouvez passer entre les groupes pour les aider, les conseiller et vérifier les acquis de chacun.

RESSOURCES :
– 1 exercice de phonétique.

PHONÉTIQUE

OBJECTIFS :
Distinction des sons [t] et [d].

FICHE FLASH   ≈ 10 MINUTES

1. Passer l'enregistrement et demander aux élèves la phrase qu'ils ont entendue.
2. Procéder à une correction collective.

CONSEILS... SUGGESTIONS... REMARQUES...

Le [t] se distingue du [d] par les phénomènes déjà rencontrés de tension, de relâchement.

La pertinence des exercices de discrimination phonique est ici mise en évidence. Un seul phonème peut changer complètement le sens d'une phrase. Par exemple : Claude est entêté. / Claude est endetté.

L'opposition [t] / [d] sert à distinguer un nombre important de mots du lexique.

CORRECTIONS :

Dites quelle phrase vous avez entendue :

1. Où est-ce qu'il est, André ?
2. Tiens, j'ai tes livres.
3. Il est d'ici.
4. Claude est endetté.
5. Il est tout pour moi.
6. C'est un peu tôt.
7. Garçon ! Un steak tartare !
8. Elle est près d'Agnès.
9. Partons messieurs, je suis pressé.
10. Sors donc d'ici !

CIVILISATION

OBJECTIFS :
Se familiariser avec les jours de fête en France.

FICHE FLASH   ≈ 40 MINUTES

1. Partir des photos et faire émettre des hypothèses sur les fêtes représentées. Accepter toutes les réponses (elles seront vérifiées ultérieurement).

2. Demander de les retrouver sur le calendrier. Certaines d'entre elles y figurent mais sous un autre nom : par exemple, la fête des amoureux qui est la Saint-Valentin, la fête des Rois ou l'Épiphanie.
Établir des correspondances entre ces fêtes et celles du ou des pays des élèves.

3. Passer à la lecture des documents écrits. Demander de retrouver dans les deux textes les informations suivantes : depuis quelle année cette fête existe-t-elle ? Qui en a eu l'idée ? Quand est-elle célébrée ? Est-ce une fête populaire ou plutôt familiale ? Comment est-elle célébrée ?

4. Finir ces activités en faisant compléter le test.

CONSEILS... SUGGESTIONS... REMARQUES...
La lecture des documents écrits ne doit pas se faire linéairement mais globalement. L'objectif à atteindre est la recherche d'informations précises au sein d'un document assez complexe. Il ne faut pas chercher à tout expliquer.

RESSOURCES :
– 1 calendrier.
– 9 photos.
– 2 textes.
– 1 test.

CORRECTIONS :
1. En vous servant du calendrier, identifiez les dates correspondant aux fêtes et jours fériés en France :

1. La fête nationale : le 14 juillet.
2. L'Armistice de 1918 : le 11 novembre.
3. La Saint-Valentin, fête des amoureux : le 14 février.
4. L'Assomption, fête de la Vierge : le 15 août.
5. La fête de la Musique : le 21 juin.
6. La fête du Travail : le 1er mai.
7. La Toussaint : le 1er novembre.
8. L'Épiphanie ou fête des Rois : le premier dimanche de janvier.
9. La fête des Mères : le dernier dimanche de mai.
10. L'Ascension, c'est quarante jours après Pâques.

RESSOURCES :
– 1 série de dialogues (CO).
– 1 page d'agenda (EO).
– 1 canevas de lettre (EE).
– 1 lettre (CE).

TRANSCRIPTIONS :
Compréhension orale
Dialogues
1. – Allô Catherine, c'est Marie.
  – Bonjour.
  – Est-ce que tu veux venir avec moi à la campagne dimanche ?
  – Oui, c'est sympa.
  – Je peux passer te prendre à 10 heures. Ça va ?
  – Oh oui, très bien.
2. – Bonjour madame.
  – Bonjour. Je souhaiterais rencontrer le directeur, Monsieur Maheu.
  – Oui, c'est pour quoi ?
  – Je voudrais lui proposer un projet.
  – Monsieur Maheu est en voyage jusqu'au 22.
  Le 23, à 16 heures, ça vous convient ?
  – Oui, je suis Nicole Ledu, de la société Galaxy.
  – Donc le 23 à 16 heures.
  – Très bien. Au revoir.
  – Au revoir.
3. – Allô Thomas.
  – Bonjour.
  – C'est Alfred. Tu vas bien ?
  – Oui et toi ?
  – Ça va. On pourrait peut-être dîner ensemble la semaine prochaine.
  – Oui. Quel jour tu es libre ?
  – Jeudi soir, c'est possible ?
  – Très bien. D'accord. Je passe te chercher au bureau ?
  – D'accord. Salut.
  – Salut.
4. – Bonjour mademoiselle. Je suis Madame Salins. Je voudrais prendre rendez-vous avec le Docteur Le Cloch.
  – Oui. C'est urgent ?
  – Non, pas vraiment.
  – Lundi, ça vous irait ?
  – Oui. A quelle heure ?
  – Dans la matinée, 10 heures par exemple.
  – D'accord, merci, au revoir.

OBJECTIFS :
Évaluer les acquis dans les quatre compétences.

FICHE FLASH ≈ **45 MINUTES**

Compréhension orale : l'objectif est d'identifier deux éléments qui sont l'heure et le pourquoi du rendez-vous.

Expression orale : l'élève est amené, dans cette activité, à jouer deux rôles : le sien et celui d'un ami. Vous pouvez aussi demander à deux élèves de jouer la scène. Vous les évaluerez alors séparément.

Expression écrite : Le sujet choisi pour cette expression écrite répond à un des soucis majeurs des auteurs de *Tempo*, qui est de proposer des activités liées à des situations réelles de communication. La rédaction de la lettre est facilitée par le canevas proposé. C'est à partir du respect de ce dernier que vous établirez votre grille d'évaluation.

Compréhension écrite : les réponses au questionnaire réclament de la part des élèves une attention toute particulière aux détails, un effort de réflexion et de logique.

CORRECTIONS :

COMPRÉHENSION ORALE (CO)
Écoutez les dialogues et dites quand ils ont rendez-vous et pourquoi :

Quand ?		Pourquoi ?	
Lundi à 10 h	dialogue 4	déjeuner	dialogue 5
Jeudi soir	dialogue 3	dîner	dialogue 3
Dimanche 10 h	dialogue 1	sortie à la campagne	dialogue 1
Le 23 à 16 h	dialogue 2	entretien	dialogue 2
Mercredi à 12 h 30	dialogue 5	visite médicale	dialogue 4

COMPRÉHENSION ÉCRITE (CE)

	Oui	Non
1. C'est une femme qui écrit à un homme.	x	
2. Jean habite en France.		x
3. Aurélie connaît le frère de Jean.	x	
4. Aurélie et Jean se connaissent bien.	x	
5. Jean ne connaît personne à Montpellier.		x
6. Aurélie organise une fête chez elle.		x
7. Le 28, Aurélie va fêter l'anniversaire du frère de Jean.		x
8. La fête a lieu à 21 h.	x	
9. Jean est un enfant.		x
10. La fête a lieu au mois d'avril.	x	

5. – Jean-Louis, il faut absolument que je vous parle.
  – Oui, vous êtes libre quand ?
  – Demain, je vais à Bordeaux. Mercredi matin, je suis prise. Vous êtes libre pour déjeuner ?
  – Oui.
  – Parfait. On se retrouve à 12 h 30.
  – D'accord.

MISE EN ROUTE

OBJECTIFS :
Reconnaître les caractéristiques physiques et psychologiques d'une personne.

FICHE FLASH   ≈ 15 MINUTES

1. Demander aux élèves de lire les petites annonces. Répondre aux questions qu'ils pourraient poser sur le sens ou sur les abréviations.
2. Faire écouter deux fois l'enregistrement, puis leur demander de retrouver les annonces qui correspondent à chaque dialogue.

CONSEILS... SUGGESTIONS... REMARQUES...

Travailler au niveau de la compréhension globale. Vous entrerez dans le détail chaque fois que les élèves identifieront l'annonce qui correspond au dialogue.

RESSOURCES :
– 1 dialogue.
– 6 petites annonces.

TRANSCRIPTIONS :

Dialogue témoin
– C'est qui le fiancé de Claudine ?
– C'est le grand blond à lunettes qui parle avec Joël.
– Joël ?
– Le frère de Daniel.
– Il est pas mal…

Dialogue
– Ici, SOS Solitude, j'écoute.
– Voilà j'ai 37 ans. Je suis brune, féminine. Je suis mince et je mesure 1,65 m. J'aime la peinture et la musique classique. J'aimerais rencontrer le grand amour. Je voudrais me marier avec quelqu'un qui a mon âge et mes goûts.

COMPRÉHENSION

OBJECTIFS :
Comprendre et systématiser les caractéristiques qui permettent d'identifier quelqu'un.

RESSOURCES :
– 1 série d'enregistrements.
– 6 dessins.
– 1 tableau récapitulatif.

TRANSCRIPTIONS :

Dialogue témoin
– Il est comment, Monsieur Lanvin ?
– Il est gros, pas très grand, il a des moustaches et il porte des lunettes.

Compréhension
Dialogues
1. – Elle est comment la nouvelle prof de maths ?
   – Elle est jeune, jolie et elle a les cheveux blonds. Elle porte souvent un pantalon et elle est très sympa.
2. – Il est comment votre voleur ?
   – Environ 20 ans, 1,60 m, avec un blouson de cuir noir et un jean. Il a une petite moustache et des cheveux bruns.
   – Il ressemble un peu à mon fils.
3. – C'est qui la directrice ?
   – C'est la grande blonde à la robe jaune qui parle avec le petit brun en costume bleu.
4. – Hier, j'ai rencontré l'homme de ma vie !
   – Il est comment ?
   – Il est grand, très bronzé, très sympa. Il est animateur au Club Méditerranée.
   – Il s'appelle comment ?
   – Dominique.
5. – Tu as vu ? Nous avons un nouveau voisin.
   – Ah bon… Il est comment ?
   – Il a environ trente ans. Il est très grand, avec des cheveux courts.
6. – Allô ? C'est pour une petite annonce.
   – Je vous écoute…
   – Jeune femme blonde, 35 ans, divorcée, sans enfant, cherche homme 35-40 ans, non fumeur, pour relation durable.

FICHE FLASH ≈ 30 MINUTES

1. Faire écouter chaque enregistrement, puis demander aux élèves de faire correspondre le dessin au dialogue.
2. Leur demander ensuite de lire le tableau de la page 131. Vérifier qu'ils comprennent et ajouter éventuellement les caractéristiques qu'ils souhaitent (les yeux bruns, noisette, gris, etc).
3. À l'aide de ces éléments, leur demander de décrire quelqu'un du groupe, les autres essaient de deviner de qui il s'agit.

CONSEILS… SUGGESTIONS… REMARQUES…

Encourager les élèves à faire des hypothèses sur les enregistrements et à réinvestir immédiatement, à travers des activités ludiques, les éléments qui sont traités dans le tableau récapitulatif. Vous pouvez, par exemple, apporter des photos de personnes connues ou non découpées dans des magazines. Vous les disposez au tableau, les numérotez et demandez aux élèves de choisir une de ces photos. Sans dire de laquelle il s'agit, l'élève décrit au groupe le personnage qu'il a choisi et les autres doivent trouver de qui il s'agit.

CORRECTIONS :

Écoutez l'enregistrement et identifiez sur chaque dessin la personne qui correspond à la description :

image	dialogue
image 1	dialogue 5
image 2	dialogue 2
image 3	dialogue 3
image 4	dialogue 1
image 5	dialogue 4
image 6	dialogue 6

À VOUS !

OBJECTIFS :
Décrire quelqu'un à l'oral.

FICHE FLASH ≈ 25 MINUTES

1. Demander aux élèves de décrire une des personnes (les descriptions devront être détaillées : taille, couleur des cheveux, des yeux, l'habillement, etc.).
2. Passer à la situation 2. Leur demander de choisir un des personnages et de le décrire au groupe sans le désigner. Les autres devront trouver de qui il s'agit.

RESSOURCES :
– 1 série de dessins.

OBJECTIFS :

Utilisation du pronom relatif « qui ».

FICHE FLASH **20 MINUTES**

1. On demandera ici aux élèves d'insister plutôt sur l'attitude et l'activité des personnages que sur la description physique. Ils pourront également faire des hypothèses sur le caractère des personnages.

2. Présenter le tableau sur le pronom relatif « qui ». Ce tableau peut être travaillé dès la première activité de la page 132. Demander aux élèves de trouver d'autres exemples pour chaque rubrique.

CONSEILS... SUGGESTIONS... REMARQUES...

Nous vous rappelons qu'il est important, dans l'approche préconisée dans *Tempo*, d'installer dans un premier temps des automatismes, puis de réfléchir sur les mécanismes et de répondre aux questions posées par les élèves.

RESSOURCES :
– 1 tableau récapitulatif.
– 1 série d'images.

 À VOUS ! **ÉCRIT**

OBJECTIFS :

– Rédaction d'une petite annonce.
– Poursuite de la description d'une personne.

FICHE FLASH **≈ 45 MINUTES**

1. Faire écouter le dialogue témoin. Demander aux élèves si la jeune fille qui se présente à la porte correspond à l'annonce. Leur faire imaginer ce que dit le propriétaire.

2. Demander aux élèves de travailler par deux, de choisir une des petites annonces et d'imaginer un dialogue entre l'employeur et la personne qui répond à l'annonce. Faire jouer ces dialogues.

3. Écouter ensuite les 3 dialogues correspondant aux 3 annonces. Demander aux élèves si la personne correspond ou non à l'annonce. Les réponses doivent être justifiées.

4. Passer à l'activité « Écrit ». Faire écouter plusieurs fois l'enregistrement. Demander aux élèves de rédiger et de corriger collectivement le texte de la petite annonce. Par exemple : J.F., 34 ans, employée, jolie, grande, brune aimerait rencontrer H., 40 ans, bon. sit. pour partager goûts pr montagne, cinéma et plus.

RESSOURCES :
– 1 dialogue témoin.
– 1 série d'enregistrements.
– 3 petites annonces.

TRANSCRIPTIONS :

Dialogue témoin

– Vous êtes étudiante ?
– Non, je suis au chômage.
– Et lui ?
– C'est mon copain. Il est musicien. Il joue de la guitare électrique.
– Et le chien, il est à vous ?
– Non, il est à mon copain. Le mien, c'est un doberman.

À vous !
Dialogues

1. – Vous avez le permis de conduire ?
   – Oui.
   – Quels sont vos diplômes ?
   – J'ai le baccalauréat.
   – Vous avez quel âge ?
   – 24 ans.
   – Vous pouvez commencer quand ?
   – Tout de suite.
2. – Vous savez taper à la machine ?
   – Oui.
   – Vous savez utiliser un ordinateur ?
   – J'ai un portable à la maison.
   – Vous parlez l'anglais ?

– Oui, couramment. Ma mère est écossaise et je suis née à Brighton.
– Vous êtes mariée ?
– Oui.
– Vous avez des enfants ?
– Oui, j'ai trois enfants.
– Quel âge ?
– Six ans, trois ans et demi et quatre mois.
3. – Vous avez quel âge ?
– 56 ans.
– Vous parlez anglais ?
– Non, mais j'ai fait latin et grec à l'école.
– Vous savez utiliser un ordinateur ?
– Un quoi ?
– Un ordinateur.
– Qu'est-ce que c'est ?
– Vous avez le permis ?

– Oui, j'ai un permis de chasse.
– Un permis de conduire !
– Oui, mais on me l'a retiré.

Écrit

– Allô ? L'agence Matribonheur ?
– Oui madame.
– Je voudrais passer une annonce pour rencontrer quelqu'un.
– Oui, bien sûr. Je peux vous demander quelques renseignements pour rédiger l'annonce ?
– Je vous écoute.
– Vous vous appelez comment ?
– Coralie Devin.
– Vous avez quel âge ?
– 34 ans.
– Qu'est-ce que vous faites ?
– Je suis employée de banque, je travaille au Crédit Agricole.

– Qu'est-ce que vous aimez ? Quels sont vos goûts ?
– Euh… J'aime la montagne… le cinéma… les soirées entre amis.
– Et vous aimeriez rencontrer un homme…
– C'est ça. Je voudrais connaître quelqu'un d'une quarantaine d'années, sympathique, avec une bonne situation.
– Vous êtes comment ?
– Je crois que je suis assez jolie. Je suis grande, brune. J'ai les yeux bleus.
– Écoutez… Je vais vous proposer une annonce. Passez à l'agence demain matin pour me dire ce que vous en pensez.
– Entendu. Au revoir, à demain.
– À demain.

RESSOURCES :
– 2 exercices de phonétique.

PHONÉTIQUE

OBJECTIFS :
Distinction des voyelles nasales.

FICHE FLASH ≈ 15 MINUTES

1. Faire travailler les sons [œ̃], [ɛ̃], [ɑ̃]. Passer l'enregistrement, puis le repasser en demandant de compléter la grille.

2. Passer au deuxième exercice qui propose de travailler, en plus des trois sons déjà vus précédemment, le son [ɔ̃].

CONSEILS… SUGGESTIONS… REMARQUES…

La distinction de ces trois voyelles nasales pose problème à une grande majorité d'apprenants. Une liste de conseils pour la correction et le travail d'écoute vous est proposée dans la fiche phonétique à la fin du guide.

TRANSCRIPTIONS :

Phonétique : [œ̃] / [ɛ̃] / [ɑ̃]

1. Il est brun.
2. Elle a faim.
3. Il y a du vent aujourd'hui.
4. Je vais bien.
5. Je t'attends.
6. C'est interdit.
7. C'est tentant.
8. Enfin, vous voici !
9. J'ai trente ans.
10. Vous habitez à Melun ?

PHONÉTIQUE
[œ̃] / [ɛ̃] / [ɑ̃]

CORRECTIONS :
Dites si vous avez entendu [œ̃], [ɛ̃] ou [ɑ̃] :

	[œ̃]	[ɛ̃]	[ɑ̃]
1	x		
2		x	
3			x
4		x	
5			x
6		x	
7			x
8		x	x
9			x
10	x		

PHONÉTIQUE
[ɔ̃] / [ã] / [œ̃] / [ɛ̃]

Dites si vous avez entendu [ɔ̃], [ã], [œ̃] ou [ɛ̃] :

	[ɔ̃]	[ã]	[œ̃]	[ɛ̃]
1	x	x		
2		x		
3	x	x	ʹ	
4	x	x		
5		x	x	x
6		x		
7	x	x	x	x
8	x	x		
9		x		
10	x			

TRANSCRIPTIONS :

Phonétique : [ɔ̃] / [ã] / [œ̃] / [ɛ̃]
1. Je t'attends, tonton.
2. Est-ce que tu viens, Alban ?
3. Allez, bon vent !
4. Léon prend le train.
5. Vite ! Un bon bain !
6. Il est marrant, Martin.
7. Alain, c'est un grand blond.
8. Prends ton temps !
9. Il fait beau, à Royan !
10. Il s'appelle Dupont ou Dupin ?

MISE EN FORME

OBJECTIFS :
Maîtriser l'interrogation avec inversion.

FICHE FLASH	≈ 20 MINUTES

1. Faire observer le tableau de grammaire. Expliquer rapidement les différences d'usage entre les deux formes de questions.
2. Passer aux deux exercices d'application.

CONSEILS... SUGGESTIONS... REMARQUES...

Si les élèves éprouvent quelques difficultés, vous pouvez leur demander de rédiger un questionnaire sur leurs loisirs, leurs vacances, etc. afin de travailler l'interrogation avec inversion. Comme il est mentionné dans le tableau récapitulatif, l'inversion, pour poser une question, appartient à un registre de langue soutenu. Il est important que les élèves distinguent bien, dès le début de leur apprentissage, les différents registres de langue.

RESSOURCES :
– 1 tableau récapitulatif.
– 2 exercices d'entraînement.

OBJECTIFS :
Systématisation des pronoms.

FICHE FLASH ≈ 30 MINUTES

1. Deux démarches possibles :

– Travailler à partir du tableau, l'expliquer, puis demander aux élèves de trouver d'autres exemples de phrases avec des pronoms personnels compléments.

– Demander aux élèves de proposer des phrases avec « le/la/les/lui/leur ». Partir de ces phrases pour réfléchir aux critères de choix entre ces différents pronoms. Observer le tableau et le commenter.

2. Passer ensuite aux exercices 86, 87 et 88.

CONSEILS... SUGGESTIONS... REMARQUES...

Il est préférable de faire trouver aux élèves les critères de choix plutôt que de leur donner le tableau tout de suite.

CORRECTIONS :

Exercice 86

ENTRAÎNEMENT
le / la / l'

Complétez par « le / la » ou « l' » selon le cas :
1. Pierrette ? Je l'attends d'une minute à l'autre.
2. Elle parle trop doucement ! Je ne l'entends pas.
3. Virginie, je la connais à peine, mais je l'adore.
4. J'hésite à téléphoner à Sébastien : je ne veux pas le déranger.
5. Je sors mon jeune chien dans la neige pour l'habituer au froid.
6. Paul loue un appartement à Cassis, mais il ne l'habite que pendant l'été.
7. Le radiateur électrique est en panne. Je ne peux pas le brancher.
8. Lundi, je n'ai pas besoin de ma voiture. Tu peux la prendre.
9. Si tu n'as pas besoin de ta voiture lundi, je peux te l'emprunter ?
10. Bien sûr, je te la prête volontiers.

Exercice 87

ENTRAÎNEMENT
le / la / l' / les
lui / leur

Complétez par « le / la / les / lui / leur » :
1. Si tu vois les Morel, dis-leur que je les invite à dîner lundi soir.
2. La fille blonde qui porte des lunettes, tu la connais ?
3. C'est mon professeur de dessin. Je le vois tous les jeudis.
4. Je n'ai pas vu Agnès depuis quinze jours. Je vais lui téléphoner demain matin.
5. Ma voiture, c'est la Renault 5 garée au coin de la rue, là-bas. Tu la vois ?

6. Je rencontre André demain. Tu veux le voir aussi ?
7. Veux-tu me rapporter les journaux, s'il te plaît ? Je ne les ai pas lus ce matin.
8. J'ai reçu une lettre de mes parents, mais je ne leur ai pas encore répondu.
9. Je ne bois jamais de café : je ne le supporte pas.
10. Jocelyne a mal aux dents, le dentiste lui a donné rendez-vous à 4 heures.

ENTRAÎNEMENT
c'est... que

Exercice 88

Transformez en utilisant « que » :
1. C'est quelqu'un que j'aime beaucoup.
2. C'est une personne qu'il connaît très bien.
3. C'est un ami que je vois souvent.
4. C'est un exercice que je ne comprends pas.
5. C'est un livre que je trouve intéressant.
6. C'est une ville que j'apprécie beaucoup.
7. C'est une fille que je ne connais pas très bien.
8. C'est un acteur que je déteste.
9. C'est son voisin qu'elle rencontre tous les jours.
10. C'est un couple que je n'invite jamais.

OBJECTIFS :
Maîtriser l'organisation d'informations sur une personne.

FICHE FLASH   ≈ 20 MINUTES

1. Faire lire les sept présentations en demandant aux élèves de noter les éléments importants pour chacune d'entre elles.
2. Leur demander ensuite de lire les petites annonces et de rechercher les présentations qui y répondent le mieux.
3. Passer ensuite à la phase d'écrit. Faire choisir une petite annonce et demander aux élèves d'imaginer la réponse.

RESSOURCES :
– 1 série de présentations.
– 5 petites annonces.

CONSEILS... SUGGESTIONS... REMARQUES...

Nous vous proposons de ramasser les productions des élèves, de relever les erreurs les plus fréquentes puis de proposer une correction collective.

CIVILISATION

OBJECTIFS :
Faire le portrait d'un personnage marquant.

FICHE FLASH ≈ 45 MINUTES

1. Faire découvrir les quatre portraits en divisant la classe en 4. Chaque groupe fait ensuite une présentation du personnage aux autres groupes.

2. Poser des questions sur ces personnages dans une perspective de comparaison. Que pourraient dire les élèves sur les sapeurs-pompiers, les boulangers... de leur pays ?

3. Faire faire à l'oral le portrait d'un personnage typique de leur pays.

CONSEILS... SUGGESTIONS... REMARQUES...
Vous pouvez demander aux élèves d'apporter des documents sur un personnage typique de leur pays.

RESSOURCES :
– 4 textes.
– 5 photos

ÉVALUATION

OBJECTIFS :
Évaluer les acquis dans les quatre compétences.

FICHE FLASH ≈ 45 MINUTES

Compréhension orale : il s'agit, dans cette activité, de retracer le portrait d'une personne à partir d'un document sonore.

Expression orale : trois sujets sont proposés. L'un est obligatoire, et parmi les deux autres, il ne faut en choisir qu'un. Les élèves peuvent enregistrer leurs descriptions sur un magnétophone, puis vous remettre la cassette afin que vous puissiez évaluer leur travail.

Expression écrite : cette activité évalue la compétence des élèves à décoder une petite annonce et à y répondre.

Compréhension écrite : les réponses attendues correspondent à des nombres précis. Certains de ces nombres, comme la réponse à la deuxième question, demandent un calcul rapide de la part des élèves.

RESSOURCES :
– 1 enregistrement (CO).
– 1 petite annonce (EE).
– 1 texte (CE).

CORRECTIONS :

COMPRÉHENSION ORALE (CO)

Écoutez le dialogue et choisissez parmi les solutions proposées celles qui correspondent à la description physique entendue :

1. Elle est belle.
2. Elle est féminine.
3. Elle est décontractée.
4. Elle mesure 1,70 m.
5. Elle s'appelle Annie.
6. Elle a les yeux verts.
7. Elle a les cheveux bruns.
8. Elle est étudiante.
9. Elle est habillée d'un jean.
10. Elle est simple.

COMPRÉHENSION ÉCRITE (CE)

Lisez le texte suivant et répondez au questionnaire :

Les Français : portrait-robot

1. Population de la France : 60 millions.
2. Population approximative de l'Europe : 580 millions.
3. Taille actuelle des Français : 1,74 m.
4. Taille des Français en 1939 : 1,66 m.
5. Taille actuelle des Françaises : 1,69 m.
6. Poids moyen des Français : 72,2 kg.
7. Poids moyen des Françaises : 60,6 kg.
8. Espérance de vie des Françaises : 80 ans.
9. Espérance de vie des Français : 72 ans.
10. Espérance de vie des Françaises en 1900 : 48 ans.

TRANSCRIPTIONS :

Compréhension orale

– Chers auditeurs, bonjour ! Aujourd'hui, j'ai à mes côtés Annie Markovitch qui est depuis hier notre nouvelle Miss France. Pour ceux qui n'auraient pas vu la retransmission télévisée d'hier soir, en direct de l'hôtel Carlton à Cannes, une rapide description de celle qui sera notre ambassadrice de charme dans le monde. Elle est, bien sûr, très belle, très féminine. Elle a des cheveux bruns très longs. Elle a de magnifiques yeux verts. Elle est mince, élancée. Pas du tout timide, mais souriante, décontractée. Vous mesurez combien ?
– 1,70 m.
– Annie, je peux vous appeler Annie ? Vous avez 21 ans et vous poursuivez des études en pharmacie.
– C'est cela.
– Hier, on vous a vue en robe du soir, très élégante, et aujourd'hui vous êtes habillée d'un jean et d'un T-shirt.
– J'aime la simplicité et la décontraction.

OBJECTIFS :
Repérer les caractéristiques propres à un objet.

MISE EN ROUTE

FICHE FLASH   ≈ 15 MINUTES
1. Faire observer les documents de la page, puis écouter l'ensemble des enregistrements.
2. Réécouter les enregistrements et s'arrêter après chaque dialogue pour choisir le document qui correspond à chacun d'entre eux.

CONSEILS... SUGGESTIONS... REMARQUES...
Rester à un niveau de compréhension globale des dialogues ; vous pourrez les faire réécouter un peu plus tard dans l'unité 8.
Répondre aux questions que peuvent poser les élèves sur les documents et les enregistrements.

CORRECTIONS :
Écoutez les dialogues et dites à quel document ils correspondent :
1. Dessins d'ordinateur (machine, quantité de mémoire, lecteur CD-Rom).
2. Petite annonce de vente d'une maison (maison à vendre, propriété). Si les élèves le demandent, expliquer les mots suivants : bastide ou maison de campagne en Provence, dépendances ou bâtiments annexes d'une propriété.
3. Photo de bijoux (bracelets, boucles d'oreilles, collier, etc.).
4. Photo de chaussures (talon, pointure, etc.).

RESSOURCES :
– 2 photos, 2 dessins, 1 petite annonce.
– 1 série d'enregistrements.

TRANSCRIPTIONS :

Dialogues
1. – Bonjour.
   – Bonjour, je voudrais avoir votre avis sur ces deux machines. Il y a une différence de 3000 F. Qu'est-ce que vous me conseillez ?
   – Ce n'est pas la même quantité de mémoire, monsieur. Et puis regardez, dans la 2e machine, le lecteur de CD-Rom est intégré.
2. – Allô ?
   – Je vous appelle pour l'annonce de la semaine dernière. Je voudrais avoir des renseignements sur la maison à vendre à Gordes.
   – C'est vraiment une très jolie propriété.
   – Oui, je voudrais savoir quel est le prix.
   – 3 200 000, mais c'est exceptionnel.
   – Est-ce que je pourrais la visiter ?
   – Bien sûr. Qu'est-ce qui vous conviendrait, comme date ?
   – La semaine prochaine, vendredi, par exemple.
   – Oui, c'est possible.
3. – Dis, Claude, c'est l'anniversaire de Marie, demain.
   – On lui fait un cadeau ?
   – Oui, qu'est-ce qu'on pourrait bien lui acheter ?
   – Un livre ?
   – Pas terrible. Un bijou, ce serait mieux. Tu sais, il y a un petit magasin dans la Grande-Rue. On pourrait lui acheter des boucles d'oreilles ou alors un collier.
   – D'accord. Tu t'en occupes et on partage.
4. – Je voudrais essayer les noires à talons.
   – Quelle pointure ?
   – 39.
   – Voilà.

PAGE 142

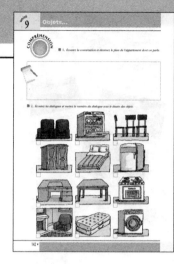

OBJECTIFS :
Acquérir du lexique (appartement, meubles).

COMPRÉHENSION

FICHE FLASH ≈ 20 MINUTES

1. Faire écouter l'enregistrement et demander aux élèves de dessiner le plan de l'appartement.

2. Demander à un élève de présenter son plan au tableau. Les autres élèves seront alors amenés à dire s'il sont d'accord ou non avec le dessin proposé.

3. Passer à la deuxième activité de compréhension : présenter rapidement les objets représentés sur chaque vignette.

4. Faire écouter les dialogues et mettre le numéro du dialogue sous le dessin des objets.

5. Procéder à une correction collective.

CORRECTIONS :

2. Écoutez les dialogues et mettez le numéro du dialogue sous le dessin des objets :

dialogues :

3	1	2
2	2	1
3	2	1
2	3	—

RESSOURCES :
– 1 série de dessins.
– 1 série d'enregistrements.

TRANSCRIPTIONS :

Compréhension 1
– Bonjour, madame.
– Je passe vous voir pour l'appartement qui est rue des Écoles. Je peux avoir des précisions ?
– Oui, bien sûr, alors vous avez une grande entrée, à droite un couloir qui donne sur les deux chambres et la salle de bains. À droite encore, la cuisine.
– Oui.
– Dans le prolongement de l'entrée, la salle de séjour et le salon. Il y a un balcon.
– Il fait combien de surface ?
– 130 m².
– Et le prix ?
– 4 000 F plus les charges.
– Je pourrais le visiter ?
– Pas maintenant, mais si vous repassez dans l'après-midi, à partir de 2 heures.
– D'accord, à cet après-midi.

Compréhension 2
Dialogues

1. – La cuisine est équipée ?
   – Oui, il y a un frigo, une cuisinière et un lave-vaisselle.
2. – C'est meublé ?
   – Oui, il y a un salon, une table et des chaises, dans chaque chambre un lit et une armoire. Le bureau n'est pas meublé.
3. Oui, je peux laisser des meubles si ça vous intéresse : deux fauteuils, un bureau et deux matelas. Je vous laisse ça pour 2000 F.

LES CHIFFRES

OBJECTIFS :
– Pratiquer les chiffres.
– Savoir comparer.

FICHE FLASH ≈ 30 MINUTES

1. Travailler l'activité sur les chiffres, faire écouter enregistrement par enregistrement et demander aux élèves de faire des hypothèses sur l'objet dont il est question.
2. Passer au tableau « Pour communiquer ».
3. Demander aux élèves s'ils connaissent le cours de leur monnaie en francs et passer à la phase de comparaison en partant du tableau de grammaire sur les comparatifs.
4. Faire faire l'exercice 89.

CONSEILS... SUGGESTIONS... REMARQUES...

N'hésitez pas à passer d'une activité à l'autre, les deux tableaux doivent servir d'aide à la réalisation des tâches proposées.
Relever dans un journal le cours de différentes monnaies et, si vous le pouvez, des indications de prix dans le pays d'origine des élèves (combien coûte un café, une table, etc.).

CORRECTIONS :

2. Identifiez l'objet dont on parle.
3. Dites combien il coûte en francs.

dialogue	objet	prix en francs
1	voiture	58 000 F
2	le plat du jour	130 F
3	une place de cinéma	30 F
4	une contravention	290 F
5	des chaussures (plusieurs réponses possibles)	160 f
6	un livre	10 F
7	un paquet de cigarettes	16 F
8	un ticket de métro	7 F
9	un timbre	3 F
10	un café	7 F

Exercice 89

ENTRAÎNEMENT
les comparatifs

Complétez en utilisant « plus... que », « moins... que » :
1. La Belgique est plus grande que le Luxembourg.
2. Au Sénégal, il fait plus chaud qu'en France.
3. Lyon est plus petit que Marseille.
4. Les Allemands voyagent plus que les Français.
5. En Espagne, il y a plus de chômage qu'en France.
6. Les Anglais boivent plus de thé que les Français.
7. Il y a cinquante ans, on vivait moins vieux que maintenant.
8. Les Français boivent moins de bière que les Allemands.
9. En hiver, à Nice, il y a moins de touristes qu'en été.
10. La France produit moins de vin que l'Italie.

RESSOURCES :
– 2 tableaux récapitulatifs.
– 1 exercice d'entraînement
– 1 grille.
– 1 série d'enregistrements.

TRANSCRIPTIONS :

Les chiffres

1. C'est une 5 CV, elle coûte 58 000 F.
2. Nous avons pris le plat du jour. Ça nous a coûté 130 F, vin compris, pour deux personnes.
3. Le lundi, c'est tarif réduit : tu paies 30 F au lieu de 45.
4. J'étais garé devant une sortie de garage : ça m'a coûté 290 F.
5. Je les ai eues en soldes. Regarde ! Tout cuir ! 160 F ! Une affaire !
6. En ce moment, il y a une promotion sur les grands classiques : Corneille, Victor Hugo, Maupassant à 10 F le volume.
7. Si tu veux faire des économies, commence par réduire ta consommation : trois paquets par jour à 16 F le paquet, ça fait beaucoup à la fin du mois !
8. C'est rapide et sûr et tu peux aller partout dans Paris. Et à 7 F le ticket, ce n'est pas cher. Il faut être fou pour avoir une voiture à Paris !
9. Mets 3 F. Comme ça, tu es sûr que Pierre aura ta lettre demain.
10. Le petit noir a augmenté, 7 F au comptoir, c'est cher !

PAGE 144

COMPRÉHENSION

OBJECTIFS :
Identifier l'objet dont on parle.

FICHE FLASH ≈ **15 MINUTES**

1. Faire écouter les enregistrements et trouver les objets dont on parle, favoriser les hypothèses à partir des petits extraits.
2. Demander aux élèves de composer des dialogues du même type à partir des images qui ne sont pas utilisées.

CONSEILS... SUGGESTIONS... REMARQUES...

Cette activité amène les élèves à s'appuyer sur le contexte pour construire du sens et trouver l'objet dont il est question. C'est exactement la démarche qu'il faut encourager pour développer, chez l'élève, une bonne compréhension orale.

CORRECTIONS :

Écoutez les enregistrements et identifiez l'objet dont on parle :

dialogue	image
1	c
2	d
3	g
4	i
5	k
6	e

TRANSCRIPTIONS :

Compréhension

1. Tiens je te vends mon....... Il est un peu lent, mais il a 256 couleurs.
2. Je me suis payé un nouvel....... C'est un 24 x 36 compact, autofocus.
3. Si tu voyais la...... de Christian ! Six cylindres, arbre à cames en tête, intérieur tout cuir ! Le monstre !
4. – J'ai visité un petit.......
   – Et alors ?
   – C'est grand, bien éclairé, mais c'est 3 000 F par mois
5. – Nous avons trois modèles de...... : un modèle tout simple à 250 F, un modèle avec répondeur automatique à 1000 F, et notre modèle haut de gamme avec fax-répondeur à 3000 F.
6. J'ai acheté trois...... pour le dîner de ce soir : un petit Chablis pour les huîtres, un Morgon pour le rôti et un Mo't-et-Chandon pour le dessert.

PAGE 145

MISE EN FORME

OBJECTIFS :
Savoir caractériser un objet.

FICHE FLASH ≈ **10 MINUTES**

1. Demander aux élèves de choisir un objet représenté dans l'une des deux pages et de le décrire (forme, couleur, poids et matière) aux autres élèves qui devront deviner de quel objet il s'agit.

CONSEILS... SUGGESTIONS... REMARQUES...

Vous pouvez introduire pendant cette activité : à quoi ça sert ? Ça sert à...

RESSOURCES :
– 1 tableau récapitulatif.

LES CHIFFRES

OBJECTIFS :
Savoir quantifier.

FICHE FLASH   ≈ 20 MINUTES

1. Demander aux élèves comment on peut quantifier dans leur langue maternelle.
2. Leur faire observer et commenter le tableau.
3. Passer les enregistrements et demander aux élèves de compléter la grille.
4. Procéder à une correction collective.
5. Passer enfin à l'exercice 90. Le faire faire individuellement, puis le corriger collectivement. En cas de difficultés, revenir au tableau.

CONSEILS... SUGGESTIONS... REMARQUES...
Comme il s'agit surtout d'activités de systématisation, n'hésitez pas à reprendre plusieurs fois les mêmes éléments pour qu'ils soient mémorisés.

CORRECTIONS :
Identifiez l'unité que vous avez entendue dans chaque dialogue et précisez la quantité :

Unité	1	2	3	4	5	6	7	8	9	10
kilo, livre		X		X	X			X		X
grammes										
litre				X			X			
mètre						X				
douzaine									X	
1, 2, 3, etc.	X	X	X	X	X	X	X	X	X	X
tranche		X					X			
rondelle							X			
paquet	X				X					
boîte	X						X			
sachet										X
sac								X		
morceau										X

Exercice 90

Corrigez les erreurs concernant les unités de mesure utilisées :

1. Je voudrais six kilos de pommes de terre et trois litres de bière.
2. Donnez-moi un litre de vin et un paquet de spaghettis.
3. Il me faudrait une douzaine d'œufs et quinze rondelles de saucisson.
4. Vous pourriez me donner une bouteille d'eau minérale et une boîte de sardines ?
5. Il me faudrait un kilo de sucre et une bouteille de pastis.
6. Je voudrais trois tranches de jambon et une boîte d'œufs.
7. Je voudrais un litre de lait et un pied de salade.
8. Je prendrai une demi-douzaine d'huîtres et un kilo de citrons.
9. Je voudrais un mètre de tissu bleu.
10. Donnez-moi une paquet de cigarettes et une boîte d'allumettes.

RESSOURCES :
– 1 série d'enregistrements.
– 1 grille.
– 1 tableau récapitulatif.
– 1 exercice d'entraînement.

TRANSCRIPTIONS :
Les chiffres

1. Je voudrais cinq paquets de Gauloises et une boîte d'allumettes.
2. Donnez-moi une livre de gruyère, un kilo de pommes et six tranches de jambon.
3. Si tu passes à la boulangerie, achète deux baguettes et cinq éclairs au chocolat.
4. Vous pouvez me donner deux litres de vin et un kilo de carottes ?
5. Je vais prendre une demi-livre de beurre et deux paquets de pâtes.
6. Il me faudrait cinq mètres de tissu à fleurs et un mètre d'élastique.
7. Je voudrais un litre d'huile d'olive, une tranche de pâté, quinze rondelles de saucisson et une boîte de sauce tomate.
8. Je prendrai un kilo d'endives et un sac de cinq kilos de pommes de terre.
9. Pour Noël j'ai acheté cinq douzaines d'huîtres et quatre douzaines d'escargots.
10. Je voudrais dix sachets de levure, un kilo de sucre en morceaux, et du thé à la menthe en sachets.

ENTRAÎNEMENT
quantifier

PAGE 147

À VOUS !   ÉCRIT

OBJECTIFS :
Utiliser à l'oral et à l'écrit les acquisitions précédentes.

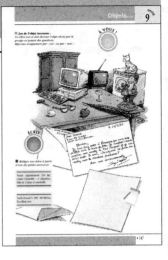

FICHE FLASH   ≈ 30 MINUTES

1. Demander à un élève de sortir, le groupe choisit un objet. L'élève revient
   et pose des questions aux autres sur la forme, la couleur, la taille, le poids,
   l'utilité de l'objet choisi. Ils ne peuvent répondre que par oui ou par non.
   Il s'agit de trouver l'objet. Une fois le principe compris, reprendre ce jeu
   par petits groupes.

2. Passer à l'activité « Écrit » en utilisant le modèle de la lettre et des petites
   annonces. Vérifier que les élèves reprennent ce qui a été vu sur la disposition des éléments (mise en page) dans une lettre (pages 123, 124).

RESSOURCES :
– 1 jeu.
– 2 annonces.
– 1 modèle de lettre.

PAGES 148, 149

LES CHIFFRES   ÉCRIT

OBJECTIFS :
– Systématiser les façons de quantifier.
– Rédiger une invitation / répondre à une invi-
  tation.

FICHE FLASH   ≈ 45 MINUTES

1. Commencer par l'activité « Les chiffres ». Faire écouter les enregistrements et remplir la grille en renvoyant au tableau pour les quantifica-
   tions imprécises.

2. Récapituler avec les élèves tous les moyens de quantifier d'une façon
   imprécise puis, à partir du tableau, faire trouver des exemples.

3. Faire écouter plusieurs fois le dialogue qui correspond à la première activité « Écrit », puis demander aux élèves de sélectionner au fur et à mesure les informations de l'invitation écrite.

4. Travailler ensuite la deuxième activité « Écrit », p. 149. Faire repérer, dans
   les deux lettres (invitation et excuses), les formules qui sont utilisées puis
   faire rédiger une lettre d'excuses après avoir choisi un motif.

RESSOURCES :
– 1 série d'enregistrements.
– 1 grille.
– 1 tableau récapitulatif.
– 1 canevas pour rédiger.
– 2 modèles de lettres.

CONSEILS... SUGGESTIONS... REMARQUES...

Nous vous invitons à corriger collectivement, au rétroprojecteur si possible, ou en photocopiant quelques productions écrites pour l'ensemble du groupe. Pour les activités écrites, les élèves peuvent aller plus loin et créer d'autres invitations.

TRANSCRIPTIONS :

Les chiffres

1. Ma voiture ? Je l'ai payée un peu moins de 50 000 F.
2. Il gagne dans les 10 000 F.
3. C'est pas très cher.
4. Vous me devez 543 F 75 centimes.
5. Il y a à peu près 2 000 000 d'habitants.
6. Il a une cinquantaine d'années.
7. J'ai un modèle à 53 900 F et un autre à 62 500.
8. Elle aura 18 ans demain.
9. Il chausse du 43.
10. Il a de grands pieds.
11. Le thermostat est réglé sur 18° centigrades.
12. Il ne fait pas très chaud ici.

Écrit

- Allô ? Bonjour, madame Gandois.
- Ah ! C'est vous, madame Tournon. Comment allez-vous ?
- Très bien, je vous remercie. Je vous appelle pour vous inviter au mariage de mon fils Jean-Pierre. Vous êtes une vieille amie de la famille.
- Je suis très touchée et très heureuse. Je vous remercie. J'accepte avec plaisir votre invitation. Quelle est la date du mariage ?
- C'est pour le premier samedi de juin, le 5. Ça vous convient ?
- Attendez... le 5 juin... Oui, il n'y a pas de problème.
- Ça se passe à Guisau. C'est le village de Josiane, ma belle-fille. C'est un mariage civil : vous connaissez les idées de Jean-Pierre !
- Oui.
- La cérémonie a lieu à 15 h 30, à la mairie. Il y a ensuite un apéritif au Cercle des Cavaliers. Ma belle-fille est présidente du club hippique de Guisau.
- Et le repas ?
- C'est à La Mangeoire. C'est un restaurant à la campagne, qui est connu dans toute la région. Le repas est prévu à 19 heures.
- C'est parfait. Je vous remercie. Est-ce que vos enfants ont déposé une liste de mariage ?
- Oui, aux Nouvelles Galeries de Briançon.
- Très bien. À bientôt, donc. Et merci encore.

LES CHIFFRES

CORRECTIONS :

Écoutez les dialogues et dites si les quantités évoquées sont précises ou imprécises :

dialogue	précis	imprécis
1		x
2		x
3		x
4	x	
5		x
6		x
7	x	
8	x	
9	x	
10		x
11	x	
12		x

ÉCRIT

1. Écoutez le dialogue et écrivez un carton d'invitation correspondant à la conversation, en utilisant les éléments proposés :

> *Monsieur et madame Tournon*
> *ont l'honneur*
> *de vous inviter au mariage de leur fils*
> *Jean-Pierre avec Mademoiselle Josiane Duby.*
> *La cérémonie civile aura lieu*
> *le 5 juin 1997 à 15 h 30.*

CONSEILS... SUGGESTIONS... REMARQUES...

Le professeur pourra expliquer, selon le pays, la différence entre le mariage civil (= enregistrement officiel et obligatoire à la mairie) et le mariage religieux (= cérémonie rituelle à l'église).

CIVILISATION

OBJECTIFS :

S'informer sur les habitudes alimentaires des Français.

FICHE FLASH   30 MINUTES

1. Travailler d'abord le questionnaire et faire émettre des hypothèses aux élèves sur ce que peuvent être la fondue, la choucroute, etc.
2. Travailler ensuite le document sur la consommation et demander aux élèves de faire des commentaires (les éléments acquis sur la quantification seront ainsi réemployés).
3. Vous pouvez demander au groupe de retrouver, ou d'imaginer, la recette d'un des plats cités.

CONSEILS... SUGGESTIONS... REMARQUES...

La bouillabaisse : plat marseillais, à base de poissons.

La choucroute : plat alsacien, à base de chou cuit dans du vin blanc et de charcuterie.

La fondue : il en existe deux types :

– la fondue savoyarde à base de fromages ;

– la fondue bourguignonne à base de viande de bœuf.

Les escargots : plat bourguignon.

CORRECTIONS :

Répondez à ce petit questionnaire sur la gastronomie française :

On fait la fondue savoyarde avec du fromage.

La choucroute est une spécialité alsacienne.

On produit du cidre en Normandie.

Les crêpes sont une spécialité bretonne.

Les escargots les plus réputés sont les escargots de Bourgogne.

À Noël, la volaille traditionnelle est la dinde.

La bouillabaisse est une soupe de poissons.

Le premier producteur mondial de vin est l'Italie.

Avec les huîtres, on boit généralement du vin blanc.

La France produit 340 fromages.

RESSOURCES :

– 7 photos.

– 1 questionnaire.

– Quelques statistiques.

OBJECTIFS :
Évaluer les acquis dans les quatre compétences.

ÉVALUATION

RESSOURCES :
– 1 enregistrement (CO).
– 1 liste de courses (EO).
– 3 petites annonces (EE).
– 1 texte + plan (CE).

TRANSCRIPTIONS :

Compréhension orale
– Vous voulez voir nos nouveaux modèles Renault ?
– Non, je cherche un véhicule d'occasion...
– Quel genre de véhicule ?
– Une petite voiture, pas trop chère, une Renault de préférence...
– Essence ou diesel ?
– Essence.
– Je viens de recevoir une Clio, la bleue en face de vous.
– C'est économique ?
– Oh ! Elle consomme environ 6 litres aux cent.
– Elle est de quelle année ?
– De 96, mais elle a très peu roulé. Elle a 12 000 km au compteur.
– Elle coûte combien ?
– 42 000 F.

RESSOURCES :
– 3 lettres (EE).
– 1 emploi du temps (EO).

FICHE FLASH ≈ 45 MINUTES

Compréhension orale : passer l'enregistrement et faire remplir la fiche. L'objectif est de repérer des éléments spécifiques qui caractérisent un objet précis. Ici, il s'agit d'une voiture.

Expression orale : à partir d'une liste de courses, l'élève devra trouver les bonnes unités de quantification (une tranche, un kilo, etc.) pour chaque article, puis il devra en demander le prix. Cette évaluation peut s'effectuer individuellement : dans ce cas, l'élève jouera le rôle du client et du vendeur. Vous pouvez aussi demander à deux élèves d'imaginer un jeu de rôles. Il faudra alors les évaluer séparément.

Expression écrite : l'élève devra effectuer un choix entre trois petites annonces, puis imaginer une réponse à la petite annonce qu'il aura choisie.

Compréhension écrite : il s'agit de retrouver et d'inscrire sur le plan l'emplacement des pièces de la maison.

CONSEILS... SUGGESTIONS... REMARQUES...
L'objectif de ces trois unités est de permettre aux apprenants de donner et de demander des informations sur les personnes, les objets et le temps. Cette évaluation reprend des éléments présentés dans les trois unités.

CORRECTIONS :

COMPRÉHENSION ORALE (CO)
Écoutez l'enregistrement et remplissez la fiche :

1. Objet : véhicule
2. Marque : Renault
3. Nom : Clio
4. Prix : 42 000 F
5. Année : 1996
6. Âge : récente
7. Consommation : 6 litres aux cent
8. Carburant : essence
9. Couleur : bleue
10. Nombre de kilomètres : 12 000

Préparation au DELF-A1

Vous pourrez évaluer les productions écrites et orales selon les critères ci-dessous :

ÉCRIT
– Réponse adaptée à la lettre d'origine, respect de la situation et des relations entre les interlocuteurs (4 points).
– Respect des contraintes formelles de ce type de message (2 points).
– Correction de la langue (4 points).

ORAL
– Adaptation à la situation de communication et à l'objectif de la conversation (4 points).
– Respect des contraintes de ce type de situation (2 points).
– Correction (phonétique, syntaxe...) (4 points).

91. Demande polie ou directe

Dites s'il s'agit d'une demande polie (utilisation de formes de politesse) ou d'une demande directe (sans forme de politesse) :

	demande polie	demande directe
1. Tu me donnes du feu, André ?		x
2. Vous avez l'heure, s'il vous plaît ?	x	
3. Pourriez-vous me rappeler plus tard ?	x	
4. C'est loin d'ici ?		x
5. S'il vous plaît ! Est-ce que vous auriez de la monnaie de 500 francs ?	x	
6. Allô ? Les renseignements ? J'aimerais avoir le numéro de téléphone de M. Albéric, à Lille.	x	
7. Excusez-moi, Mademoiselle, la place est occupée ?	x	
8. Est-ce que tu pourrais m'envoyer ces renseignements avant samedi ?	x	
9. Je peux fumer ?		x
10. C'est quelle heure ?		x

92. L'heure officielle, l'heure courante

Dites si l'heure est donnée de façon officielle ou courante :

1. Roger va prendre le train de quatre heures moins le quart, cet après-midi. (courante)
2. Les magasins ferment à sept heures. (courante)
3. C'est les vacances ! de 2 à 4, je fais la sieste ! (courante)
4. Oui, Monsieur, il y a un vol régulier pour Sydney tous les jours à 19 h 40. (officielle)
5. Tu vas au ciné à la séance de 19 h 45 ou à celle de 22 h 15 ? (officielle)
6. Au troisième top, il sera exactement zéro heure, six minutes et trente secondes. (officielle)
7. Je me suis réveillé à 11 heures. (courante)
8. Il est vingt heures une, voici notre journal. (officielle)
9. Je vous donne rendez-vous à deux heures et demie, après le déjeuner. (courante)
10. Tu manges où, à midi ? (courante)

93. Demander à quelle heure

Trouvez la question :

1. – À quelle heure as-tu rendez-vous ?
   – J'ai rendez-vous à huit heures et demie demain matin.
2. – De quelle heure à quelle heure travaille Rosine le samedi ?
   – Rosine travaille le samedi, de 9 heures à midi et de 14 à 18 heures.
3. – Pourriez-vous me dire quelles sont les heures d'ouverture du guichet ?
   – Oui, de 10 heures à midi.
4. – À quelle heure y a-t-il un train pour Lyon ?
   – Il y a un train à 14 h 07 et un autre à 17 h 14.
5. – À quelle heure penses-tu partir ?
   – Je pense partir vers 9 heures, 9 heures et demie.
6. – À quelle heure est-il parti ?
   – Il est parti à 11 heures et demie.
7. – À quelle heure fermez-vous ?
   – Nous fermons à 19 h 30.
8. – À quelle heure arrivent-ils ?
   – Ils arrivent à 9 heures précises.
9. – À quelle heure est-ce que je peux venir ?
   – Oh… tu viens vers 9 heures.
10. – À quelle heure étiez-vous au bureau ?
    – J'étais là à 7 heures.

94. Poser une question

Complétez les dialogues en utilisant l'expression interrogative qui convient :

1. – Qui t'a offert ce bouquet de roses ?
   – C'est Geneviève. Il est joli, hein ?
2. – Pourquoi tu ne m'as pas téléphoné ?
   – Je n'ai pas eu le temps.
3. – Où ils habitent, les Levasseur ?
   – Dans le quartier des Micoulis, derrière la gare.
4. – Comment tu as pu payer ta nouvelle voiture ?
   – À crédit, comme tout le monde.
5. – Quand on peut se voir ?
   – La semaine prochaine ? Ça te va ?
6. – Qu'est-ce que vous faites pendant les vacances de la Toussaint ?
   – On va aller à Metz, voir un vieil oncle de Claudine.
7. – J'aime bien tes chaussures. Tu les as achetées où ?
   – Chez Cornier, en ce moment, il y a des soldes.
8. – Tu commences à quelle heure demain ?
   – Je n'ai pas cours avant dix heures.
9. – Vous avez visité quoi à Reims ?
   – La cathédrale et les caves de champagne, bien sûr.
10. – Qui t'as dit ça ?
    – Un copain.

95. Le conditionnel de politesse

*Complétez en utilisant « pouvoir/vouloir/aimer »
ou « avoir » au conditionnel :*

1. J'aimerais savoir s'il y a encore des places pour le concert de Julien Clerc.
2. Tu pourrais me prêter ta voiture jusqu'à lundi ?
3. – Est-ce que vous auriez la même robe, mais en bleu ?
   – Désolé mademoiselle. Elle n'existe qu'en rouge ou en blanc.
4. – Est-ce que nous pourrions rencontrer le directeur ?
   – Il va vous recevoir tout de suite.
5. Je voudrais une douzaine d'œufs et une bouteille d'Évian.
6. Est-ce qu'on ne pourrait pas changer la date de la réunion ?
7. Tu n'aurais pas un stylo ?
8. Est-ce que tu pourrais m'attendre deux minutes ? J'ai un coup de téléphone à donner.
9. Est-ce que vous auriez quelques minutes à m'accorder ?
10. Je voudrais un aller simple pour Marseille.

96. Demande polie

Reformulez de façon plus polie les demandes suivantes :

1. Auriez-vous l'heure ?
2. Pourrais-tu me prêter ton stylo ?
3. Je voudrais un pain et quatre croissants !
4. Ce serait pour un renseignement.
5. Pourrais-tu me passer le sel !
6. Auriez-vous le journal d'aujourd'hui ?
7. On pourrait se voir à 10 heures ?
8. Pourriez-vous me dire où se trouve la poste ?
9. Auriez-vous de la monnaie de 100 francs ?
10. Je voudrais un aller-retour Paris-Lille !

97. Les pronoms relatifs

*Reformulez les phrases suivantes en utilisant
le pronom relatif « qui » :*
Exemple :
Catherine est grande, blonde, elle parle avec Robert.
Catherine, c'est la grande blonde qui parle avec Robert.

1. Pierre, c'est le petit brun qui mange un sandwich.
2. Antoine, c'est le petit gros qui lit le journal.
3. Lucie, c'est la jolie blonde qui est assise à côté de Jean-Louis.
4. Monsieur Lambert, c'est le petit chauve qui fume la pipe.
5. Ma voisine, c'est la petite brune qui coupe le gâteau.
6. Antoine, c'est le grand barbu qui est près de la cheminée.

98. Les pronoms relatifs

*Reformulez les phrases suivantes en utilisant
le pronom relatif « qui » :*
Exemple :
Claude Legrand, il a des lunettes, il est au téléphone.
Claude Legrand, c'est le garçon à lunettes qui est au téléphone.

1. Evelyne, c'est la jeune femme à la jupe rouge qui vient de sortir.
2. André, c'est l'homme à la moustache qui est assis près de la télévision.
3. Maurice, c'est le jeune homme au costume bleu qui vient d'entrer.
4. Claudine, c'est la fille au chapeau vert qui joue du piano.
5. Mon frère, c'est le garçon avec une cravate qui regarde la télévision.
6. Joséphine, c'est la jeune fille à la robe à fleurs qui est dans le bureau de Jacques.

99. Les comparatifs

*Choisissez l'expression ou les expressions qui ont
le même sens que les phrases suivantes :*

1. J'aime bien Roger. Il est toujours de bonne humeur. En revanche, son frère Robert, il est d'une tristesse !
   Roger est plus gai que Robert.
2. Je vais rarement dans les restaurants chinois. Je préfère une bonne pizzeria.
   La cuisine italienne est meilleure que la cuisine chinoise.
3. Tu vois ce téléviseur ? Il coûte 3 600 francs chez Carty. Eh bien, je l'ai vu à 3 200 à Darfour.
   Le téléviseur est meilleur marché à Darfour que chez Carty.
4. Pour la première fois depuis 10 ans, la fréquentation des cinémas a augmenté cette année.
   Plus de gens sont allés au cinéma cette année que l'année dernière.
5. Aujourd'hui, tout le monde peut se servir facilement d'un ordinateur.
   Les ordinateurs actuels sont plus faciles à utiliser qu'il y a dix ans.
   Les anciens ordinateurs sont plus compliqués que ceux de maintenant.

6. En cinquante ans, la consommation de pain des Français a été divisée par quatre.
La consommation de pain des Français est moins importante qu'autrefois.

100. Pronoms compléments : « le/la/les/lui/leur »

Complétez par le pronom qui convient :

1. Je n'ai pas de nouvelles des Chamoiseau.
Je vais les appeler cette semaine.
2. J'ai rempli ma feuille d'impôts hier, il faut que je la poste aujourd'hui, sans faute.
3. Thomas s'est fâché avec Benjamin. Il ne lui parle plus depuis un mois.
4. Donne-moi l'adresse de Christiane et Pierre, je vais leur envoyer les photos des dernières vacances.
5. Céline passe son bac cette année, j'espère qu'elle va l'avoir.
6. J'ai oublié les courses chez l'épicier. Tu peux aller les chercher ?
7. Géraldine va à l'école cette année. C'est son frère qui l'emmène tous les matins.
8. Ma télé est en panne et je n'ai pas de voiture. Tu peux me la porter chez le réparateur ?
9. André est rentré de vacances. Je lui ai téléphoné hier soir.
10. J'ai bien aimé le reportage d'hier soir sur France 3. Tu l'as vu ?

101. Les pronoms relatifs « qui/que »

Complétez en utilisant « qui » ou « que » :

1. Tu la connais la fille qui parle avec Michel ?
2. Tu as deux minutes ? Il y a quelqu'un que je voudrais te présenter.
3. Marcel ? C'est quelqu'un que j'aime bien.
4. Tu peux me rendre l'argent que je t'ai prêté ?
5. C'est Marie qui a gagné le concours.
6. J'attends un ami que je n'ai pas vu depuis dix ans.
7. Est-ce qu'il y a quelqu'un qui parle français ici ?
8. Vous pouvez me donner le nom de la personne qui s'occupe de votre dossier ?
9. Vous pouvez me donner le nom de la personne que vous voulez voir ?
10. Il y a quelqu'un qui te cherche.
11. C'est un film que tu dois voir absolument.
12. Est-ce que les livres que j'ai commandés sont arrivés ?

102. Conjugaisons

Complétez en utilisant le verbe indiqué :

1. Je prends le train demain.
2. Il vient dans une semaine.
3. Ce week-end, je pars à la campagne.
4. Tu veux faire une petite promenade ?
5. Il ne sait pas nager.
6. Tu entends ce que je dis ?
7. Qu'est-ce que tu choisis ? Le bleu ou le rouge ?
8. Est-ce qu'il peut venir avec moi ?
9. Il fait la cuisine.
10. J'entends du bruit.
11. Il ne m'écrit jamais.
12. Il vend sa voiture.

103. Les pronoms relatifs

Remplacez la partie du texte soulignée par une des expressions proposées :

1. J'ai écrit une lettre de protestation au président de la République.
2. Est-ce que le mécanicien est arrivé ?
3. J'ai rendez-vous chez le dentiste.
4. Est-ce que le facteur est déjà passé ?
5. Mesdames et Messieurs, le commandant de bord vous souhaite la bienvenue à bord de cet Airbus A 340 d'Air Calédonie.
6. C'était excellent ! Faites mes compliments au chef.
7. Nous sommes le 15 du mois et je n'ai plus un sou. Mon banquier ne va pas être content !
8. Je te présente Mahmoud. C'est mon voisin de palier.

104. Conjugaisons

Complétez en utilisant un pronom personnel :

1. Qu'est-ce que tu prends, René ? Du thé ou du café ?
2. Quand est-ce qu'ils viennent ?
3. Qu'est-ce qu'elle veut, Josette ?
4. Il ne sait pas ce que je vais faire.
5. Est-ce que tu peux m'aider ? Je ne sais pas comment ça marche.
6. Elle attend depuis une heure. Vous pouvez la recevoir ?
7. Qu'est-ce que tu fais ? Tu entres ou tu sors ?
8. Je veux te voir. J'ai une question à te poser.
9. Je vends ma voiture. Ça t'intéresse ?
10. Elle part en vacances avec son fiancé. Ils vont à Florence.
11. Nous vous attendons lundi prochain, à 8 h et demie. Nous donnons une petite fête.
12. Il faut que tu te dépêches : tu vas être en retard.

105. Pronoms « le/la/les/en »

Complétez en utilisant le pronom qui convient :

1. Tu en veux ? C'est du fromage de chèvre que l'on fabrique dans ma région.
2. Je vais en prendre deux. Ces gâteaux ont l'air excellents.
3. Tu le veux avec un sucre ou deux sucres, ton café ?
4. – J'en achète combien ?
   – Tu en prends deux.
5. Tu les as payées combien, tes chaussures ?
6. Je la trouve très jolie, cette robe.
7. La tarte, je la coupe en quatre ou en huit ?
8. C'est un amateur de café, il en boit un litre tous les matins.
9. – Je suis allé aux champignons.
   – Tu en as trouvé beaucoup ?
10. – Je cherche une petite maison à la campagne.
    – J'en connais une qui est à vendre près de chez moi.
11. – Tu as trouvé une voiture ?
    – J'en ai vu plusieurs, mais c'était trop cher.
12. – Encore des frites ! On en mange tous les jours !

106. Parler d'un objet

Dites de quel objet on parle :

1. C'est une canadienne à deux places. Elle est très facile à monter et à démonter. Je la vends parce que je n'en ai plus besoin : j'ai acheté un camping-car. Une tente.
2. Il fait deux cents litres et il y a un compartiment congélateur. Il est brun. C'est un modèle très récent et il consomme peu. Un réfrigérateur.
3. Elle est de 1991. C'est le modèle sport de la série : deux litres de cylindrée, 16 soupapes, arbre à cames en tête. Une voiture.
4. J'ai hérité ça de ma grand-mère. Je la vends parce que mon appartement est meublé en moderne. Elle est en chêne. Évidemment, c'est cher, mais c'est de style Empire. Une armoire.
5. C'est une quatre feux, avec deux plaques électriques. Le four aussi est électrique. Elle est livrée avec un tournebroche. Une cuisinière.
6. La pierre au centre est un saphir. Tout autour, il y a des brillants et la monture est en or. Une bague.
7. Le lecteur de cassette est autoreverse.
   La radio a 3 gammes d'ondes. Bien sûr, il est stéréo et les haut-parleurs font 2 fois 8 watts. Un autoradio.
8. C'est un modèle un peu ancien, mais très performant. Il est tout automatique et l'objectif est de très grande qualité. Un appareil photo.

9. C'est un ouvrage rare, une édition de luxe à tirage limité. À ce prix-là, c'est une très bonne affaire. Un livre.
10. Il a une grande poche devant et deux poches sur les côtés. Il y en a une autre pour mettre les papiers. On peut accrocher un sac de couchage. Il pèse à peine un kilo. Un sac à dos.

107. Les prépositions « à » et « en »

Complétez en utilisant « à » ou « en » :

1. A vélo, c'est plus rapide qu'en voiture.
2. À Paris, je roule à moto.
3. Il fait beau, j'y vais à pied.
4. On va faire une promenade à cheval.
5. Je n'ai jamais voyagé en avion.
6. Je vais à mon travail en taxi.
7. J'ai traversé tout Paris à patins à roulettes.
8. Il est venu en auto-stop.
9. J'ai traversé tout le pays en autobus.
10. En Grèce, tu peux y aller en bateau.

108. Le pronom « y »

Complétez en utilisant « y » ou « le/la/l'/les » :

1. Tu y vas comment, à Paris ? En train ou en voiture ?
2. J'aime beaucoup cette région. Je l'ai visitée cet été.
3. – Il connaît le Mexique ?
   – Oui, il y a vécu pendant quatre ans.
4. Le Sahara, je l'ai traversé à dos de chameau.
5. – Tu es à Paris depuis longtemps ?
   – Non, j'y habite seulement depuis 6 mois.
6. – Tu vas souvent à Lyon ?
   – Oui, j'y retourne demain.
7. Les États-Unis, je les ai faits en stop quand j'avais 20 ans.
8. – Vous vivez aux États-Unis ?
   – Oui, j'y travaille.

109. Les pronoms « y » et « en »

Complétez en utilisant « y » ou « en » :

1. Les Antilles ? J'en viens. C'est super !
2. L'Allemagne ? J'y vais la semaine prochaine.
3. J'aime beaucoup la Bretagne. J'y retourne tous les ans.
4. – Tu es allée chez le dentiste ?
   – J'en sors !
5. J'y suis, j'y reste !
6. Marseille, j'y ai travaillé pendant trois ans.
7. C'est l'heure, je m'en vais.

8. Ces vacances, je m'en souviendrai toute ma vie.

9. – Pourquoi tu vas au Japon ?
   – Pour y faire des affaires.

10. Chez lui, quand tu y entres, tu ne sais jamais quand tu en sors.

110. Décrire quelqu'un

Faites un rapide portrait des personnages suivants en utilisant les éléments proposés :

1. Fabien est grand et chauve. Il a les yeux verts et porte un pull marron.

2. Béatrice est de taille moyenne. Elle a des yeux bleus. Elle porte des lunettes et un pantalon bleu marine.

3. Antoine est gros et musclé. Il a des cheveux roux et porte une bague en or.

4. Roseline est petite et maigre. Elle a des cheveux longs. Elle a une 205 Peugeot. Elle est journaliste.

5. Étienne est représentant de commerce. Il est bavard mais sympathique. Il a des cheveux blonds et des yeux noirs.

RESSOURCES :
– 1 article de presse.
– 1 illustration.

MISE EN ROUTE

OBJECTIFS :
Repérer des événements dans un récit.

FICHE FLASH ≈ **20 MINUTES**

1. Traiter ce texte en deux temps : partir tout d'abord de la colonne de gauche qui constitue une sorte de résumé, puis vérifier la compréhension. Passer ensuite aux trois autres colonnes et demander aux élèves de répondre aux questions : où ? qui ? quoi ? Les amener à reconstituer les étapes du récit.

2. Après cette activité, vous ferez, avec les élèves, un résumé collectif de l'article.

CONSEILS... SUGGESTIONS... REMARQUES...

L'unité 10 est surtout consacrée au travail sur les événements passés et la situation dans le temps. C'est dans l'unité 11 que seront abordés les problèmes d'organisation du récit.

Pour cette première prise de contact avec un texte conséquent, respecter les étapes proposées et accompagner le groupe vers une production écrite.

CORRECTIONS :

1. Lisez le texte. Identifiez :

a) Les trois lieux cités (Où ?). À bord d'un Boeing 747, l'Écosse, la Russie.

b) Les 3 personnages cités (Qui ?). Paula Dixon, Tom Wong, Angus Wallace.

c) Les 7 objets cités (Quoi ?). Un anesthésiant, des ciseaux, un cathéter, un cintre, du cognac, une bouteille d'eau, un ruban adhésif.

d) Les 3 étapes du récit (Événements). Un accident sur la route de l'aéroport, une grande douleur à la poitrine, l'opération.

PAGES 160, 161

unité
10

COMPRÉHENSION

OBJECTIFS :
– Repérer une succession d'événements passés.
– Commencer à systématiser le passé composé avec « être » et avec « avoir ».

RESSOURCES :
– 1 agenda.
– 1 tableau sur le passé composé.
– 1 série d'enregistrements.
– 5 d'articles.
– 2 grilles.

FICHE FLASH   ≈ 40 MINUTES

1. Faire écouter l'enregistrement qui correspond aux deux pages de l'agenda, demander aux élèves de noter ce que Paul a fait chaque jour de la semaine pour arriver au document écrit corrigé.

2. Demander aux élèves de proposer des exemples de phrases au passé, les écrire au tableau. Faire classer les passés composés avec « être » et « avoir », comme dans le tableau de grammaire.

3. Faire écouter le dialogue témoin puis les enregistrements qui correspondent à la première activité de compréhension de la page 161. Faire remplir la grille.

4. Passer à la deuxième activité. Faire lire les articles puis compléter la grille.

CONSEILS... SUGGESTIONS... REMARQUES...

Vous pouvez insister sur l'aspect systématique du choix entre « être » et « avoir » et reprendre plusieurs fois ce point en demandant aux élèves de raconter brièvement un événement passé qu'ils ont vécu.

Pour que les élèves prennent conscience de la valeur de passé ou de présent des énoncés qu'ils écoutent, lors de la première activité de compréhension page 161, posez leur des questions sur ces extraits : est-ce que c'est fini ? Est-ce que cela continue ? Qu'est-ce qui marque le passé ? etc.

CORRECTIONS :

Écoutez le document sonore, puis regardez l'agenda de Paul et trouvez les erreurs sur l'agenda :

– mardi : dentiste,

– mercredi : voyage en Suisse / (au lieu de mardi),

– mercredi : colloque à Berlin.

Écoutez les dialogues et précisez si c'est le passé composé ou le présent qui est utilisé :

dialogue	passé	présent
1	x	
2		x
3		x
4	x	
5	x	

dialogue	passé	présent
6	x	
7	x	
8		x
9	x	
10	x	

Lisez ces petits articles. Écrivez les passés composés avec le verbe « être » ou avec le verbe « avoir » :

ÊTRE	AVOIR
est parti est né est devenu est mort se sont introduits	a condamné a quitté a fait a publié a laissé ont volé a lancé

TRANSCRIPTIONS :

Compréhension

– Bonsoir, Gérard.

– Bonsoir, tu as l'air fatigué.

– Ne m'en parle pas. J'ai eu une semaine épouvantable.

– Ah bon ? Pourquoi ?

– Je n'ai pas arrêté de courir : lundi, je suis allé à Arc-et-Senans avec un groupe d'industriels japonais ; mardi je suis allé en Suisse.

– Pour acheter du chocolat ?

– Mais non ! J'ai signé un contrat. Et c'est pas fini ! Jeudi, j'ai négocié avec ma banque toute la journée.

– Mercredi, t'as dormi toute la journée ?

– Mais non, mercredi je suis allé à un colloque à Berlin.

– Eh bien, tu vas te reposer en fin de semaine !

– Oui, je vais à la montagne.

Dialogues témoins

– Qu'est-ce que tu as fait samedi ?

– J'ai travaillé le matin et j'ai joué au tennis l'après-midi.

– Tu es libre ce soir ?

– Oui, pourquoi ? Tu m'invites ?

– D'accord, je passe te prendre à 8 heures et demie.

Compréhension

1. – Tu as vu Vincent ces jours-ci ?
   – Justement, il m'a appelée hier.

2. – Qu'est-ce que tu fais actuellement ?
   – Je termine un travail pour une agence de pub.

3. – Tu as l'air fatigué, en ce moment.
   – Je travaille comme un fou.

4. – Tu as trouvé un appartement ?
   – La semaine dernière, j'ai vu un truc pas mal.

5. J'ai perdu mon portefeuille ce matin. Est-ce que quelqu'un l'a trouvé ?

6. L'année dernière, je suis allé en vacances à Neuville-les-Bains : c'était nul.

7. Ce week-end, j'ai repeint mon appartement.

8. Maintenant, tu peux regarder la télévision.

9. Il y a huit jours, j'ai rencontré Claudine. C'était super.

10. – Samedi dernier, je suis allé au mariage de Juliette.
    – C'était sympa ?
    – Non, pas vraiment.

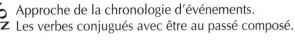
unité
10 Évènements...

COMPRÉHENSION

OBJECTIFS :
Approche de la chronologie d'événements.
Les verbes conjugués avec être au passé composé.

RESSOURCES :
– 1 enregistrement.
– 14 dessins.

TRANSCRIPTIONS :

Compréhension
1. Et ils sont descendus au Mexique pour travailler.
2. Et ils sont morts, tous les deux.
3. Il est devenu ingénieur.
4. Ils sont passés par New York.
5. Il est né à Nantes.
6. Il est sorti premier de sa promotion.
7. Ils ne sont jamais rentrés en France.
8. Ils y sont restés deux ans.
9. Là, ils sont arrivés dans une petite ville.
10. Mais ils sont tombés malades.
11. Puis ils sont montés en Alaska.
12. Il est allé aux États-Unis.
13. Puis ils sont repartis.
14. Sa femme est venue le rejoindre.

FICHE FLASH ≈ 20 MINUTES

1. Faire observer et commenter les 14 dessins.
2. Faire écouter le récit en entier puis phrase par phrase. Demander aux élèves de noter, sous chaque image, le numéro de la phrase et le verbe entendu.
3. Lorsque les élèves auront remis le récit dans l'ordre, vous leur demanderez de mettre tous les verbes conjugués avec « être » à l'infinitif.

CONSEILS... SUGGESTIONS... REMARQUES...

Ce dernier bloc de trois unités a pour objectif d'approfondir les notions de temps abordées dès les premières unités de *Tempo*.
Dans cette unité 10, un travail de systématisation est proposé aux élèves autour du passé composé et des expressions de temps. Nous vous conseillons de vous référer au sens et de recourir aux paraphrases pour expliquer.

CORRECTIONS :

Écoutez et, en vous servant des images, remettez le récit entendu dans le bon ordre chronologique. Notez en dessous de chaque image le verbe correspondant, puis établissez la liste des 14 verbes qui forment leur passé composé avec le verbe « être » :

image	phrase	verbe
1	5	est né
2	6	est sorti
3	3	est devenu
4	12	est allé
5	14	est venue
6	4	sont passés
7	11	sont montés
8	9	sont arrivés
9	8	sont restés
10	13	sont repartis
11	1	sont descendus
12	10	sont tombés
13	2	sont morts
14	7	ne sont jamais rentrés

Liste des verbes conjugués avec « être » au passé composé :
1. naître – 2. sortir – 3. devenir – 4. aller – 5. venir – 6. passer – 7. monter – 8. arriver – 9. rester – 10. repartir – 11. descendre – 12. tomber – 13. mourir. 14. rentrer.

OBJECTIFS :

Systématisation des indicateurs de temps.

FICHE FLASH ≈ 20 MINUTES

1. Faire reconnaître aux élèves les indicateurs temporels qu'ils connaissent déjà, leur expliquer ceux qu'ils ne connaissent pas.
2. Faire écouter les dialogues puis remplir la grille.
3. Présenter l'exercice 111. Demander aux élèves de le faire individuellement puis le corriger collectivement.

CONSEILS... SUGGESTIONS... REMARQUES...

L'activité de compréhension devra permettre aux élèves de prendre conscience du sens qui est créé lorsqu'on utilise un indicateur de temps et un temps verbal. Par exemple :
– cette nuit, j'ai très mal dormi = la nuit qui vient de passer ;
– cette nuit, je regarde la télévision = la nuit qui va venir.
Les indicateurs comme « aujourd'hui, cette nuit, ce matin, cet après-midi, cette semaine » peuvent être employés avec le présent ou le passé, alors que des indicateurs comme « hier, la semaine dernière, il y a, etc. » sont forcément employés avec un temps du passé.
Les élèves ont déjà été sensibilisés (unité 4, page 75) à la plupart des expressions de temps présentées dans les activités de cette page. Vous pouvez leur proposer de rechercher dans un dictionnaire, unilingue ou bilingue, les expressions qu'ils ne connaissent pas et dont ils ont besoin pour faire l'exercice 111. L'objectif, ici, est de systématiser l'apprentissage de ces outils linguistiques.

CORRECTIONS :

Mettez une croix en face des expressions de temps que vous avez entendues dans chaque dialogue :

	1	2	3	4	5	6	7	8	9	10	11	12
aujourd'hui		x							x			
hier					x		x					
avant-hier								x				
mardi, mercredi, jeudi, etc.				x								
la semaine dernière			x			x						x
le mois dernier												
l'année dernière										x		
il y 8 jours, 15 jours, etc.										x		
il y a une semaine, 2 semaines, etc.								x				
il y a un mois, 2 mois, etc.							x		x	x		
ce matin							x					
cette nuit	x											
cet après-midi										x		
cette semaine			x									

RESSOURCES :
– 1 série de dialogues.
– 1 grille.
– 1 exercice d'entraînement.

TRANSCRIPTIONS :

Compréhension
1. Cette nuit, j'ai très mal dormi.
2. Aujourd'hui, j'ai bien travaillé.
3. Cette semaine, il a plu tous les jours.
   La semaine dernière aussi !
4. Mardi, j'ai eu un accident.
5. Hier, il faisait très beau, j'ai fait un peu de vélo.
6. – Il y a un an, je suis allé aux Antilles.
   – Moi, la semaine dernière, je suis allé à Vesoul.
7. – Ce matin, je n'ai pas entendu le réveil !
   – Hier non plus !
8. – Il y a une semaine que je n'ai pas vu Paul.
   – Moi je l'ai vu avant-hier.
9. – Il y a un mois, j'ai envoyé une lettre à Jean-Yves.
   – Et il t'a répondu aujourd'hui je suppose !
10. Cet après-midi, je n'ai rien fait !
11. – Pierre, il s'est marié il y a deux ans ?
    – Non, c'était l'année dernière.
    – Eh bien il a divorcé il y a huit jours.
12. La semaine dernière, j'ai acheté une voiture.

ENTRAÎNEMENT
les indicateurs
chronologiques

Exercice 111

Complétez les phrases en utilisant un des indicateurs chronologiques suivants : la semaine prochaine / après / de nos jours / à cette époque-là / par la suite / il y a longtemps que / dans le courant de la semaine prochaine / en ce moment / ultérieurement / maintenant.

1. Georges a pris les clefs de sa voiture. Après, il est parti et je ne l'ai pas revu de la journée.
2. André ? Il va très bien maintenant : il était au chômage ces derniers temps, mais il vient de trouver un emploi.
3. Ah ! Les années soixante-dix ! C'était le bon temps ! A cette époque-là, on savait s'amuser !
4. Je suis désolée : le docteur Reybier est absent pour le moment. Est-ce que vous pouvez rappeler ultérieurement ?
5. Écoutez, j'ai beaucoup de travail en ce moment, mais passez dans le courant de la semaine prochaine. Je pourrai vous recevoir quand vous voudrez.
6. J'ai été gravement malade. Mais maintenant ça va bien.
7. Mémé Géraldine est très heureuse : elle va retrouver ses petits-enfants la semaine prochaine.
8. De nos jours, beaucoup de gens prennent régulièrement l'avion.
9. Il y a longtemps que je ne suis pas allée au restaurant : tu m'invites ?
10. Benoît a habité quelque temps dans la région. Par la suite, je l'ai revu une fois, par hasard, dans un café, à Lyon.

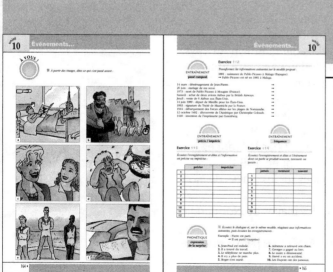

À VOUS !

OBJECTIFS :
– Raconter un événement passé.
– Pratiquer de façon systématique le passé composé.

RESSOURCES :
– 6 dessins.
– 1 exercice d'entraînement.

FICHE FLASH ≈ 40 MINUTES

1. Demander aux élèves de travailler par deux sur l'activité « À vous ». Ils doivent imaginer, pour chaque dessin, ce qui s'est passé avant ; leurs productions peuvent être minimales, par exemple : « il est tombé à ski, il s'est cassé la jambe ». Dans ce cas, vous vérifierez qu'ils emploient correctement le passé composé.

Les élèves pourront aussi proposer une esquisse de récit, par exemple : « il faisait du ski, il n'a pas vu un autre skieur, il a voulu l'éviter, il est tombé etc.». Ils emploieront alors, à la fois le passé composé et l'imparfait.

2. Chaque groupe propose sa production. La correction se fait collectivement à l'oral.

3. Faire faire l'exercice 111 qui est un exercice de transformation permettant de pratiquer les formes du passé composé.

CONSEILS... SUGGESTIONS... REMARQUES...

Le passé composé est présenté dans *Tempo* depuis les premières unités. Dans cette phase de l'apprentissage, il s'agit de systématiser l'utilisation de ce temps.

CORRECTIONS :

Exercice 111

ENTRAÎNEMENT
passé composé

Transformez les informations suivantes sur le modèle proposé :

1881 : naissance de Pablo Picasso à Malaga (Espagne). Pablo Picasso est né en 1881 à Malaga.

14 mars : déménagement de Jean-Pierre.
Jean-Pierre a déménagé le 14 mars.

26 juin : mariage de ma sœur.
Ma sœur s'est mariée le 26 juin.

1973 : mort de Pablo Picasso à Mougins (France).
Pablo Picasso est mort en 1973 à Mougins.

Samedi : achat de deux avions Airbus par la British Airways.
La British Airways a acheté samedi deux avions Airbus.

Jeudi : vente de 6 Airbus aux États-Unis.
Jeudi, on a vendu 6 Airbus aux États-Unis.

14 juin 1989 : départ de Mireille pour les États-Unis.
Mireille est partie aux États-Unis le 14 juin 1989.

1993 : signature du Traité de Maastricht par la France.
La France a signé le Traité de Maastricht en 1993.

1944 : débarquement des forces alliées sur les plages de Normandie.
Les forces alliées ont débarqué sur les plages de Normandie en 1944.

12 octobre 1492 : découverte de l'Amérique par Christophe Colomb.
Christophe Colomb a découvert l'Amérique le 12 octobre 1492.

1440 : invention de l'imprimerie par Gutenberg.
Gutenberg a inventé l'imprimerie en 1440.

RESSOURCES :
– 1 série d'enregistrements.
– 2 exercices d'entraînement.

ENTRAÎNEMENT

OBJECTIFS :

– Dire quand un événement a lieu avec précision ou imprécision.
– Exprimer la fréquence.

FICHE FLASH ≈ 20 MINUTES

1. Demander aux élèves à quelle occasion les nuances entre précis et imprécis ont déjà été abordées (pour parler d'un lieu, unité 5 page 86 et pour quantifier, unité 9, page 148). Leur expliquer qu'ils vont écouter une série de phrases où il faudra repérer, dans chacune d'elles, un élément qui apporte au message une nuance dans l'expression du temps.

2. Leur demander comment, dans leur langue maternelle, ces nuances se traduisent.

3. Faire écouter le premier enregistrement puis corriger l'exercice.

4. Passer au deuxième exercice. Il s'agit de repérer la fréquence. Expliquer les trois adverbes : jamais, rarement, souvent.

CONSEILS... SUGGESTIONS... REMARQUES...

Vous pouvez demander aux élèves de produire des phrases avec tous les outils linguistiques qu'ils auront découverts dans ces deux exercices. Distribuez-leur la transcription des enregistrements des exercices 112 et 113. Demandez-leur ce qui indique la précision et faites-les expliciter la situation.

Pour aller plus loin, nous vous conseillons de vous référer à *La Grammaire utile du Français*, chapitre 14, pages 219 à 221.

TRANSCRIPTIONS :

Entraînement : précis/imprécis

1. J'ai rendez-vous chez mon avocat à 16 heures juste.
2. Attends-moi, je reviens dans une vingtaine de minutes.
3. Film : Bleu, de Kieslowski. Prochaine séance à 19 h 45. Début du film : 10 minutes plus tard.
4. Le record du 100 mètres nage libre vient d'être battu de deux centièmes de seconde.
5. Je passerai demain en fin de matinée.
6. Viens demain pour l'apéritif, vers midi et demi.
7. Il est midi : les informations, Édouard Lemaresquier.
8. La pièce commence à 20 h 30 précises. Aucun spectateur ne sera admis après cette heure-là.
9. Les travaux ne seront pas achevés avant deux ou trois mois.
10. Du 7 au 21 janvier, soldes monstres sur le blanc !
11. Au quatrième top, il sera exactement 15 heures, 17 minutes et 30 secondes.
12. Cuire la pâte 20 minutes à four moyen.

CORRECTIONS :

ENTRAÎNEMENT
précis / imprécis

Exercice 112

Écoutez l'enregistrement et dites si l'information est précise ou imprécise :

	précise	imprécise
1	x	
2		x
3	x	
4	x	
5		x
6		x
7	x	
8	x	
9		x
10	x	
11	x	
12	x	

ENTRAÎNEMENT
fréquence

Exercice 113

Écoutez l'enregistrement et dites si l'événement dont on parle se produit souvent, rarement ou jamais :

	jamais	rarement	souvent
1		x	
2			x
3			x
4	x		
5			x
6			x
7		x	
8	x		
9			x
10			x

TRANSCRIPTIONS :

Entraînement : fréquence

1. Je vois ma vieille tante Marthe une fois par an, à Noël.
2. Quand j'étais élève, j'allais au cinéma trois fois par semaine.
3. René fume beaucoup trop : il allume cigarette sur cigarette !
4. Les boîtes de nuit ? C'est plein de bruit et de fumée de cigarettes : je n'y mets jamais les pieds !
5. Tous les matins, Claude prend le bus numéro 8 pour aller à son boulot.
6. Vous prendrez huit comprimés par jour, pendant trois mois.
7. Je trouve que les restaurants sont chers : je ne peux y aller que de temps en temps.
8. Je n'ai reçu aucune lettre depuis qu'ils sont partis.
9. Nous nous rencontrons chaque vendredi pour faire la fête.
10. J'en ai assez ! Je trouve de la publicité dans ma boîte aux lettres tous les jours !

PHONÉTIQUE

OBJECTIFS :
Exprimer la surprise.

RESSOURCES :
– 1 série d'enregistrements.
– 1 exercice de phonétique.

TRANSCRIPTIONS :

Phonétique : expression de la surprise

– Pierre est parti.
– Il est parti ? (surprise)
1. – Jean-Paul est malade.
   – Il est malade ?
2. – Il a trouvé du travail.
   – Il a trouvé du travail ?
3. – Le téléphone ne marche plus.
   – Il ne marche plus ?
4. – Il n'y a plus de pain.
   – Il n'y a plus de pain ?
5. – Roger s'est marié.
   – Il s'est marié ?
6. – Adrienne a retrouvé son chien.
   – Elle a retrouvé son chien ?
7. – Georges a gagné au loto.
   – Il a gagné au loto ?
8. – Le maire a démissionné.
   – Il a démissionné ?
9. – Hervé a eu un accident.
   – Il a eu un accident ?
10. – Les Dupont ont des jumeaux.
    – Ils ont des jumeaux ?

FICHE FLASH   ≈ 20 MINUTES

1. Demander aux élèves comment ils peuvent exprimer la surprise dans leur langue maternelle.
2. Faire écouter les enregistrements. Les amener à prendre conscience de l'importance de l'intonation dans ces phrases.
3. Leur demander d'imaginer dans quel contexte ces phrases peuvent être entendues.
4. Faire répéter par deux les phrases en exagérant l'effet de surprise.

CONSEILS... SUGGESTIONS... REMARQUES...

Pour cette activité de phonétique, laisser les élèves utiliser tout l'espace classe. Leur faire répéter les phrases par groupes de deux, debout, et les encourager à utiliser les gestes.
Nous vous rappelons que dans l'échange verbal, l'intonation contribue à donner du sens à l'interprétation.

OBJECTIFS :

COMPRÉHENSION

Pratiquer de façon systématique le passé composé.

FICHE FLASH ≈ 15 MINUTES

1. Demander aux élèves de lire l'article. Vérifier leur compréhension en posant quelques questions : de quoi s'agit-il ? Que s'est-il passé ? etc.
2. Les amener à faire des hypothèses ou à expliquer la liste des événements située à gauche de l'article.
3. Faire écouter les dialogues et retrouver les événements évoqués dans la liste.

CORRECTIONS :

Écoutez les dialogues et dites quels sont les événements relatés :

1. Avoir un accident.
2. Manger une chose inhabituelle.
3. S'endormir quelque part.
4. Surprendre un voleur.
5. Gagner à un jeu.
6. Oublier des clefs.

RESSOURCES :
– 1 série d'enregistrements.
– 1 article.

TRANSCRIPTIONS :

Compréhension
Dialogues

1. – Mais qu'est-ce qu'il t'est arrivé ? Tu as eu un accident ?
   – Ben… en sortant de la baignoire, j'ai glissé sur une savonnette.
2. – Hier, j'ai invité des amis anglais pour un repas typiquement français.
   – Steak frites, salade ?
   – Oh non ! Je leur ai fait des grenouilles et des escargots….
   – Et ils ont aimé ?
   – Oui, pourquoi ?
3. – Tu es allé au cinéma hier ?
   – Oui.

– C'était bien ?
– Je ne sais pas, je me suis endormi au bout de 5 minutes.
4. – Allô, la police ?
   – Oui, je vous écoute.
   – En rentrant chez moi, j'ai vu quelqu'un qui essayait d'entrer par la fenêtre de mon voisin. C'est peut-être un voleur.
5. – C'est vrai que Jean a gagné un concours ?

– Oui. Devine ce qu'il a gagné.
– Je ne sais pas, une semaine sur la Costa Brava.
– Non, 500 kilos de spaghettis.
6. – Excusez-moi de vous déranger, monsieur Duroc, c'est mademoiselle Ledoux, votre voisine du dessous. J'ai oublié mes clefs. Est-ce que vous pouvez m'ouvrir ?
   – Encore ! C'est la troisième fois en quinze jours !

RESSOURCES :
– 1 série d'enregistrements.
– 2 activités de phonétique.

TRANSCRIPTIONS :

Phonétique [ø] / [œ]
Ce matin, il pleut.
Partout, temps nuageux et pluvieux.
Régions montagneuses, ciel neigeux.
Demain, temps capricieux : bleu ou brumeux, parfois radieux.

– Ma sœur, elle est coiffeuse.
– Et son copain ?
– Il est coiffeur !
– Elle est heureuse ?
– Oui, et lui aussi, il est heureux.

Phonétique :
Expression du doute
Dialogue témoin
– Je trouve qu'il a maigri.
– Il a maigri !

OBJECTIFS :

PHONÉTIQUE

– Distinction entre les sons [ø] et [œ].
– Exprimer le doute.

FICHE FLASH ≈ 30 MINUTES

1. Faire écouter l'enregistrement et demander aux élèves de répéter les phrases.
2. Leur faire réaliser, par groupes de deux, des mini-dialogues en utilisant les mots proposés à la fin de l'exercice.
3. Leur demander comment ils expriment le doute dans leur langue maternelle.
4. Passer le dialogue. Faire repérer l'intonation qui marque le doute puis faire écouter les enregistrements.
5. Leur demander de travailler par groupes de deux et d'imaginer des contextes dans lesquels les phrases entendues peuvent être dites.

CONSEILS... SUGGESTIONS... REMARQUES...

La démarche préconisée pour travailler l'expression du doute est la même que celle décrite auparavant pour l'expression de la surprise. La multiplication des contextes autour d'une phrase donnée fait appel à l'imagination. L'objectif de ces activités est de mettre en valeur l'importance de la perception dans l'apprentissage des langues.

1. – Patrick a arrêté de fumer.
   – Il a arrêté de fumer !
2. – Roseline travaille beaucoup.
   – Elle travaille beaucoup !
3. – Claudine est très sympathique.
   – Elle est très sympathique !
4. – Paul est très compétent.
   – Il est très compétent !
5. – André a beaucoup d'humour.
   – Il a beaucoup d'humour !
6. – Il a plu pendant un mois.
   – Il a plu pendant un mois !
7. – Mon frère va passer son bac.
   – Il va passer son bac !
8. – Roger roule en Mercédes.
   – Il roule en Mercédes !
9. – Claude joue très bien aux échecs.
   – Il joue très bien aux échecs !
10. – Il fait chaud aujourd'hui.
    – Il fait chaud aujourd'hui !

---

unité
10

PAGE 167

OBJECTIFS :
– Raconter oralement un événement passé.
– Raconter une suite d'événements à l'écrit.

FICHE FLASH ≈ 30 MINUTES

1. Demander aux élèves de raconter ce qui s'est passé sur chaque dessin.

2. Leur demander ensuite de travailler par groupes de deux pour préparer deux récits d'événements qui leur sont arrivés (préparation de 5 minutes oralement).

3. Chaque groupe propose ensuite ses récits à l'ensemble du groupe-classe. La correction se fait collectivement.

4. Passer à l'activité d'écrit. Chaque élève rédige individuellement une carte postale.

5. Corriger collectivement quelques-unes des productions.

RESSOURCES :
– 4 dessins.
– 8 consignes pour des situations.
– 1 page d'agenda.

CONSEILS... SUGGESTIONS... REMARQUES...

Pour l'activité « À vous », vous pouvez demander aux élèves de raconter un événement inhabituel, cocasse ou comique.

RESSOURCES :
– 1 série de dialogues.
– 6 premières pages de journaux ou couvertures de magazines.

ÉCRIT

OBJECTIFS :
Situer et produire un titre de journal ou de magazine.

FICHE FLASH   ≈ **30 MINUTES**

1. Demander aux élèves de prendre connaissance des documents présentés page 168.
2. Faire écouter chaque enregistrement puis leur demander quel type d'informations est évoqué dans chacun de ces enregistrements.
3. Leur demander dans quels journaux ou revues, présentés dans cette page, ils pensent trouver les informations annoncées dans le document sonore qu'ils ont écouté. Repasser l'enregistrement.

CONSEILS... SUGGESTIONS... REMARQUES...

Vous pouvez, avant de faire l'activité, partir des documents écrits et pour chacun d'entre eux demander aux élèves s'ils les connaissent et s'ils peuvent trouver, à partir des grands titres, le style de ces publications. Par exemple : un journal à scandales, un magazine littéraire, etc.

TRANSCRIPTIONS :

Écrit

1. – Le Clézio a publié son premier roman, Le *Procès verbal*, en 1963.
2. – Miguel Indurain a gagné le Tour de France en 1993 ?
   – Oui, et aussi en 1994.
3. – C'est le 6 juin 1944 que les Alliés ont débarqué sur les plages de Normandie.
4. – En 1993, Michelin, le n° 1 mondial du pneu, a perdu 3,6 milliards de dollars.
5. – Tu as vu ? Il y a eu un tremblement de terre au Japon.
   – Oui, c'est terrible.
6. – Tiens ! Johnny s'est encore remarié !
   – Oh, ça ne va pas durer longtemps !

CORRECTIONS :

Écoutez les dialogues et dites dans lequel de ces journaux et revues on pourrait trouver les informations données :
– dialogue 1 : *Magazine littéraire* ;
– dialogue 2 : *L'Équipe* ;
– dialogue 3 : *Historia* ;
– dialogue 4 : *Le Nouvel Économiste* ;
– dialogue 5 : *Le Monde* ;
– dialogue 6 : *Paris Match.*

Pour chaque information, trouvez le titre qui convient :
1. Mensuel littéraire : *Magazine littéraire* – Le Clézio : *Le Procès verbal.*
2. Quotidien sportif : *L'Équipe* – Indurain gagne le Tour de France.
3. Mensuel sur l'histoire : *Historia* – Le 6 juin 1944.
4. Hebdomadaire économique : *Le Nouvel Économiste* – Michelin, n° 1 mondial du pneu, perd 3,6 milliards de dollars.
5. Quotidien national : *Le Monde* – Tremblement de terre au Japon.
6. Hebdomadaire d'informations : *Paris-Match* – Remariage de Johnny.

OBJECTIFS :
Maîtriser une chronologie.

FICHE FLASH ≈ 30 MINUTES

1. Laisser les élèves observer les informations données sur la vie de Gino, puis vérifier leur compréhension.

2. Leur demander de préparer oralement le récit pendant quelques minutes, puis demander à certains d'entre eux de proposer le récit de la vie de Gino.

3. Leur demander ensuite de créer un personnage et de raconter sa vie.

4. Passer l'enregistrement puis faire faire l'exercice 115.

RESSOURCES :
– 1 biographie.
– 1 exercice d'entraînement.
– 1 série d'enregistrements.

ENTRAÎNEMENT
passé composé
verbes irréguliers

CORRECTIONS :
Exercice 115

Pour chaque phrase dites quel est le verbe utilisé au passé composé :

	1	2	3	4	5	6	7	8	9	10	11	12	13	14	15	16
apercevoir															X	
avoir											X					
boire						X										
devoir								X								
être									X							
faire		X														
lire			X													
mettre										X						
offrir							X									
paraître												X				
partir				X												
pouvoir								X								X
prendre	X															
répondre														X		
vivre					X											
voir													X			

TRANSCRIPTIONS :

Entraînement :
passé composé

1. Il a pris du poisson ce matin.
2. J'ai fait un cauchemar.
3. Est-ce que vous avez lu mon rapport ?
4. Il est parti avec une jolie fille.
5. Il a vécu toute sa vie dans ce petit village.
6. Vous avez trop bu.
7. Pour la Saint-Valentin, il m'a offert des fleurs.
8. Je n'ai pas pu entendre le discours du ministre, j'ai dû partir avant la fin.
9. Pierre a été chanteur.
10. Où est-ce que tu as mis ma cravate jaune ?
11. Julie a eu trois maris.
12. Il m'a paru en pleine forme.
13. Tu as vu le dernier film de Tavernier ?
14. Est-ce que tu as répondu à la lettre de ta mère ?
15. Tiens, j'ai aperçu Pierre à la piscine.
16. Je n'ai pas pu venir, j'étais malade.

CIVILISATION

OBJECTIFS :
Approche de la presse française.

FICHE FLASH   ≈ 60 MINUTES

1. Nous vous proposons deux approches :

– diviser la classe en cinq groupes. Faire lire les textes et résumer les informations contenues dans ces documents, puis organiser une séance de mise en commun de ces informations.

– si vous disposez de journaux français, les répartir dans les groupes et demander à chacun d'entre eux de faire une synthèse (titre, quotidien/hebdomadaire/mensuel, public visé, type d'informations, etc.). Organiser une séance de mise en commun avant de passer à la lecture des textes qui serviront alors seulement de références.

2. Demander aux élèves quels sont les journaux et magazines français qu'ils connaissent, que l'on peut trouver dans leur pays.

CONSEILS... SUGGESTIONS... REMARQUES...

En fonction de votre public (âge en particulier) vous pourrez centrer l'activité sur telle ou telle catégorie de publications (jeunes, par exemple).

Nous vous encourageons vivement à amener les élèves à comparer la presse française avec celle de leur pays.

RESSOURCES :
– 5 textes.
– des illustrations.

ÉVALUATION

OBJECTIFS :
Évaluer les acquis de l'unité dans les quatre compétences.

FICHE FLASH   ≈ 45 MINUTES

Compréhension orale : faire écouter l'emploi du temps de M. Bertin puis demander aux élèves de compléter la grille.

Expression orale : cette activité appelle l'élève à réutiliser le passé composé et les expressions temporelles. Vous pouvez prévoir une interrogation orale individuelle de cinq minutes environ ou demander aux élèves de s'enregistrer sur un magnétophone.

Compréhension écrite : il s'agit de retrouver, pour chacun des textes, l'information principale.

Expression écrite : vous évaluerez principalement la capacité des élèves à réutiliser les outils linguistiques qui leur permettent de s'exprimer par écrit sur un événement passé.

RESSOURCES :
– 1 enregistrement (CO).
– 5 faits divers (CE).

CONSEILS... SUGGESTIONS... REMARQUES...

À partir de cette évaluation, vous pourrez faire le point sur les acquis de vos élèves et leur proposer des exercices supplémentaires adaptés à leurs besoins. Il faut vous attendre à des erreurs mais elles se corrigeront au fur et à mesure de l'apprentissage, et d'autant plus facilement que l'emploi du passé composé est introduit rapidement dans des situations de communication réelles.

CORRECTIONS :

COMPRÉHENSION ORALE (CO)

Écoutez le dialogue et remplissez l'emploi du temps de M. Bertin :

	Lundi 21	Mardi 22	Mercredi 23	Jeudi 24	Vendredi 25
8 h					
9 h	Bonn		réunion	délégation espagnole	syndicats
10 h			réunion		
11 h					
12 h					
13 h					
14 h			conseil d'administration		
15 h					
16 h					
17 h					
18 h					
19 h					

COMPRÉHENSION ÉCRITE (CE)

Dites de quoi il s'agit en remplissant la grille.

	Texte
Divorce	2
Exploit sportif	3
Accident	1
Élections	5
Faits divers	4

TRANSCRIPTIONS :

Compréhension orale

– Heureusement que c'est vendredi soir, quelle semaine !
– Tu as l'air fatigué.
– Lundi, je suis parti en Allemagne, à Bonn. Je suis rentré mardi soir. Mercredi, j'ai eu une réunion à 9 heures, une autre à 10 et à 2 heures un conseil d'administration. Jeudi, j'ai reçu une délégation espagnole pour un contrat important et aujourd'hui, j'ai reçu les syndicats pendant 4 heures. Ce week-end, repos !

RESSOURCES :
– 1 dialogue.
– 5 dessins avec énoncés au choix.

TRANSCRIPTIONS :

Mise en route

– Mais qu'est-ce qui t'est arrivé ?
– Ben, hier soir, je revenais de chez Lucie, c'était 5 heures, 5 heures et demie. Tu sais, à cette heure-là, il y a beaucoup de circulation. En arrivant au carrefour de la rue Gambetta, le feu était au vert pour les piétons, j'ai traversé.
Il y a un type qui est arrivé avec une grosse BM, c'est simple, il n'a pas pu s'arrêter et il m'a renversé ! Je me suis retrouvé par terre. Je ne savais plus où j'étais. Il est sorti de sa voiture et tu sais ce qu'il m'a dit : « Vous ne pouvez pas faire attention ! ». Heureusement quelqu'un a téléphoné au SAMU. Sinon, ça va, j'ai une jambe cassée mais pas de traumatisme.

OBJECTIFS :
Prendre conscience des valeurs de l'imparfait et du passé composé dans un récit.

FICHE FLASH ≈ **20 MINUTES**

1. Faire observer et commenter les dessins.
2. Passer l'enregistrement sans le livre. Vérifier la compréhension globale en posant quelques questions.
3. Réécouter l'enregistrement avec les dessins. Demander aux élèves de choisir entre les énoncés au passé composé ou à l'imparfait. Nous avons choisi d'utiliser la situation pour l'imparfait et l'action pour le passé composé.
4. Procéder à une correction collective.

CONSEILS... SUGGESTIONS... REMARQUES...

L'unité 11 porte sur le récit : enchaînement, relations entre temps verbaux et indicateurs, relations logiques.
Essayez de faire sentir aux élèves la différence entre situation et action, la situation pouvant être réalisée par un verbe d'action (une voiture arrivait, le train partait, etc.).

ATTENTION ! Dans l'enregistrement, vous avez « le feu était au vert » qui indique une situation, mais avec le verbe « passer » (le feu est passé au vert) vous aurez le passé composé, car on met l'accent sur l'action.
Expliquer dans l'enregistrement :
– BM signifie BMW (marque de voiture) ;
– le SAMU : Service d'Aide Médicale d'Urgence.

CORRECTIONS :

Écoutez le dialogue, regardez les images et choisissez le texte qui convient, selon qu'il évoque une action ou une situation :

a – Il était 17 h 30. Dans la rue, il y avait beaucoup de circulation.
b – Claude s'est arrêté à un passage protégé. Le feu est passé au vert pour les piétons.
c – Claude a traversé. Une voiture est arrivée à vive allure.
d – Elle a heurté Claude violemment.
e – Le conducteur est sorti de son véhicule. Un passant a appelé une ambulance.

COMPRÉHENSION

OBJECTIFS :
Identifier l'enchaînement d'un récit.

FICHE FLASH ≈ 30 MINUTES

1. Demander aux élèves de lire en un temps limité les cinq textes et leur donner ponctuellement des informations s'ils ont des difficultés. Il ne s'agit pas de comprendre chaque texte dans le détail.

2. Faire écouter les enregistrements un par un et demander, après chaque écoute, à quel texte il correspond.

3. Demander aux élèves quel est selon eux l'article le plus drôle.

RESSOURCES :
– 5 articles de presse.
– 5 enregistrements.

CONSEILS... SUGGESTIONS... REMARQUES...

Il ne s'agit pas d'analyser tous les temps employés, mais de faire ressentir l'enchaînement des événements.

CORRECTIONS :

Lisez les faits divers suivants. Écoutez les dialogues et dites quel fait divers est évoqué dans chaque dialogue :

– dialogue 1 : vacances explosives ;

– dialogue 2 : serpents charmants ;

– dialogue 3 : sauver Louise ;

– dialogue 4 : histoire à rebondissements ;

– dialogue 5 : braqueur trop émotif.

TRANSCRIPTIONS :

Compréhension

Dialogues

1. – Elle est bonne celle-là !
 – Dis voir…
 – Un touriste français qui avait garé sa voiture à Belfast dans un quartier dangereux ne l'a plus retrouvée en rentrant.
 – Et alors ?
 – C'est la police qui lui avait fait exploser. Ils croyaient qu'elle était piégée.
 – Quelles vacances !
 – L'office du tourisme lui a prêté une voiture.
 – C'est sympa, ça.
2. – Pourquoi tu ris ?
 – Dans *Libération*, ils racontent qu'au Niger, un charmeur de serpents a eu un accident de voiture.
 – Et alors ?

– Quand les secours sont arrivés, les serpents ont défendu leur maître.
 – Et comment ça s'est terminé ?
 – Eh bien, ils ont appelé un autre charmeur de serpents.
3. – Alors, c'était bien ce voyage aux États-Unis ?
 – Ah, ne m'en parle pas !
 – Pourquoi ?
 – Figure-toi que mon avion a été détourné sur Boston !
 – Par des pirates de l'air ?
 – Non ! Par un chien !
 – Comment ça ?
 – Il y a eu un problème dans la soute à bagages et le chien avait trop chaud. Il risquait de mourir.
 – Et l'avion s'est posé pour ça ?
 – Oui, les passagers ont voté. Tiens, lis, c'est dans le journal.
4. – Les enfants ! Arrêtez de sauter sur le lit !

– Mais maman, on s'amuse !
 – Vous ne savez pas ce que j'ai lu dans le journal ?
 – Quoi ?
 – Il y a un homme qui faisait du trampoline sur un lit, comme vous. Et bien, il est passé par la fenêtre du 2e étage.
 – Et il est mort ?
 – Non, mais il s'est retrouvé à l'hôpital.
 – Oui, mais nous, maman, on habite au rez-de-chaussée.
5. – C'est quoi un braqueur ?
 – Un braqueur ? C'est quelqu'un qui attaque une banque, « un gangster » comme vous dites aux États-Unis. « Braqueur » c'est une expression familière. Pourquoi tu me demandes ça ?
 – Il y a un article dans le journal.

RESSOURCES :
– 1 tableau sur l'emploi des temps.
– 1 série de dessins avec textes.

MISE EN FORME COMPRÉHENSION

OBJECTIFS :
Maîtriser les relations temporelles dans un récit (présent, imparfait, passé composé).

FICHE FLASH ≈ 30 MINUTES

1. Commencer par l'observation du tableau « emploi de l'imparfait et du passé composé ». Répondre aux questions des élèves.

2. Lire l'histoire page 176 à voix haute, de façon très expressive (geste et ton), puis demander à un élève de la lire.

3. Faire classer les phrases du récit en trois catégories : situation, action et identification.

4. Travailler ensuite le récit en compréhension écrite. Demander aux élèves de paraphraser et de continuer l'histoire.

CONSEILS... SUGGESTIONS... REMARQUES...

Quand on raconte une histoire, on donne des informations sur la situation et les actions. L'utilisation du passé composé et de l'imparfait est clairement explicitée par le tableau récapitulatif de la page 175.

N'insistez pas sur la morphologie de l'imparfait, elle sera abordée ultérieurement, page 178.

Vous pouvez proposer à vos élèves d'imaginer à leur tour un récit où ils utiliseraient l'imparfait pour décrire les situations et le passé composé pour décrire les actions. Ce travail peut s'effectuer par groupes de deux puis être corrigé individuellement.

Pour aller plus loin, consulter *La Grammaire utile du français*, chapitre 14, pages 222 à 224.

RESSOURCES :
– 1 image.

À VOUS !

OBJECTIFS :
Pratique du récit.

FICHE FLASH ≈ 20 MINUTES

1. Examiner avec les élèves les objets disposés sur la table et les faire identifier.

2. Leur proposer de travailler par groupes de deux pour mettre au point l'emploi du temps de J.-P. Arbelet : il a pris un taxi vers 9 h, il avait une valise, il est allé à la gare de Lyon, il a laissé sa valise dans une consigne, etc. Chaque groupe proposera l'emploi du temps reconstitué.

3. La classe fera ensuite des hypothèses sur les causes et les circonstances de la mort de J.-P. Arbelet.

CONSEILS... SUGGESTIONS... REMARQUES...

Cette activité ludique offre aux élèves la possibilité de travailler et de systématiser l'emploi de l'imparfait et du passé composé. Amenez la classe à confronter les différents emplois du temps, les circonstances et les causes de la mort de J.-P. Arbelet. Les laisser argumenter et justifier leur choix. Vous créez ainsi un véritable espace d'échanges.

Vous pouvez également proposer cette activité sous forme d'un jeu de rôles entre deux policiers qui ont des hypothèses différentes sur la mort de J.-P. Arbelet.

PHONÉTIQUE

OBJECTIFS :
Exprimer l'incrédulité.

RESSOURCES :
– 1 exercice de phonétique.
– 1 série d'enregistrements.

TRANSCRIPTIONS :

Phonétique : expression de l'incrédulité
Dialogue témoin
– La France va gagner la Coupe du Monde !
– La France ? Gagner la Coupe du Monde ? Ce n'est pas demain la veille !

1. – Pierre va faire un régime.
   – Pierre ? Faire un régime ? Tu plaisantes !
2. – Jean-Louis va écrire un livre.
   – Jean-Louis ? Écrire un livre ? Tu te moques de moi !
3. – Jean-Yves veut faire du sport.
   – Jean-Yves, faire du sport ? Arrête !
4. – Marion va traverser l'Atlantique à la voile.
   – Marion ? Traverser l'Atlantique à la voile ? Elle ne sait même pas nager !
5. – Mon grand-père veut faire du parachutisme.
   – Ton grand-père ? Faire du parachutisme ? À son âge !
6. – Antoine va faire du cinéma.
   – Antoine ? Faire du cinéma ? Mon œil !
7. – Jocelyne veut devenir mannequin.
   – Jocelyne ? Devenir mannequin ? Elle croit au Père No'l !
8. – Je vais préparer le repas.
   – Toi ? Préparer le repas ? Ce n'est pas possible !
9. – Joseph va exposer ses tableaux.
   – Joseph ? Exposer ses tableaux ? C'est une plaisanterie !
10. – Marie-Hélène veut jouer du piano.
    – Marie-Hélène ? Jouer du piano ? Pourquoi pas du trombone à coulisses ?

FICHE FLASH   ≈ 20 MINUTES

1. Définir le mot « incrédulité » avec les élèves, le faire traduire. Leur demander comment ils peuvent exprimer l'incrédulité dans leur langue.
2. Faire écouter le dialogue. Demander aux élèves de repérer l'intonation qui marque l'incrédulité.
3. Leur demander d'imaginer, par groupes de deux, les contextes dans lesquels ils pourraient entendre les phrases proposées.
4. Faire mettre en scène ces phrases et faire travailler tout spécialement l'expression de l'incrédulité.

CONSEILS... SUGGESTIONS... REMARQUES...

Ce type d'activité a déjà été proposé pour travailler le doute et la surprise. Sa mise en place devrait, par conséquent, s'effectuer plus rapidement que les deux précédentes.

OBJECTIFS :
Présentation de la morphologie de l'imparfait.

FICHE FLASH ≈ 20 MINUTES
1. Demander aux élèves de consulter le tableau qui donne la conjugaison des verbes à l'imparfait. Répondre aux éventuelles questions.
2. Faire faire l'exercice 116 puis proposer une correction collective.

CONSEILS... SUGGESTIONS... REMARQUES...
Les élèves apprendront la conjugaison des verbes à l'imparfait en faisant des exercices d'application. Vous pouvez leur faire apprendre par cœur les terminaisons mais ce qui est important, c'est qu'ils comprennent le mécanisme de formation.

ENTRAÎNEMENT
conjugaison
l'imparfait

CORRECTIONS :
Exercice 116

Observez les phrases suivantes et trouvez l'imparfait des verbes utilisés :

Exemple : Nous sortons du lit. → Je sortais du lit.

1. Nous buvons de l'eau. → Il buvait...
2. Vous voulez mon journal ? → Ils voulaient...
3. Nous comprenons bien. → Je comprenais...
4. Nous allons partir. → J'allais partir.
5. Nous ne pouvons pas dormir. → Ils ne pouvaient pas dormir.
6. Qu'est-ce que nous disons ? → Qu'est-ce que vous disiez ?
7. Vous avez beaucoup de travail. → Nous avions...
8. Nous ne connaissons personne. → Je ne connaissais...
9. Nous faisons un voyage. → Elle faisait...
10. Vous venez de Paris. → Tu venais...

OBJECTIFS :
Repérer les éléments qui constituent la cohérence d'un texte.

FICHE FLASH ≈ 40 MINUTES
1. Demander aux élèves de lire les différents extraits.
2. Expliciter les éléments qui posent un problème. Vous pouvez leur demander de travailler avec un dictionnaire unilingue pour trouver les définitions des noms des animaux cités (par exemple, le pangolin : mammifère couvert d'écailles, qui mange des fourmis).
3. Faire travailler sur une remise en ordre du texte et faire identifier les mots qui ont permis de rétablir l'ordre.
4. Proposer une correction collective.

RESSOURCES :
– 1 texte éparpillé.

CONSEILS... SUGGESTIONS... REMARQUES...

Vous pouvez proposer aux élèves de travailler en équipes afin de faciliter les échanges et qu'ils puissent discuter entre eux de la remise en ordre du texte. Il s'agit, dans cette activité, d'insister sur l'aspect logique ou non des enchaînements.

CORRECTIONS :

Reconstituez le texte en numérotant les paragraphes dans l'ordre qui convient :
Dans le restaurant de « Gros Nez » à Shonzhen, au sud de la Chine...
Le restaurant servait aussi...
Poursuivant leurs recherches, ils ont aussi découvert...
Ce restaurant était géré...
Le restaurateur s'est vu condamné.
La cuisine du Sud de la Chine est réputée... (Cet extrait peut également être placé en première position).

PHONÉTIQUE

OBJECTIFS :
Distinction entre l'expression de la surprise, du doute et de l'incrédulité.

FICHE FLASH ≈ 30 MINUTES

1. Passer les enregistrements.
2. Demander aux élèves de se regrouper par deux. Leur repasser les enregistrements et leur demander de compléter ensemble la grille.
3. Effectuer une correction collective.

CONSEILS... SUGGESTIONS... REMARQUES...

Pour l'activité de phonétique, il est très important de bien faire percevoir la différence entre les intonations, au risque d'exagérer parfois. Si des litiges s'installent entre les participants et que certaines phrases portent à confusion, laisser la discussion s'engager. L'objectif de cette activité n'est pas de trouver la bonne réponse mais de sensibiliser les élèves à l'importance de l'intonation dans le circuit de la communication.

CORRECTIONS :

Écoutez les enregistrements et dites s'ils expriment la surprise, le doute ou l'incrédulité :

	surprise	doute	incrédulité
1	x		
2		x	
3	x		
4			x
5			x
6		x	
7	x		
8		x	
9			x
10	x		

TRANSCRIPTIONS :

Phonétique :
surprise/doute/incrédulité

1. – Jean-Pierre est en France !
   – Il est en France ?
2. – Suzanne ? Elle a 23 ans.
   – 23 ans ? Tu es sûre ?
3. – Il a passé son bac à 15 ans.
   – À 15 ans !
4. – Mon frère a décidé de chercher du travail.
   – Ton frère ? Travailler ?
5. – C'est Guy qui va faire la cuisine !
   – Guy ? Faire la cuisine ? J'espère que c'est une plaisanterie.
6. – Il habite à Valence, dans le Rhône.
   – Valence ? C'est dans le Rhône ?
7. – Tu as écrit « cauchemar » avec un « d » à la fin.
   – Il n'y a pas de « d » à « cauchemar » ? Ah bon !
8. – Elle est blonde la femme de René.
   – Blonde ?
9. – Pascal est parti en Afrique.
   – Pascal ? En Afrique ? Je l'ai aperçu il y a quelques jours !
10. – Tu savais que seulement 5 % des hommes mariés font la vaisselle ?
   – 5 % ! Ce n'est pas beaucoup !

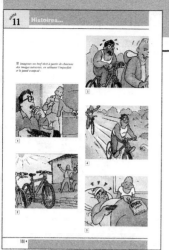

RESSOURCES :
– 5 dessins.
– 1 tableau récapitulatif.
– 1 exercice d'entraînement.

ENTRAÎNEMENT
fini / pas fini

OBJECTIFS :
– Pratique du récit.
– Repérer un événement terminé, un événement non terminé.

FICHE FLASH ≈ 40 MINUTES

1. Faire réaliser collectivement un récit à partir des dessins sur les deux amis qui vont faire de la bicyclette.

2. Passer à l'exercice 117. Travailler sur le sens des phrases en posant des questions : est-ce qu'il est encore dans son nouvel appartement ? Est-ce qu'elle continue à pleurer ? etc.

3. Demander aux élèves de classer les phrases de l'exercice en deux catégories :

– accompli : passé composé + indicateur (date, la semaine dernière, il y a + durée) et imparfait + il y a + durée (une semaine, deux ans, etc.) ;

– non accompli : présent + depuis + durée/cela fait + durée + que + présent/passé composé négatif + depuis + durée.

4. Travailler ensuite le tableau page 181 en demandant aux élèves de trouver des exemples pour chaque catégorie.

CONSEILS... SUGGESTIONS... REMARQUES...

Expliquer les notions de « fini » et « pas fini » en donnant aux élèves des exemples qui se réfèrent directement à leurs expériences ou aux expériences du groupe-classe.

Les nuances de « fini / pas fini » sont à apporter et à faire ressentir mais il faut éviter de tomber dans les règles formelles qui généralisent.

À cette phase de l'apprentissage, vous demanderez aux élèves une utilisation correcte des temps verbaux.

CORRECTIONS :

Exercice 117

Indiquez si l'événement évoqué est fini ou continue à exister au moment où on parle :

	fini	pas fini
Il est dans son nouvel appartement depuis 15 jours.		x
La semaine dernière, il a déménagé.	x	
Elle pleure depuis une heure.		x
Je n'ai pas dormi depuis deux jours.	x	
Marc a quitté la France en 1986.	x	
Je l'ai vu il y a trois jours.	x	
Elle travaille à l'université.		x
Cela fait 3 jours qu'il est malade.		x
Ça fait une heure que j'attends.		x
Il y a un an, j'étais en Espagne.	x	
Il y a 15 jours, il a fait très froid.	x	

PAGES 182, 183

À **VOUS !**

OBJECTIFS :
– Exprimer la chronologie.
– Exprimer la durée dans le présent et dans le passé.

FICHE FLASH   ≈ 40 MINUTES

1. Faire consulter les deux planches et rechercher les points communs, puis les différences, entre les deux vies de Pedro Malasuerte et de Javier Bonaventura. Vous pouvez guider le groupe en posant des questions qui aideront à la compréhension des documents : est-ce que les deux hommes sont nés dans le même milieu social ? Ont-ils la même ambition ? etc.

Le nom des deux personnages est une indication précieuse (Malasuerte = Mauvaisechance et Bonaventura = Bonnaventure).

2. Diviser la classe en deux groupes : l'un travaille sur le premier dessin et l'autre sur le deuxième. À l'issue d'une quinzaine de minutes, chaque groupe proposera oralement un récit. La correction se fera collectivement.

CONSEILS... SUGGESTIONS... REMARQUES...

Toutes les interprétations sont acceptables dès l'instant où elles sont justifiées et argumentées. Nous vous conseillons, pour cette activité, de procéder étape par étape et de consacrer le temps nécessaire à la compréhension des documents avant de passer à la production. Cette préparation vous permettra par ailleurs d'apporter le vocabulaire dont les élèves auront certainement besoin pour raconter la vie de ces deux personnages.

RESSOURCES :
– 2 dessins humoristiques.

PAGES 184, 185

À **VOUS !**    MISE EN FORME

OBJECTIFS :
Évoquer la durée dans le passé.

RESSOURCES :
– 6 dessins.
– 1 tableau récapitulatif.
– 1 exercice d'entraînement.

FICHE FLASH ≈ 40 MINUTES

1. À partir des images et du tableau de grammaire, amener les élèves à s'exprimer sur les trois séries d'images en leur demandant de formuler la même phrase de plusieurs façons. Par exemple :

   A2 : Il parle depuis deux heures.
   Il n'a pas cessé de parler depuis deux heures.
   Il n'arrête pas de parler.

   B2 : Il a terminé sa maison en un an.
   Il a mis un an pour construire sa maison.
   Il lui a fallu un an pour construire sa maison.

   C2 : Il a neigé pendant deux jours.
   Il n'a pas arrêté de neiger pendant deux jours.

2. Passer à l'exercice 118 qui sera corrigé collectivement.

CONSEILS... SUGGESTIONS... REMARQUES...

Pour situer une information, un événement dans le temps, on dispose des temps verbaux et des indicateurs de temps. Cette activité permet de travailler les indicateurs de durée – « depuis », « cela fait » et « il y a » – qui indiquent, dans la plupart des cas, que l'action continue au moment de l'énonciation. Les actions peuvent avoir eu lieu dans le passé mais les conséquences de ces actions ont un résultat qui dure au moment où l'on parle. Par exemple : « ils se sont mariés, il y a quinze jours ». C'est le fait d'être marié qui dure.

CORRECTIONS :

ENTRAÎNEMENT
depuis / il y a /
ça fait

Exercice 118

Complétez les phrases suivantes en utilisant « depuis »,
« cela fait », « il y a » :

1. Il y a/cela fait deux jours qu'elle est malade.
2. Il est au téléphone depuis au moins deux heures.
3. Il y a/cela fait un an que je ne l'ai pas vue.
4. Il y a un an, il a eu un grave accident.
5. Ils se sont mariés il y a quinze jours.
6. Il est au lit depuis lundi.
7. Il y a/cela fait une heure que je t'attends.
8. J'attends depuis midi.
9. Il y a/cela fait deux mois que je cherche un appartement.
10. Il m'a téléphoné il y a cinq minutes.

RESSOURCES :
– 4 exercices de phonétique.

TRANSCRIPTIONS :
Phonétique : [s] / [z]
– Ça va ?
– Si ça va ? Oui, c'est sûr, ça va. Et toi ?
– Moi, ça va aussi.
– Bon, ben, si ça va, ça va.
– Tu as soif ? Non ? Tu es sûr ?
– Une citronnade ?
– Oui, bien sûr. C'est si bon une citronnade

PHONÉTIQUE

OBJECTIFS :
Distinction entre les sons [s] et [z].

FICHE FLASH ≈ 20 MINUTES

1. Faire écouter puis répéter le dialogue.
2. Demander aux élèves de travailler par groupes de deux. L'un pose la question, l'autre y répond.
3. Demander aux mêmes groupes de faire l'exercice 3.
4. Passer au dernier exercice. Faire écouter les phrases et cocher le son entendu. Corriger collectivement.

CONSEILS... SUGGESTIONS... REMARQUES...

La distinction entre les deux sons a été abordée dans l'unité 2 page 33. Le son [z] est le son le plus fréquent dans les liaisons. L'opposition entre [s] et [z] joue un rôle important dans les liaisons. Elle permet de distinguer des formes comme « ils sont » et « ils ont ». C'est donc l'occasion de travailler sur les liaisons.

CORRECTIONS :

Écoutez les phrases et indiquez celles que vous avez entendues :

	[s]	[z]		[s]	[z]
1. Vous avez tout.		x	7. Ils s'observent avec attention.	x	
2. Ils offrent des gâteaux.		x	8. Ils sont froids.	x	
3. Ils s'aiment bien.	x		9. Ils aiment les carottes.		x
4. Ils s'attendent.	x		10. J'ai décidé.	x	
5. Ils s'entendent bien.	x		11. Vous avez parlé anglais ?		x
6. Ils écoutent attentivement.		x	12. Combien ? Dix sœurs !	x	

TRANSCRIPTIONS :

Exercice 4
1. Vous avez tout.
2. Ils offrent des gâteaux.
3. Ils s'aiment bien.
4. Ils s'attendent.
5. Ils s'entendent bien.
6. Ils écoutent attentivement.
7. Ils s'observent avec attention.
8. Ils sont froids.
9. Ils aiment les carottes.
10. J'ai décidé.
11. Vous avez parlé anglais ?
12. Combien ? Dix sœurs !

CIVILISATION

OBJECTIFS :

Approche de TV5, télévision francophone.

FICHE FLASH ≈ 40 MINUTES

1. Travailler sur les photos des émissions en essayant de faire trouver, à partir du titre et de la photo, de quel type d'émission il s'agit.

2. Demander aux élèves s'ils connaissent l'une de ces émissions. Si vous en avez la possibilité, passer des extraits de ces émissions.

3. À partir de la carte qui accompagne le texte sur TV5, demander aux élèves dans quels pays cette chaîne francophone peut être captée.

4. Passer à la lecture du texte en posant des questions précises qui aideront à la compréhension du document.

5. Demander aux élèves de présenter une émission de la télévision de leur pays d'origine.

CONSEILS... SUGGESTIONS... REMARQUES...

Bouillon de culture, animée par Bernard Pivot : émission culturelle.
Taratata, animée par Nagui : émission sur la chanson avec des invités.
Questions pour un champion, animée par Julien Lepers : jeu.
La Marche du siècle, animée par Jean-Marie Cavada : débat sur un sujet d'actualité ou sur un problème de société, avec des invités.
Journal télévisé de la télévision suisse romande.

RESSOURCES :
– 1 texte.
– 1 série de photos.

RESSOURCES :
– 1 série d'enregistrements (CO).
– 3 vignettes (EO).
– 1 article (CE).

ÉVALUATION

OBJECTIFS :
Évaluer les acquis dans les quatre compétences.

FICHE FLASH ≈ 45 MINUTES

Compréhension orale : le premier exercice demande aux élèves de resituer dans un calendrier, par rapport à une date donnée (le 25), un certain nombre d'événements. Le deuxième exercice reprend la distinction dans un récit des actions et des situations.

Expression orale : les élèves devront choisir d'être l'un des deux personnages de la bande dessinée pour raconter l'histoire du couple. Les temps du récit seront le passé composé et l'imparfait.

Compréhension écrite : il s'agit de répondre à un questionnaire à choix multiples après avoir lu l'article de *Libération*.

Expression écrite : le sujet de l'expression est ouvert. Aucun modèle n'est proposé aux élèves alors qu'au début de l'apprentissage, ils étaient guidés dans leur rédaction. Ils sont ici appelés à raconter un événement de leur vie passée. Ce récit peut être fictif.

CONSEILS... SUGGESTIONS... REMARQUES...

L'objectif de cette unité est de faire le point sur l'emploi de l'imparfait et du passé composé et d'utiliser ces deux temps en contexte. C'est l'occasion de revenir en arrière et d'identifier les problèmes que rencontrent les élèves.

CORRECTIONS :

COMPRÉHENSION ORALE (CO)

Écoutez les enregistrements et dites à quelle date correspond le jour évoqué dans chaque enregistrement (date de départ : le 25 mars) :
1-23, 2-18, 3-29, 4-20, 5-23.

Écoutez les enregistrements et dites si on évoque une action passée ou une situation passée :

	Action	Situation
1		x
2		x
3	x	
4		x
5	x	

TRANSCRIPTIONS :

Compréhension orale 1

1. Tiens, je n'ai pas vu Irène depuis 2 jours.
2. Armand est parti depuis une semaine.
3. Mes enfants arrivent dans 4 jours.
4. Ça fait 5 jours que je n'ai pas eu de ses nouvelles.
5. Il y a 2 jours, j'étais à Venise.

Compréhension orale 2

1. – C'était bien la fête chez Pierre ?
   – Super ! Il y avait plein de monde.
2. Cela fait deux mois que je n'ai pas de travail.
3. Je me suis fait opérer de l'appendicite.
4. – Qu'est-ce que vous faisiez entre 20 heures et 21 heures ?
   – J'étais chez moi, je regardais la télévision.
5. – Hier, j'ai eu une journée épouvantable. J'ai reçu 15 clients. J'ai envoyé une douzaine de fax. J'ai donné plus de 20 coups de téléphone.

MISE EN ROUTE

OBJECTIFS :
Sensibiliser les élèves aux différents temps, en particulier au futur.

FICHE FLASH ≈ 30 MINUTES

1. Écouter les différents extraits de chansons et demander aux élèves s'ils pensent que les temps employés sont plutôt au passé ou au futur.
2. Reprendre chaque extrait afin d'identifier l'interprète, le titre et les verbes employés.

CONSEILS... SUGGESTIONS... REMARQUES...

Cette étape doit se faire oralement, vous pouvez ultérieurement proposer les transcriptions des extraits et demander aux élèves de repérer les verbes conjugués. À partir des formes conjuguées, ils peuvent en déduire ou reconnaître certains infinifs. Par exemple : c'était = être.

CORRECTIONS :

1. Écoutez le micro-trottoir et dites si les textes de ces chansons sont écrits au futur ou au passé. Relevez quelques verbes utilisés :

1. Charles Trenet, futur : j'attendrai, tu arriveras, il fera.
2. Joe Dassin, futur : tu voudras, on s'aimera, l'amour sera.
3. Édith Piaf, passé : il portait, sa moto partait... semait.
4. Claude Nougaro, futur : tu verras, tout recommencera, je ferai.
5. Yves Montand, passé : on allait, nous étions, il y avait.
6. Barbara, futur : reviendras-tu.
7. Diane Dufresne, passé : j'ai rencontré, je l'ai vu, j'ai su.
8. Serge Gainsbourg, passé : cette chanson était.
9. Boris Vian, passé : mon père... faisait, c'était, il s'enfermait.
10. Joe Dassin, passé : je l'ai vue, elle gardait, j'ai demandé.

RESSOURCES :
– 10 enregistrements avec extraits de chansons.
– 7 pochettes de disques.

TRANSCRIPTIONS :

Mise en route

1. – Pardon monsieur, c'est pour un sondage sur la chanson française. Vous pourriez me chanter une chanson de Charles Trenet ?
– Heu... Charles Trenet... Attendez... Ah oui : « Je t'attendrai à la porte du garage, tu arriveras dans ta splendide auto. Il fera nuit, mais avec l'éclairage, on pourra voir jusqu'au flanc du coteau. »
2. – Pardon mademoiselle, vous connaissez une chanson de Joe Dassin ?
– Une chanson de Joe Dassin ? Heu... Attendez là... Ah ouais... voilà : « On ira, où tu voudras quand tu voudras et l'on s'aimera encore lorsque l'amour sera mort. Ce jour-là sera semblable à ce matin. Aux couleurs de l'été indien... »
3. – Bonjour. Vous pourriez me chanter un couplet de Piaf ?

– Alors, je vais essayer de vous chanter un petit quelque chose : « Il portait des culottes et des bottes de moto, un blouson de cuir noir avec un aigle sur le dos. Sa moto qui partait comme un boulet de canon, semait la terreur dans toute la région. »
4. – Vous pourriez me chanter un couplet de Nougaro ?
– Nougaro, pour moi c'est « Ah tu verras tu verras, tout recommencera tu verras tu verras. L'amour c'est fait pour ça tu verras tu verras. Je ferai plus... ». Je sais plus.
5. – Vous pouvez me chanter une chanson d'Yves Montand ?
– Ah... Yves Montand. Oh oui, oui : « Quand on allait de bon matin, quand on allait sur les chemins... À bicyclette... Nous étions quelques bons copains : il y avait Fernand, il y avait Firmin, il y avait Francis et Sébastien... Et puis Paulette. »
6. – Pardon monsieur, c'est pour un sondage sur la chanson française. Vous pourriez me chanter une chanson de Barbara.
– Oh, une chanson de Barbara...

Oh oui... « Dis quand reviendras-tu ? Dis, au moins le sais-tu... que tout le temps qui passe ne se rattrape guère. »
7. – Pardon, vous connaissez Diane Dufresne ?
– Oui, c'est la chanteuse canadienne qui chante « Aujourd'hui, j'ai rencontré l'homme de ma vie... au... au... au... aujourd'hui, au grand soleil, en plein midi. Mon horoscope me l'avait prédit, dès que je l'ai vu, j'ai su que c'était lui... »
8. – Bonjour monsieur, c'est pour un sondage. Vous pourriez me chanter une chanson de Gainsbourg ?
– Euh oui, attendez... Je me rappelle l'air, les paroles... ça y est : « J'aimerais tant que tu te souviennes. Cette chanson était la tienne. C'était ta préférée, je crois. Elle est de Prévert et Cosma. »
9. – Bonjour monsieur. Boris Vian, ça vous dit quelque chose ?
– Boris Vian. Bien sûr, oui. Pour moi, c'est la Java des bombes atomiques. Vous connaissez ?
– Oui, bien sûr.
– « Mon père un fameux bricoleur faisait en amateur des bombes atomiques. Sans avoir jamais rien appris c'était un vrai génie question travaux pratiques. Il s'enfermait pendant des heures au fond de son atelier pour faire des expériences... » Après je ne m'en rappelle plus.
10. – Bonjour monsieur. Je voudrais que vous me chantiez une chanson de Joe Dassin. C'est possible ?
– Ah oui, c'est possible : « Je l'ai vue près d'un laurier elle gardait ses blanches brebis. Quand j'ai demandé d'où venait sa peau fraîche elle m'a dit... c'est de siffler dans la rosée qui rend les bergères jolies. Mais quand j'ai dit qu'avec elle je voulais y rouler aussi, elle m'a dit... elle m'a dit d'aller siffler là haut sur la colline... de l'attendre avec un petit bouquet d'églantines... J'ai cueilli mes fleurs et j'ai sifflé tant que j'ai pu... J'ai attendu, attendu elle n'est jamais venue... »

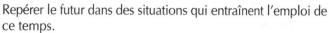

RESSOURCES :
– 2 séries de dessins.
– 1 série de dialogues.

TRANSCRIPTIONS :

Compréhension
Dialogues

1. – On va où ?
   – Je ne sais pas, au Saint-Germain par exemple.
   – C'est toujours plein.
   – S'il n'y a pas de place au Saint-Germain on ira au vietnamien qui est juste en face.

2. – Tu m'emmènes toujours à Bordeaux ?
   – Écoute, j'hésite un peu. Depuis quelques jours ma voiture fait un drôle de bruit.
   – C'est pas grave, je prendrai le train.

3. – Je crois que je vais annuler la fête de demain soir.
   – Pourquoi ? Tout le monde est prévenu.
   – La maison est en désordre, je n'ai pas fait la vaisselle depuis quinze jours et demain j'ai du travail jusqu'à 6 heures.
   – Si tu veux je passerai dans l'après-midi avec Suzie, on rangera tout, on passera l'aspirateur et on préparera le repas. Quand tu arriveras, tout sera prêt !

4. – Monsieur le directeur, Monsieur Marchand est passé prendre sa voiture. Elle n'était pas prête. Il est très mécontent et dit que c'est la dernière fois qu'il vient dans ce garage.
   – Vous lui téléphonerez cet après-midi et vous lui prêterez une voiture jusqu'à lundi et vous lui ferez des excuses de ma part.
   – Bien Monsieur le directeur.

5. – Allô Martine ? C'est Sylvie. J'ai un petit problème. Je dois rester au bureau pour terminer un rapport.
   – Bon, j'ai compris. Donc, j'irai chercher les enfants à la sortie de l'école, je les ferai manger.
   – Je serai là vers 9 heures. Merci Martine.

COMPRÉHENSION

OBJECTIFS :
Repérer le futur dans des situations qui entraînent l'emploi de ce temps.

CONSEILS... SUGGESTIONS... REMARQUES...

Cette activité est une phase de sensibilisation à l'emploi du futur simple. Il sera systématisé ultérieurement.

CORRECTIONS :

1. Écoutez les dialogues et mettez en relation les problèmes évoqués et les solutions proposées :

• dialogue 1 = image 1 + image d.
• dialogue 2 = image 3 + image b.
• dialogue 3 = image 4 + image c.
• dialogue 4 = image 2 + image e.
• dialogue 5 = image 5 + image a.

OBJECTIFS :
Identifier de manière systématique les formes du futur.

FICHE FLASH ≈ 30 MINUTES

1. Faire repérer, dans l'exercice 119, les verbes conjugués au futur puis demander aux élèves de retrouver les infinitifs de ces verbes.
2. Présenter le tableau et laisser les élèves le commenter.

CONSEILS... SUGGESTIONS... REMARQUES...

L'apprentissage du futur complète la palette des trois périodes primaires indispensables pour comprendre et pour parler une langue.

RESSOURCES :
– 1 exercice d'application.
– 1 tableau récapitulatif.

ENTRAÎNEMENT
futur simple

CORRECTIONS :

Exercice 119

Lisez les phrases, soulignez les verbes au futur et écrivez l'infinitif :

	infinitif
1. Le temps <u>changera</u> dans la matinée de demain.	Changer
2. Le médecin pense que Martine <u>ira</u> mieux la semaine prochaine.	Aller
3. Tu <u>pourras</u> me prêter ta voiture lundi soir ?	Pouvoir
4. Pour dîner, nous <u>ferons</u> du poisson.	Faire
5. Je te <u>préviendrai</u> dès que possible.	Prévenir
6. Venez quand vous <u>voudrez</u> !	Vouloir
7. Irène <u>passera</u> la semaine prochaine.	Passer
8. Avec cette pluie, nos copains ne <u>viendront</u> pas.	Venir
9. Nous vous <u>écrirons</u> dès notre arrivée.	Écrire
10. Il <u>faudra</u> payer la facture avant le 31 octobre.	Falloir
11. Il <u>reprendra</u> son poste après les vacances.	Reprendre

	infinitif
12. Je ne <u>pourrai</u> pas te rembourser avant deux mois.	Pouvoir
13. Le temps <u>sera</u> assez doux demain, avec des averses dans le Sud-Ouest.	Être
14. Après deux kilomètres environ, vous <u>tournerez</u> à droite.	Tourner
15. Dès que je <u>saurai</u> où est allée Catherine, je te le <u>dirai</u>.	Savoir/dire
16. Écoute ! Lundi matin, je <u>viendrai</u> un peu plus tard que d'habitude.	Venir
17. Je ne pense pas que nous <u>arriverons</u> à Périgueux avant dix heures.	Arriver
18. Elles ne <u>pourront</u> pas terminer ce travail avant jeudi.	Pouvoir
19. Je t'<u>enverrai</u> ma nouvelle adresse.	Envoyer
20. Tu <u>feras</u> attention au chien : il est méchant !	Faire

OBJECTIFS :
– Observer le fonctionnement de différents temps.
– Faire prendre conscience des différentes façons d'exprimer le passé et le futur.

FICHE FLASH	≈ 30 MINUTES

1. Demander aux élèves de lire individuellement les textes et de relever les futurs.
2. Faire travailler par deux un des textes qu'il faudra réécrire au passé.
3. Faire observer le tableau qui présente deux autres façons d'exprimer le futur.

CONSEILS... SUGGESTIONS... REMARQUES...
Utilisez le tableau pour présenter systématiquement le futur proche et le passé récent. N'hésitez pas à donner des exemples sur les temps traités au fur et à mesure que vous réalisez les activités.

RESSOURCES :
– 1 texte.
– 1 tableau récapitulatif.
– 3 cartes météorologiques.

OBJECTIFS :
Comprendre des prévisions météorologiques.

FICHE FLASH	≈ 15 MINUTES

1. Demander aux élèves d'observer les cartes.
2. Faire écouter les enregistrements et identifier la carte correspondant aux prévisions météorologiques annoncées.
3. Corriger collectivement.

CONSEILS... SUGGESTIONS... REMARQUES...
Il ne s'agit pas de travailler dans cette activité une compréhension détaillée des documents sonores mais de privilégier la compréhension globale.
Votre travail consiste à amener les élèves à détecter, dès la première écoute, les informations pertinentes à la compréhension globale du document.

CORRECTIONS :
Écoutez les prévisions de la météo et dites quelle carte météorologique correspond à chaque prévision :
– Enregistrement 1 : carte 2.
– Enregistrement 2 : carte 3.

RESSOURCES :
– 1 série d'enregistrements.

TRANSCRIPTIONS :

Compréhension

Une zone de haute pression sur le golfe de Gascogne amènera pour demain un beau temps généralisé sur l'ensemble du territoire. Les brumes se dissiperont en fin de matinée. Soleil et ciel bleu marqueront la journée de demain. Journée idéale donc pour ceux qui voudront profiter de la campagne ou aller à la plage. Le thermomètre montera jusqu'à 23° dans la région de Perpignan et atteindra un maximum de 25° à Ajaccio. Toutefois des vents modérés souffleront sur les côtes de l'Atlantique et quelques orages pourront éclater en fin de journée.

Grisaille pour demain. Une dépression s'installera durablement sur la France et ne laissera aucun espoir de beau temps. Des pluies, parfois violentes, s'abattront sur la plupart des régions. La neige tombera même en altitude dans le massif Central et sur les Alpes. Le thermomètre descendra en dessous de zéro dans l'est de la France. Il fera -1° à Paris et jusqu'à -5° à Strasbourg. Ces températures, nettement inférieures aux normales saisonnières, persisteront jusqu'à vendredi où un nouvel anticyclone ramènera le beau temps.

OBJECTIFS :

Détecter le contentement ou le mécontentement.

PHONÉTIQUE

FICHE FLASH ≈ 20 MINUTES

1. Faire écouter le premier enregistrement et demander aux élèves d'identifier l'intonation de chacune des phrases.
2. Passer tous les dialogues.
3. Regrouper les élèves par deux. Leur demander de reproduire chacun des dialogues en imaginant à chaque fois le contexte dans lequel il peut avoir lieu.
4. Chaque groupe choisit un de ces dialogues pour le mettre en scène devant la classe.

CONSEILS... SUGGESTIONS... REMARQUES...

Il ne suffit pas de comprendre une langue pour percevoir les intentions de communication des locuteurs. C'est la raison pour laquelle, dans *Tempo*, nous proposons un nombre important d'exercices sur l'intonation. Ce type d'entraînement est destiné à faire de l'apprenant un meilleur auditeur et, par conséquent, un meilleur interlocuteur.

RESSOURCES :
– 2 exercices de phonétique.

TRANSCRIPTIONS :

dialogue témoin
– Les enfants, j'ai fait des frites.
– Des frites ! J'adore les frites !
– Des frites ! Je déteste les frites !
1. – On va faire une promenade à vélo.
   – Chic ! Du vélo ! J'adore le vélo !
   – Encore du vélo ! Je déteste le vélo !
2. – Les enfants, je vous emmène manger au Mac Donald !
   – Youpie ! On va au Mac Do ! J'adore le Mac Do !
   – Le Mac Do, toujours le Mac Do ! J'ai horreur du Mac Do !
3. – Qui veut de la soupe ?
   – Chouette ! De la soupe ! J'adore la soupe !
   – Encore de la soupe ! J'ai horreur de la soupe !
4. – Qu'est-ce qu'on mange aujourd'hui ?
   – Des spaghettis.
   – Des spaghettis ! Super ! J'adore les spaghettis !
   – Oh non ! Des spaghettis ! Je déteste ça !
5. – Bon, maintenant, au travail.
   – Chic ! J'aime bien travailler !
   – Le travail ! Toujours le travail ! Encore le travail !
6. – Il fait beau ?
   – Non, il pleut.
   – Super ! J'adore la pluie !
   – Ce n'est pas possible ! Je déteste la pluie !
7. – Bon, j'ouvre une bouteille de champagne ?
   – Youpie ! Du champagne ! J'adore le champagne !
   – Oh non ! Du champagne ! Je déteste ça !
8. – On va se baigner ?
   – Chic ! On va se baigner ! J'adore ça !
   – Zut ! On va se baigner ! Je déteste l'eau !
9. – Allume la télé. Il y a un match de foot !
   – Chouette ! Du foot ! J'adore ça !
   – Ah non ! Encore du foot ! Je ne supporte pas le foot !
10. – J'ai invité l'oncle Ernest pour le week-end.
   – Chic alors ! L'oncle Ernest ! J'adore l'oncle Ernest !
   – Encore l'oncle Ernest ! Je déteste l'oncle Ernest !

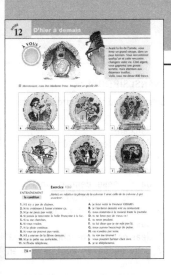

À VOUS !

OBJECTIFS :
Systématisation de l'emploi du futur.

FICHE FLASH ≈ 20 MINUTES

1. À partir des images, faire imaginer ce que Madame Irma, diseuse de bonne aventure, dit à son client.

2. Mettre en commun oralement toutes les productions. Vous demanderez aux élèves d'être très attentifs à l'utilisation du futur.

3. Passer à l'exercice 120 qui met en relation deux propositions.

4. Corriger collectivement l'exercice.

CONSEILS... SUGGESTIONS... REMARQUES...

L'exercice 120 amène les élèves à parler de quelque chose que l'on va faire si un événement a lieu ou si une situation particulière existe. Leur faire remarquer que dans les phrases données, le verbe qui suit la proposition avec « si » est conjugué au présent de l'indicatif, alors que dans la deuxième proposition le verbe est au futur de l'indicatif, futur simple ou proche.

CORRECTIONS :

Exercice 120

ENTRAÎNEMENT
la condition

Mettez en relation la phrase de la colonne 1 avec celle de la colonne 2 qui convient :
1 H, 2 D, 3 K, 4 B, 5 I, 6 J, 7 C, 8 G, 9 A, 10 E, 11 F.

MISE EN FORME

OBJECTIFS :
Parler du futur en utilisant le présent.

FICHE FLASH ≈ 30 MINUTES

1. Faire écouter le premier enregistrement et demander aux élèves de compléter la grille de l'exercice 121.

2. Corriger collectivement l'exercice.

3. Passer au deuxième exercice. Demander aux élèves de lire les expressions de temps. Les expliquer.

4. Faire écouter l'enregistrement et identifier les expressions utilisées.

5. Procéder à une correction collective.

6. Faire observer le tableau et répondre aux éventuelles interrogations des élèves.

CONSEILS... SUGGESTIONS... REMARQUES...

Le présent est souvent employé dans la langue parlée à la place du futur. C'est, en fait, en fonction de la situation de communication et des registres de langue que l'on choisira l'un plutôt que l'autre. Le futur verbal est souvent préféré au présent lorsque l'information que l'on donne est concrète.

Les exercices 121 et 122 ont été conçus pour amener les apprenants à découvrir que le présent peut être employé comme futur. C'est en faisant le premier exercice que les élèves seront confrontés à cette réalité. Lors de la correction de l'exercice, demander aux élèves de justifier leurs réponses et de vous donner exactement le mot qui leur permet de préciser s'il s'agit du présent, du passé ou du futur.

La présentation des indicateurs de temps sera reprise sous forme de tableau récapitulatif page 197.

ENTRAÎNEMENT
présent
passé
futur

CORRECTIONS :

Exercice 121

Écoutez l'enregistrement et précisez si on parle du passé, du présent ou du futur :

	Passé	Présent	Futur
1			x
2	x		
3			x
4			x
5		x	

	Passé	Présent	Futur
6	x		
7			x
8		x	
9			x
10		x	

ENTRAÎNEMENT
expressions
de temps
(futur)

Exercice 122

Écoutez les enregistrements et identifiez les expressions de temps (futur) utilisées dans chaque enregistrement :

	1	2	3	4	5	6	7	8	9	10	11	12
demain	x											
après-demain										x		
la semaine prochaine											x	
l'année prochaine					x							
ce soir						x						
cet après-midi									x			
dans quinze jours		x										
dans un mois			x									
bientôt												x
le + date							x					
à + heure								x				
lundi, mardi, mercredi								x				
lundi, mardi prochain				x								

TRANSCRIPTIONS :

Entraînement : passé/présent/futur

1. Il passe son baccalauréat dans deux ans.
2. Antoine vient de téléphoner.
3. Attends cinq minutes : ma sœur ne va pas tarder.
4. Je t'appelle demain, vers cinq heures ? D'accord ?
5. Depuis ce matin, je ne me sens pas bien.
6. Jean est sorti chercher le journal.
7. Cette année, en août, je vais en Turquie.
8. Attends une seconde : j'ai terminé.
9. On vous écrira.
10. Mes parents vont très bien.

TRANSCRIPTIONS :

Expressions de temps : le futur

1. Demain, j'arrête de fumer.
2. Il revient dans quinze jours.
3. Je commence mon travail dans un mois.
4. Dimanche prochain, c'est mon anniversaire.
5. L'année prochaine, je vais en vacances en Grèce.
6. Ce soir, je t'invite au restaurant.
7. Il se marie le 13 décembre.
8. Il arrive lundi à 18 h 57.
9. Tu joues au tennis cet après-midi ?
10. Après-demain, c'est le printemps.
11. La semaine prochaine, je vais à un congrès à Berlin.
12. C'est bientôt les vacances.

unité 12 D'hier à demain

RESSOURCES :
– 1 série d'images.

À VOUS ! **OBJECTIFS :**
Parler de l'avenir.

FICHE FLASH ≈ 30 MINUTES

1. Faire décrire aux élèves la vie de Jean-Yves.

2. Leur faire imaginer ensuite les résolutions qui changeront la vie de ce personnage.

CONSEILS... SUGGESTIONS... REMARQUES...

Vous pouvez proposer aux élèves de parler à leur tour de leurs projets, de leurs résolutions, etc.

L'ANPE signifie : Agence Nationale Pour l'Emploi. Cet organisme d'État gère en France les problèmes de chômage.

D'hier à demain unité 12

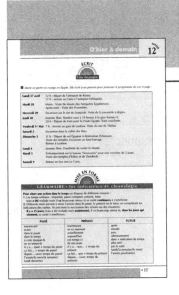

RESSOURCES :
– 1 programme.
– 1 tableau récapitulatif.

ÉCRIT  MISE EN FORME **OBJECTIFS :**
Exposer des projets à l'écrit.
Faire le point sur les indicateurs de temps.

FICHE FLASH ≈ 40 MINUTES

1. Faire observer aux élèves le tableau des indicateurs de chronologie et apporter les explications nécessaires.

2. Passer à l'activité « Écrit ». Expliquer éventuellement le programme.

3. Demander aux élèves de rédiger une lettre individuellement ou à deux. La correction peut s'effectuer individuellement ou collectivement.

CONSEILS... SUGGESTIONS... REMARQUES...

La grille d'évaluation du travail écrit peut être soumise aux élèves afin que les objectifs attendus soient clairement identifiés. Vous évaluerez l'aspect formel de la lettre (adresse, disposition, formule de clôture, signature, etc.), l'utilisation des pronoms « on » et « nous », l'emploi des temps et des indicateurs de temps. Un autre programme peut être imaginé par les élèves et la même activité, reconduite de la même façon, à partir de nouvelles données.

CIVILISATION

OBJECTIFS :
Repérer les temps forts des cinquante dernières années en France.

FICHE FLASH ≈ 40 MINUTES

1. Partir du tableau « Les grandes dates qui comptent en France ». Demander aux élèves de repérer les six périodes, puis les dates importantes pour chacune d'entre elles. Par exemple : l'après-guerre, date clé 1947, droit de vote pour les femmes.

2. Laisser une quinzaine de minutes pour faire découvrir le contenu du document et répondre aux questions.

3. Puis, faire associer les photos à une des périodes évoquées dans le tableau.

4. Enfin, demander aux élèves d'établir à leur tour un tableau retraçant les grands moments de l'histoire de leur pays pour les cinquante dernières années.

5. Terminer cette unité en essayant de faire deviner l'âge des personnes dont le discours est retranscrit à la fin de la page 201. Les âges sont approximativement les suivants : 50 ans, 70 ans, 60 ans.

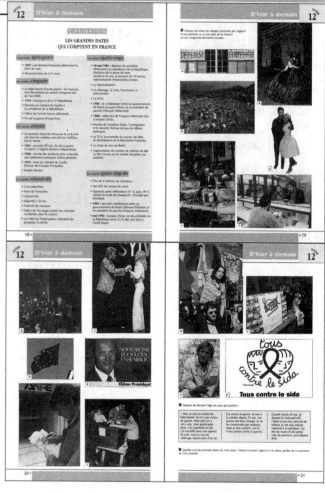

RESSOURCES :
– un tableau récapitulatif.
– 16 photos.
– 3 témoignages.

CORRECTIONS

Essayez de situer les images suivantes par rapport à une période ou à une date de la France de ces cinquante dernières années :

a. 1968. « Défense d'interdire » est un des slogans célèbres de cette époque, qui est passé maintenant à la postérité, au même titre que « métro, boulot, dodo » et « sous les pavés, la plage ».

b. Début du mouvement écologique, manifestation contre les centrales nucléaires, pour le Larzac.

c. Élection du président Mitterrand en mai 1981.

d. Défilé de Jean-Paul Goude sur les Champs-Élysées à l'occasion du bicentenaire de la Révolution française.

e. Brigitte Bardot, actrice, symbole des années 60.

f. Bureau de l'ANPE, caractérise les années 80 avec l'augmentation massive du taux de chômage.

g. Conférence de presse du Général de Gaulle.

h. Drapeau de la Communauté européenne, traité de Maastricht.

i. Recherche d'un emploi.

j. Couple de chanteurs célèbres, Sylvie Vartan et Johnny Halliday, symbole des années 60.

k. Élection du président Chirac en mai 1995.

l. Premier vote des femmes en 1947.

m. Manifestations de mai 68.

n. Les « Restos du cœur » ont été créés par Coluche en 1985. Chaque hiver, ces « restos » servent gratuitement quelque 31 millions de repas aux personnes les plus démunies.

o. Gérard Depardieu, acteur populaire des années 80 et 90.

p. Affiche de campagne pour lutter contre le SIDA, années 80. C'est en 1983 qu'une équipe de l'Institut Pasteur, à Paris, identifie le virus.

OBJECTIFS :

Évaluer les acquis dans les quatre compétences.

FICHE FLASH ≈ 45 MINUTES

Compréhension orale : repérage dans le temps : présent / futur.

Expression orale : à partir d'un programme pré-établi, l'élève devra imaginer qu'il part en croisière et qu'il explique à un ami son voyage. Assurez-vous que tous les outils présentés dans l'unité, pour faire des projets, sont réemployés à bon escient.

Compréhension écrite : il s'agit de lire un texte très court et de répondre à cinq questions essentielles : qui ? quoi ? où ? quand ? pourquoi ? C'est la compréhension globale du document qui est évaluée.

Expression écrite : le canevas proposé doit aider l'élève à rédiger un court CV* qu'il peut imaginer.

CONSEILS... SUGGESTIONS... REMARQUES...

L'objectif des trois dernières unités du livre 1 est d'approfondir les notions de temps abordées dès le début de l'apprentissage. Les apprenants doivent être capables de parler du passé et de se projeter dans le futur.
* Un CV (curriculum vitae) est un document qui retrace rapidement la vie professionnelle et les études d'une personne. On envoie un CV lorsque l'on cherche un emploi. Il est normalement accompagné d'une lettre de motivation. Vous pouvez exiger, pour l'activité d'expression écrite, que le CV soit rédigé, bien que dans la pratique ce type de document ne le soit pas vraiment.

CORRECTIONS :

COMPRÉHENSION ORALE (CO)

Écoutez le dialogue (il a lieu le jeudi 16) et précisez sur l'agenda quels jours ont eu lieu (ou auront lieu) chacun des évènements évoqués :

Lundi 13		Lundi 20	
matin		matin	*Réponse RV M. Bridel*
après-midi		après-midi	
Mardi 14		Mardi 21	
matin	*tel Japon*	matin	*RV avec M. Bridel*
après-midi	*Fin rapport Espagne*	après-midi	
Mercredi 15		Mercredi 22	
matin		matin	
après-midi		après-midi	
Jeudi 16		Jeudi 23	
matin		matin	*Arrivée Japonais*
après-midi	*Prendre RV avec M. Bridel*	après-midi	
Vendredi 17		Vendredi 24	
matin	*Conseil d'administration*	matin	*Rencontre avec Japonais*
après-midi		après-midi	
Samedi 18		Samedi 25	
matin		matin	
après-midi		après-midi	
Dimanche 19		Dimanche 26	
matin		matin	
après-midi		après-midi	

RESSOURCES :
– 1 dialogue (CO).
– 1 programme de voyage (EO).
– 1 texte (CE).

TRANSCRIPTIONS :

Compréhension orale

– Agnès, est-ce que vous pourrez me prendre un rendez-vous avec Monsieur Bridel, du Crédit toulousain, pour le mardi 21 ?
– Je m'en occuperai cet après-midi et je vous donnerai une réponse lundi matin.
– Vous avez suivi l'affaire des Japonais ?
– Je leur ai téléphoné avant-hier. Ils seront là jeudi et vous pourrez les rencontrer vendredi matin.
– Et le rapport sur notre filiale espagnole ?
– Il est terminé depuis 2 jours monsieur.
– Très bien. Vous m'en ferez 10 photocopies pour la réunion du conseil d'administration de demain.
– Bien monsieur.

COMPRÉHENSION ÉCRITE (CE)

Lisez le texte et remplissez la grille :

– Qui ? Deux hommes.
– Quoi ? Ont obligé une femme à les conduire à l'aéroport.
– Où ? Sur la place des Fleurs.
– Quand ? Hier, à 19 h 30.
– Pourquoi ? Ils voulaient quitter la France.

RESSOURCES :
– 3 images (EE).
– 2 invitations (EE).

CONSEILS... SUGGESTIONS... REMARQUES...

Les épreuves proposées vous permettront de faire le bilan sur tous les acquis des élèves et d'évaluer leur progression. Nous vous conseillons d'accorder un temps raisonnable pour faire le point sur les besoins des apprenants, sur leurs attentes et leurs souhaits.

123. Accompli/inaccompli

Indiquez si l'événement évoqué est fini ou continue d'exister au moment où l'on parle :

	Fini	Pas fini
1. Robert est au Brésil depuis juin dernier.		x
2. Claire vient de sortir.	x	
3. Ça fait une heure qu'il parle.		x
4. Hier soir, il a eu un malaise.	x	
5. Qu'est-ce qu'il a fait chaud en juillet !	x	
6. Il y a exactement trois mois, j'étais à Lisbonne.	x	
7. Nous sommes partis vers 23 h 30.	x	
8. Lucie ? Elle s'est mariée.	x	
9. J'ai rencontré Raymond il y a huit jours.	x	
10. Cela fait bien une semaine qu'il est absent.		x

124. Présent/passé

Écoutez l'enregistrement des dialogues et dites si c'est le présent ou le passé :

	présent	passé
1		x
2	x	
3		x
4		x
5	x	
6		x
7	x	
8		x
9		x
10		x

125. Présent/passé

Écoutez l'enregistrement des dialogues et dites si c'est le présent ou le passé :

	présent	passé
1		x
2	x	
3		x
4	x	
5		x
6	x	
7		x
8	x	
9		x
10	x	

126. Passé composé avec « être » ou « avoir »

Complétez les phrases suivantes avec la forme de l'auxiliaire qui convient (« être » ou « avoir ») :

1. Avant-hier, Hélène a perdu son portefeuille sur le parking du supermarché.
2. Tiens ! Les Lelong sont rentrés de vacances : leurs fenêtres sont ouvertes.
3. Nous sommes passés par le tunnel du Mont-Blanc pour aller en Italie.
4. Est-ce que tu as revu Jean-Michel depuis qu'il a déménagé ?
5. Son cousin est mort la semaine dernière dans un accident de voiture.
6. Est-ce que vous avez regardé le reportage sur le Cameroun, hier soir, sur France 2 ?
7. René a suivi un séminaire sur les techniques de communication. Ça lui a beaucoup plu.
8. Est-ce que Catherine et Sébastien ont passé leur bac ?
9. Josette est tombée à vélo. Heureusement, elle n'a pas de mal.
10. Je suis triste : ma copine est partie hier matin pour un mois.

127. Imparfait/passé composé

Complétez le texte suivant en utilisant le passé composé ou l'imparfait :

Gérard et Armelle se sont rencontrés pendant les vacances. Il était en visite chez ses parents à Biarritz ; elle séjournait à l'hôtel des Flots bleus. Un samedi soir, la municipalité de Biarritz a organisé un bal public. C'était le 14 juillet. Quand Gérard a vu Armelle, il en est immédiatement tombé amoureux. Elle était adorable dans sa robe jaune à fleurs. Il l'a invitée à danser et depuis ils ne se sont plus quittés !

128. Conjugaison du passé composé

Complétez la phrase en mettant le verbe au passé composé, à la forme qui convient :

1. Il y a deux ans, elle a parcouru toute l'Amérique du Nord pendant six mois.
2. En deux jours, ils sont montés au sommet du Mont Olympe.

3. L'équipe de Turquie a gagné 5 à 3.
4. Qu'est-ce qu'il est devenu, ton vieux copain Robert ?
5. Quelle robe elle a choisie ?
6. J'ai cru ce qu'elle me disait.

129. Conjugaison du passé composé

Complétez la phrase en mettant le verbe au passé composé, à la forme qui convient :

1. Nos voisins nous ont permis d'utiliser leur piscine pendant leur absence.
2. Nous avons reçu de bonnes nouvelles de notre fille Sylvie.
3. Marie-Noëlle est partie en retraite la semaine dernière.
4. Il n'a même pas voulu me recevoir !
5. J'ai rencontré Rachel : elle m'a paru fatiguée.
6. David a offert à Danielle une montre magnifique.
7. Je n'ai toujours pas compris pourquoi Michel est fâché contre moi.
8. Excuse-moi : je n'ai pas pu venir plus tôt.
9. Ils ont vécu très longtemps en Afrique.
10. Est-ce que vous avez rempli la fiche d'embarquement ?

130. Les formes du participe passé

Complétez les phrases avec le participe passé qui convient :

1. Où est-ce que tu as mis mon livre de français ?
2. On nous a dit de venir dimanche.
3. Je n'ai pas encore répondu à sa lettre.
4. Nous avons accueilli des amis autrichiens.
5. Qui vous a vendu cette voiture ?
6. Il t'a attendu (e) une heure et il est parti.
7. Je n'ai pas pris de pain : je pensais qu'il en restait.
8. Ce soir, je vous invite au restaurant Le Grillon : j'ai retenu une table.
9. Le facteur est passé à 9 h 30.
10. À quelle heure êtes-vous arrivé (e) (s) (es) ?

131. Expression de la durée : en/pendant

Complétez les phrases en utilisant « en » ou « pendant ».

1. J'ai vécu au Venezuela pendant six ans.
2. Il a fait le voyage jusqu'en Italie en 10 heures.
3. Nous nous sommes promenés dans les Alpes pendant quinze jours.
4. Il a terminé son travail en deux heures.
5. Je lui ai rendu visite à l'hôpital pendant sa maladie.
6. Il a guéri en trois semaines.

132. Imparfait/passé composé

Dites si c'est l'imparfait ou le passé composé qui a été utilisé :

1. Je lui ai téléphoné avant-hier.
2. Claude était là tout à l'heure.
3. Tu nous a manqué.
4. C'est ce qu'il voulait.
5. Ils venaient là chaque été.
6. Je suis sorti hier soir.
7. Je n'avais plus d'argent.
8. J'aimais bien ce qu'il faisait.
9. J'ai répondu tout de suite à sa lettre.
10. La semaine dernière, il allait bien.

	imparfait	passé composé
1		x
2	x	
3		x
4	x	
5	x	
6		x
7	x	
8	x	
9		x
10	x	

133. Imparfait/présent

Dites si c'est l'imparfait ou le présent qui a été utilisé :

1. Nous voulions partir à 17 heures.
2. Vous avez raison.
3. Qu'est-ce que vous faisiez à cet endroit ?
4. En 1984, nous étions au Mexique.
5. Vous faites les courses le mardi soir ?
6. Nous avions raison.
7. Nous aimons bien partir en vacances de neige.
8. Vous vouliez me voir ?
9. Nous vous attendions.
10. Vous partez ?

	imparfait	présent
1	x	
2		x
3	x	
4	x	
5		x
6	x	
7		x
8	x	
9	x	
10		x

134. Depuis/Il y a/Il y a... que/Ça fait... que

Complétez les phrases suivantes avec : « depuis/ça fait... que/il y a/il y a... que ».

1. Il est malade depuis mardi dernier.
2. Ça fait quinze jours que je lui ai écrit./Il y a quinze jours que je lui ai écrit.
3. Je ne l'ai pas vu depuis trois jours.
4. Je l'attends depuis midi.
5. Il travaille depuis une semaine.
6. Il y a six mois qu'il est parti. / Ça fait six mois qu'il est parti.
7. Je l'ai vu il y a une heure à peine.
8. J'ai connu André il y a vingt ans.
9. Ils se sont mariés il y a six mois.
10. Depuis notre rencontre, nous nous écrivons tous les jours.

135. Le futur

Mettez au futur les verbes entre parenthèses :

1. Rose viendra demain matin.
2. Je verrai si je peux faire ce travail.
3. Pourras-tu venir samedi soir ?
4. Je lui téléphonerai demain.
5. Je serai absent la semaine prochaine.
6. Il ne voudra jamais te prêter sa voiture.
7. Nous irons à Paris dans le courant du mois d'octobre.
8. Je t'attendrai à la porte du garage, vers sept heures, sept heures et demie.
9. Qu'est-ce que vous ferez quand il ne sera plus là ?
10. Je vous appelerai quand j'aurai le temps.
11. J'ai perdu : je ne jouerai plus jamais au tiercé.
12. Il fera ce qu'il voudra.
13. Il faudra changer le filtre à huile.
14. Vous prendrez un comprimé le matin et un le soir.
15. On finira ça plus tard.
16. C'est promis : je vous donnerai une réponse avant samedi.
17. Je crois que nos cousins viendront pendant les vacances.
18. Je suis sûre que vous saurez faire cet exercice.
19. Nous aurons plus de temps pendant les vacances.
20. J'espère que tu nous enverras une carte postale !
21. Vous trouverez tout ce qu'il vous faut dans la valise noire.
22. Essaie d'être à l'heure : nous partirons à cinq heures et demie.

136. Les valeurs de « en »

Dites si « en » exprime le lieu (où), le temps (quand) ou le moyen (comment) :

	où	quand	comment
1		x	
2	x		
3		x	
4			x
5	x		
6		x	
7		x	
8	x		
9	x		
10	x		
11		x	
12		x	
13		x	
14		x	
15			x

1. En été, je fais la sieste l'après-midi.
2. Il est parti en Espagne.
3. J'ai écrit cet article en une heure et demie.
4. Nous sommes partis en avion et revenus en train.
5. Il habite en Californie.
6. J'irai le voir en septembre.
7. Je suis arrivé en cinq minutes.
8. Il voyage en première classe.
9. Il habite en banlieue.
10. C'est un produit qu'on achète en pharmacie.
11. Je fais du ski en hiver.
12. Elle est toujours malade en voyage.
13. En soirée, le restaurant est plein.
14. Il mange toujours en cinq minutes !
15. Il a fait le tour du monde en Concorde.

Cette partie du guide pédagogique est destinée à vous apporter des informations synthétiques sur certains points méthodologiques. Les activités, qui vous sont proposées, ont comme objectif de vous conduire à réfléchir à vos pratiques et à celles suggérées dans *Tempo*.

Dans ce volet formation, vous trouverez :

– des activités de réflexion que nous vous proposons sur chaque thème traité ;

– une synthèse de chaque thème ;

– des propositions sur les pratiques ;

– des informations complémentaires ;

– des références de base pour compléter ce volet formation.

JEUX DE RÔLES / SIMULATIONS

Activités

1. Imaginez un dialogue à partir de la consigne suivante : vous êtes dans un bureau de tabac, vous achetez le journal, un paquet de cigarettes et des chewing-gums. Vous payez, le vendeur se trompe en vous rendant la monnaie.

2. Entre ces deux consignes, quelle est la différence ?
a. Vous invitez un ami à dîner par téléphone.
b. Vous êtes au restaurant avec deux amis. Le serveur, en vous apportant l'apéritif, renverse un verre sur votre veste. Vous vous fâchez.

3. Qu'est-ce qui vous semble le plus important dans le jeu de rôles pour l'apprentissage ?

4. Qu'est-ce que vous évaluez dans un jeu de rôles ?

Réflexions

– Jeux de rôles et simulations :

Le jeu de rôles est une technique qui consiste pour un apprenant à entrer dans un rôle. Cette technique est délicate à mener avec des apprenants à qui l'on impose un rôle.

La simulation est une répétition de la réalité. Cette technique est surtout utilisée en formations d'adultes.

Dans l'apprentissage d'une langue étrangère, le jeu de rôles a comme objectif de libérer la créativité de l'apprenant à travers le plaisir de jouer. Grâce à cela, l'apprenant peut se projeter dans la langue étrangère.

C'est volontairement que nous n'avons pas inclus de jeux de rôles dans les activités proposées par *Tempo 1*, ceci pour ne pas leur donner un caractère obligatoire et ne pas mettre le professeur et les élèves en difficulté face à un jeu de rôles qui ne conviendrait ni à la situation d'enseignement, ni aux caractéristiques du public.

Vous constaterez cependant que certaines des activités proposées dans les rubriques « À vous » de *Tempo* présentent des analogies avec les simulations. Il s'agit là plutôt de « canevas », où les élèves sont amenés à maîtriser un certain nombre d'outils linguistiques en simulant des situations de communication à partir d'un support (visuel, sonore ou écrit). Ces activités sont guidées et conçues de manière à être parfaitement réalisables avec les outils linguistiques dont disposent les élèves à ce moment précis de l'apprentissage.

Dans *Tempo 1*, nous avons essayé, chaque fois que possible, de favoriser une communication authentique au sein du groupe-classe, d'amener l'élève à réagir personnellement, c'est-à-dire à parler « vrai », à utiliser un vrai « je » quand il dit « je » et le moins possible un « je » simulé.

Le jeu de rôles et la simulation ne sont donc pas les outils centraux que nous avons choisis pour développer l'expression orale dans *Tempo 1*, mais des outils périphériques que le professeur pourra utiliser si les élèves répondent bien à ce type d'activité. Nous proposons régulièrement des suggestions de jeux de rôles dans le guide pédagogique, laissant ainsi au professeur toute latitude pour les adopter, les adapter ou chercher, par rapport à sa situation d'enseignement et aux caractéristiques du groupe, les simulations et jeux de rôles qui lui sembleront les plus pertinents.

– Gestion du jeu de rôles :

Les consignes et les contraintes doivent être simples et clairement explicitées. Le choix du thème du jeu doit être fixé en fonction de la personnalité des apprenants.

Pratiques

Comment travailler sur le déroulement du jeu de rôles ?

1. Vérifier que les élèves comprennent bien les consignes.

2. Le jeu de rôles se prépare à l'oral. Il est possible d'écrire quelques mots mais certainement pas le dialogue dans sa totalité.

3. Les élèves jouent par groupes.

4. Pour évaluer la performance, proposer dès le début de l'activité une grille : respect des consignes, des objectifs de l'échange et correction de la langue.

Le groupe-classe est spectateur. Il évalue le travail des élèves lorsque chaque groupe présente son jeu de rôles.

Le rôle de l'enseignant est de relever les obstacles rencontrés par les groupes et de bâtir une progression à partir de ces observations.

Commentaires sur les activités 1 à 4

– Activité 1 :

Cette consigne est l'exemple même d'un jeu de rôles contraignant qui mettrait en difficulté l'enseignant si on lui conférait un caractère obligatoire (avec des élèves jeunes ne fumant pas ou dans un pays où la notion de bureau de tabac à la française n'existe pas). Sa réalisation signifie par ailleurs que les élèves sont en mesure de maîtriser certains outils linguistiques, donc que ce jeu de rôles s'insère à un moment de l'apprentissage où l'on a fourni aux élèves les moyens d'acquérir ces outils – quantification, manipulation des temps du passé. (« Vous vous êtes trompé », « Je vous ai donné un billet de 200 francs et vous m'avez rendu la monnaie sur 100 francs », etc.).

Il convient donc, avant de choisir un jeu de rôles, de vérifier, notamment en imaginant un exemple de dialogue correspondant au jeu de rôles proposé, que les élèves disposent bien des moyens linguistiques nécessaires pour accomplir la tâche fixée.

– Activité 2 :

La première consigne est plus vague que la seconde, qui soulève les mêmes problèmes que ceux évoqués par l'activité 1 (que penser du rite de l'apéritif dans un pays musulman par exemple ?).

Réaliser le premier jeu de rôles avec succès implique que les élèves manipulent les outils linguistiques permettant de proposer, accepter, refuser (« Ça te dirait de... », « On pourrait... », etc.) ainsi que les indicateurs de temps nécessaires pour s'exprimer dans ce type de situation (ce soir, la semaine prochaine, etc.).

Le second jeu de rôles implique, entre autres, la maîtrise du conditionnel (« Vous ne pourriez pas faire attention ! ») ainsi que la maîtrise de situations conflictuelles plutôt complexes.

– Activité 3 :

Le jeu de rôles permet de mettre en situation le langage dans des contextes fictifs qui ne peuvent pas naître de la situation de classe mais que les élèves rencontreront lorsqu'ils se trouveront en situation authentique de communication.

Il peut être par ailleurs intéressant de faire l'inventaire des situations de communication auxquelles, localement, les élèves risquent d'être confrontés (tourisme, présentation en français d'un lieu, échanges interculturels, demandes d'information, ressources locales issues des centres culturels ou alliances françaises, etc.) pour intégrer les propositions de jeux de rôles dans un contexte local particulier.

Si le groupe-classe est réceptif à ce type d'activité, jeux de rôles et simulations permettent de développer la créativité et les capacités ludiques des élèves.

– Activité 4 :

De tout jeu de rôles se dégage une compétence de communication globale (proposer, accepter, refuser, protester, demander, etc.). C'est cette compétence globale de communication qu'il faudra évaluer en priorité (à condition, bien entendu, de s'être assuré auparavant que les élèves disposent bien des moyens linguistiques leur permettant d'exercer cette compétence de communication).

On évaluera ensuite les autres paramètres entrant en jeu dans toute situation de communication (registres de langue, adéquation des outils linguistiques utilisés avec la nature de l'interrelation, stratégies de communication utilisées, intelligibilité du message, etc.).

Le professeur notera les erreurs commises par les élèves sur le plan de la syntaxe et de la morphologie, pour éventuellement proposer quelques petits exercices de systématisation destinés à résoudre les problèmes rencontrés par les élèves. Il est important d'éviter d'interrompre les élèves au moment de la phase de production. Habituer les élèves, dès le début de l'apprentissage, à s'autoévaluer, le professeur étant le dernier recours en cas d'échec de l'autoévaluation. Filmer ou enregistrer les productions des élèves quand c'est possible, ce qui permettra de procéder plus tard à une correction plus fine et de garder une trace des progrès accomplis par chaque élève au cours de son apprentissage.

Références

- DEBYSER, F. ; CARÉ, J.-M. : *Jeu, langage et créativité,* coll. F, Hachette.
- DEBYSER, F. ; CARÉ, J.-M. avec la collaboration de YAICHE, F. : *L'Immeuble,* coll. Créer, animer, raconter, Hachette / BELC.
- CARÉ, J.-M. ; MATA BARREIRO, C. : *Le Cirque,* coll. Créer, animer, raconter, Hachette.

FICHE GRAMMAIRE

Activités

1. Que répondriez-vous aux questions posées dans le document 1 page 184 ?
Établissez une liste des points à soulever après cette activité :
– Relation entre la grammaire et la communication.
– Le sens d'un même énoncé peut changer selon la situation de communication, l'intonation des locuteurs et les relations entre interlocuteurs. L'énoncé peut être grammaticalement acceptable mais inacceptable dans le contexte où il est émis.
– Notion de difficulté en grammaire.
– Relation entre formes et valeurs des temps.

2. Que pensez-vous des réponses apportées aux quatre points soulevés dans le document 2 page 185 ?

3. Établissez une liste des problèmes que vous rencontrez dans votre pratique de classe.

Réflexions

L'approche de la grammaire est très différente selon les courants méthodologiques :

– Dans la méthodologie traditionnelle, la grammaire est explicite. On part du principe qu'il faut donner aux apprenants les règles de grammaire pour qu'ils acquièrent les structures grammaticales de la langue étrangère étudiée. Ces règles sont ensuite appliquées dans des exercices. Cette approche est similaire à celle appliquée dans l'apprentissage de la grammaire de la langue maternelle.

– Dans les méthodes audiovisuelles, l'approche est radicalement différente : la grammaire est implicite. Aucune règle de grammaire n'est énoncée. L'élève apprend par l'acquisition de mécanismes programmés à travers des exercices structuraux qui portent souvent sur la transformation d'une structure. Le contenu est soigneusement réparti dans les leçons pour que l'apprenant ne travaille que sur une seule difficulté. La progression est plutôt cumulative. Les structures sont présentées dans des situations de communication et des dialogues qui servent de point de départ à des activités.

Dans les deux types de méthodologie, on insiste sur la grammaire de la phrase. Les conceptions des méthodes audiovisuelles partent de l'idée que l'on apprend d'abord la langue avant de communiquer en situation réelle alors que l'approche communicative va poser un peu différemment l'apprentissage de la grammaire.

En effet, dans une approche qui privilégie la communication, on est amené à repenser l'enseignement de la grammaire. S'il est nécessaire d'acquérir des éléments morphologiques et syntaxiques, c'est dans la perspective de les utiliser dans la réalisation d'actes de parole.

Par ailleurs, l'appréhension de la grammaire à travers des notions propose de travailler non plus les catégories de mots, mais le sens, en regroupant les éléments qui servent à exprimer une même notion.

Cette approche fait également varier la conception de la progression qui ne peut plus être une succession d'éléments qui s'accumulent mais plutôt des ensembles d'éléments sur lesquels on revient à plusieurs reprises au cours de l'apprentissage. Ainsi, l'apprenant peut petit à petit les regrouper, les classer et se les approprier.

Les activités grammaticales se diversifient :
– activités d'exposition et d'analyse ;
– exercices de systématisation ;
– activités qui privilégient les interactions et qui facilitent une mémorisation en situations ;
– activités de conceptualisation qui permettent à l'apprenant de réfléchir sur le fonctionnement de la langue et sur les règles.

Pratiques

– Il est important de pratiquer les activités grammaticales en tenant toujours compte de deux éléments : le sens et les connaissances antérieures de l'apprenant.

– On ne perd jamais de vue le fait que dans les activités, l'enseignant aide l'élève à construire ses connaissances. Lorsque *Tempo* fournit des tableaux, des exercices, il est indispensable d'établir le lien entre ces différentes activités et ce que l'apprenant a déjà acquis ou est en train d'acquérir.

– Une des difficultés dans la pratique est sans doute de maintenir un équilibre entre la communication, les interactions et la correction linguistique. Par conséquent, il est nécessaire de bien définir l'objectif de chaque activité et de corriger en fonction de cet objectif.

Document 1

1. Grammaire : définition du *Petit Larousse* : ensemble des règles phonétiques, morphologiques, syntaxiques écrites et orales d'une langue. Étude de description de ces règles.
a. Cette définition vous paraît suffisante.
b. Cette définition vous paraît insuffisante.

2. Lequel de ces deux énoncés est correct ?
a. La plupart de ces planches d'ébène est blanche.
b. La plupart de ces planches d'ébène sont blanches.

3. Le passé composé est :
a. plus compliqué que le présent ;
b. moins compliqué que le présent.

4. « J'ai pas bouffé depuis deux jours ». Cet énoncé vous paraît :
a. grammatical ;   **a.** correct ;
b. non grammatical.   **b.** incorrect.

5. La phrase suivante vous paraît-elle possible ?
« Papa, vous sortez ce soir ? »
a. Oui.
b. Non.

6. Les adjectifs monosyllabiques sont toujours placés avant le nom.
a. Vrai.
b. Faux.

7. « Il fait beau aujourd'hui » signifie :
a. il y a du soleil ;
b. il pleut ;
c. les deux.

8. Lequel de ces deux dialogues vous paraît le plus plausible ?
a. – Qu'est-ce que c'est ?
  – C'est une table.
b. – Qu'est-ce que c'est ?
  – C'est un fragment de poterie du néolithique.

9. Le passé composé peut être utilisé pour évoquer une action future.
a. Vrai.
b. Faux.

10. Trouvez trois significations possibles à l'expression « ça va ».

Document 2

1. Quelle est la définition de la grammaire qui semble correspondre le mieux à l'approche communicative ?
– C'est la description scientifique d'une langue.
– C'est une description du fonctionnement syntaxique et morphologique.
– C'est l'explication pédagogique du fonctionnement d'une langue.

2. Le rôle de la grammaire :
– C'est d'être un auxiliaire pour la communication.
– C'est de donner des outils pour parler et écrire correctement.
– C'est de faire connaître les règles d'une langue.

3. Pour réaliser un bon enseignement d'une langue étrangère :
– Il faut d'abord apprendre les bases grammaticales avant de communiquer.
– Il est important de présenter les points de grammaire les uns après les autres en commençant par les plus simples.
– Il faut présenter la grammaire dans des interactions.
– Il faut revenir plusieurs fois sur le même problème grammatical.

4. Pour que les étudiants apprennent une langue, il faut :
– Corriger toutes les erreurs qu'ils font.
– Les laisser s'exprimer sans corriger.
– Les exposer à des documents proches de la réalité.
– Leur faire faire des exercices pour acquérir des automatismes.
– Leur laisser le temps de construire leur système en acceptant les erreurs.

Commentaires sur le document 1

1. Définition insuffisante car il manque la dimension du sens, les paramètres communicatifs (qui parle à qui, dans quelle situation, quel contexte, avec quelles intentions de communication, etc.), tout ce qui dépend du non-dit, des implicites communs des interlocuteurs, du contexte socioculturel, etc.

Dans *Tempo,* nous avons essayé d'intégrer la dimension communicative de la langue, poursuivant ainsi la démarche suivie dans *Modes d'emploi – Grammaire utile du français,* notamment dans les fiches « Pour communiquer » où nous faisons l'inventaire des outils nécessaires à l'apprentissage des savoir-faire linguistiques visés.

2. Aucun, car il y a un piège : l'ébène est noire. Les deux phrases sont syntaxiquement correctes, c'est au niveau du sens que le problème se pose. Apprendre une langue, ce n'est pas seulement être capable de produire des énoncés syntaxiquement corrects, c'est aussi manipuler du sens.

3. Sur le plan morphologique, certainement moins « compliqué ». Sur le plan de l'emploi, même remarque. Le présent est certainement le temps verbal le plus complexe, car le plus multiforme. Au-delà du présent et de l'infinitif, rien ne s'invente sur le plan morphologique, tout se combine, à quelques exceptions près. Mais le problème n'est pas là. Peu importe finalement que le passé composé soit plus ou moins complexe que les autres temps verbaux. Il est tout simplement essentiel à la communication, y compris dans les situations de communication les plus simples. Vos élèves auront besoin de dire, dès les toutes premières heures d'apprentissage, qu'ils sont en retard parce qu'ils ont raté le bus, d'évoquer ce qu'ils ont fait pendant le week-end... C'est pourquoi *Tempo 1* préconise une approche très rapide des temps verbaux et de leurs compléments indispensables : les indicateurs de temps.

4. a . Grammatical parce qu'appartenant à l'oral. Problème de registre de langue (lexical : bouffer, syntaxique : j'ai pas).

b . Incorrect si l'on se réfère à la norme, en tout cas non standard.

Un scientifique (un chimiste ou un physicien par exemple) ne va pas juger tel ou tel phénomène. Il va constater, décrire ce phénomène et s'abstenir de porter un jugement de valeur sur celui-ci. Il en va de même du linguiste et du grammairien. Face à l'énoncé « j'ai pas bouffé depuis deux jours », il va constater que cet énoncé existe (comme l'alliance de telle molécule avec telle autre molécule pour le chimiste). Il va constater également que la suppression du « ne » de la négation est très fréquente à l'oral, comme est très fréquente à l'oral l'utilisation d'expressions familières telles que « bouffer » pour « manger » (ou comme « bagnole » pour « voiture » ; « boulot » pour « travail »). Si l'on ajoute une dimension communicative à la description du fonctionnement de la langue, l'on dira que cet énoncé est grammatical puisqu'il existe mais qu'il pourra être considéré comme incorrect s'il est prononcé dans une situation de communication qui exige un registre de langue soutenu ou standard et un respect de la norme syntaxique (utilisation du « ne » de la négation).

« Je n'ai mangé depuis 3 jours » serait par contre non grammatical car, contrairement à « ne », le « pas » de la négation ne disparaît jamais.

5. Oui, si elle s'adresse au couple « papa / maman » ou dans une frange de la population (bourgeoise traditionaliste) où il arrive, mais de moins en moins, que les enfants vouvoient les parents.

Cette question, d'une part montre que le contexte a son importance dans la communication et, d'autre part soulève le problème d'interrelation entre les différents interlocuteurs ainsi que celui des conventions sociales auxquelles il faut apprendre à s'adapter lorsqu'on pratique une langue étrangère.

6. Faux : « noir, rond, belge, brun, blond » et beaucoup d'autres encore sont placés après.

« Fier, chic, dur, etc. » peuvent être placés avant ou après mais changent de sens.

Se méfier des règles trompeuses.

7. Les deux. C'est le contexte qui donne le sens (information, ironie).

Cette phrase sera interprétée de façon différente selon qu'elle sera prononcée par un marchand de parapluies, un chasseur d'escargots ou un amateur de baignades et de bronzage sur la plage.

8. Le deuxième, sauf si la table ne ressemble pas à une table, mais à une baignoire par exemple.

C'est pourtant un exemple de production très fréquente dans une salle de classe, où l'on dit beaucoup de choses qui ne se diront jamais dans la réalité.

Dans *Tempo 1*, vous ne trouverez pas de dialogues surréalistes du type :

– Qu'est-ce que c'est ?

– C'est un livre.

– Est-ce que le livre est sous la table ?

– Non, le livre est sur la table.

C'est ainsi, par exemple dans l'unité 8 dont l'objectif est de décrire quelqu'un, que nous avons placé les outils lexicaux et syntaxiques permettant d'effectuer une description physique d'une personne dans des situations où il s'agit d'identifier une personne au sein d'un groupe, de la reconnaître (parce qu'on doit l'accueillir à la gare, à l'aéroport), c'est-à-dire dans des situations où l'on aura naturellement besoin de ces outils.

Cela implique que dans la classe, on évitera de demander à Pierre, qui est assis à côté de Paul, si la chemise de Paul est rouge, pour obtenir la réponse : « Non, la chemise de Paul n'est pas rouge, elle est bleue », à moins bien entendu d'avoir affaire à un groupe de daltoniens ou de non-voyants !

9. Vrai.

Exemple : « C'est promis : demain j'ai fini. »

Le temps est relatif. C'est le plus souvent l'indicateur de temps qui donne l'information temporelle la plus pertinente. Ainsi, dans un récit oral, c'est le présent qui se substituera au passé composé, c'est ce même présent qui va permettre d'évoquer le futur dans des énoncés du type « Qu'est-ce que tu fais demain ? ».

Tempo met en place (progressivement), dès le tout début de l'apprentissage, les notions de temps, d'espace, de caractérisation et de quantification nécessaires à toute communication, même minimale.

10. – Ça va ? (pour demander des nouvelles de quelqu'un)
  – Toi ! Ça va ! (= Arrête de me déranger !)
  – Merci. Ça va ! (= Ça suffit comme ça, j'en ai assez, stop !)

Cette question illustre l'importance de l'intonation qui va permettre à l'élève de multiplier ses possibilités d'expression en utilisant les outils lexicaux et syntaxiques dont il dispose pour en faire varier le sens grâce à l'intonation.

Commentaires sur document 2

1. Il s'agit plutôt de l'explication pédagogique du fonctionnement d'une langue, pris dans son sens large. Ce qui ne signifie pas que la syntaxe et la morphologie soient négligées pour autant. Cela n'exclut pas non plus que la démarche puisse être scientifique, dans la mesure où elle tente d'inclure tous les paramètres linguistiques et extralinguistiques qui entrent en jeu dans la communication. Dans *Tempo*, c'est l'apprentissage qui est au centre de toutes les activités. La grammaire que nous proposons est avant tout une grammaire d'apprentissage.

2. C'est avant tout un auxiliaire pour la communication qui suit une progression conçue en terme de savoir-faire linguistiques. Cela ne signifie pas que l'on ne vise pas une pratique « correcte » de l'oral et de l'écrit (*Tempo 2* a pour objectif la maîtrise du discours, dans des situations de communication où la « correction » est un paramètre essentiel de la communication). Quant aux règles, elles sont présentes dans les fiches de grammaire et les exercices d'entraînement proposés. Ces règles apparaissent au moment où elles nous semblent nécessaires à l'apprentissage du savoir-faire linguistique visé.

3. La grammaire est toujours présente au sein d'interactions (cf. 1 et 2). Il s'agit d'une grammaire active, conçue pour un réemploi immédiat. Il n'est donc pas nécessaire de faire précéder les activités d'expression d'un apprentissage préalable d'une « grammaire de base ». Les savoir-faire linguistiques visés par *Tempo 1* devenant de plus en plus complexes, il est logique que l'on revienne à plusieurs reprises sur un problème grammatical, pour l'affiner, l'approfondir, l'élargir. Le fait de découvrir très tôt des outils linguistiques que l'on pourra juger (à tort ou à raison) complexes, obéit à un impératif de nécessité (cf. le point 3 du document 1 sur le problème du passé composé).

4. Il existe des moments où il faut s'abstenir de corriger les élèves pour ne pas bloquer leurs tentatives de production (voir la fiche sur les jeux de rôles et la simulation), et d'autres où un travail de systématisation, de correction plus fine, devra avoir lieu. *Tempo 1* propose plusieurs centaines d'exercices destinés à l'acquisition de toute une série d'automatismes (dans le livre de l'élève et le cahier d'exercice annexe). La pratique de *Tempo* est plutôt basée sur ce que l'on appelle, en didactique des langues, la pédagogie de l'erreur, où l'erreur est considérée comme une composante dynamique de l'apprentissage, un témoin du système que l'apprenant se construit peu à peu.

Références

• BÉRARD, É. ; LAVENNE, Ch. : *Modes d'emploi – Grammaire utile du Français,* Hatier / Didier.
• SALINS, G.D. DE : *Grammaire pour l'enseignement / apprentissage du FLE,* Didier / Hatier.

FICHES FORMATION

Activités

1. Quelles sont, à votre avis, les conditions qui participent à l'apprentissage ?

2. Essayez d'analyser vos propres expériences d'apprentissage. Qu'est-ce qui a favorisé ou, au contraire, gêné cet apprentissage ?

3. Dans la liste qui suit, cochez les affirmations qui vous semblent vraies pour réussir l'apprentissage d'une langue étrangère :
a. il est indispensable d'apprendre par cœur des listes de vocabulaire ;
b. on mémorise mieux les éléments utilisés en contexte ;
c. il faut que la progression soit très rigoureuse pour que l'apprenant fasse des progrès ;
d. lorsqu'on apprend une langue, on progresse de façon irrégulière par paliers ;
e. c'est motivant de comprendre rapidement des échanges réels ;
f. on peut apprendre une langue étrangère sans faire d'erreurs ;
g. on apprend plus vite lorsqu'on est en contact avec la langue ;
h. pour bien maîtriser un point de grammaire, il faut le travailler à plusieurs reprises.

Réflexions

– Lorsqu'on apprend une langue étrangère, on part d'une base que constitue la langue maternelle et des compétences de communication développées dans cette langue ou dans d'autres langues étrangères apprises précédemment.

Les premières tentatives de compréhension dans la langue étrangère vont s'appuyer sur ce qui est connu dans la langue maternelle ; on va donc être exposé aux similitudes et aux différences. Il est possible de s'appuyer, au début de l'apprentissage, sur ce que l'apprenant connaît par ailleurs. Il peut, par exemple, prévoir les échanges dans une situation donnée. De la même manière, l'apprenant va rechercher tout ce qu'il peut rapprocher, par exemple dans les phénomènes de transparence des deux langues.

– Le niveau de compréhension et celui d'expression dans une langue étrangère peuvent être variables. Au début de l'apprentissage, on insiste plus sur la compréhension en demandant aux apprenants de produire des phrases courtes et en acceptant les erreurs pour rétablir progressivement un équilibre entre les aptitudes de compréhension et de production.

– Il existe un écart entre apprendre et acquérir. Pour simplifier, on pourrait dire que l'apprentissage est une démarche consciente qui peut s'accompagner d'une réflexion explicite sur le fonctionnement de la langue étrangère alors que l'acquisition est le résultat d'un processus par lequel l'apprenant s'approprie la langue étrangère. Il est donc important de passer par des activités diverses sur le même point et de construire une progression qui prend en compte l'apprentissage, c'est-à-dire de traiter à plusieurs reprises un même point en permettant aux apprenants d'établir leur propre système incomplet, qui se complètera au fur et à mesure. Par des reprises régulières, on affinera ainsi l'appréhension d'un problème en laissant aux apprenants le temps de « décantation » nécessaire à l'acquisition des éléments. En ce sens, on ne peut pas considérer qu'une progression cumulative, qui traite d'un point puis qui le considère acquis, soit satisfaisante ; on veillera au contraire à revenir sans cesse sur ce qui a été travaillé précédemment.

– Les erreurs, longtemps appelées fautes, sont nécessaires dans le processus d'apprentissage ; elles sont l'indicateur du processus en développement et des traces du système en construction.

Les erreurs donnent des indications sur la manière dont les apprenants s'approprient la langue. En général, lorsqu'il y a des erreurs, c'est que le système est en cours d'intégration. Il est cependant important d'être attentif à des erreurs prévisibles et à des phénomènes de fossilisation (acquisition erronée de certaines formes).

– Dans le processus d'apprentissage, la motivation joue un rôle important, mais il faut également prendre en compte des critères tels que :

• L'expérience préalable de l'apprenant dans l'apprentissage des langues. Il est donc important de comprendre pourquoi l'apprenant peut se sentir en situation d'échec face à son apprentissage des langues étrangères.

• La représentation que les apprenants ont de la langue étrangère, de son utilité et de son niveau de difficulté. Il est toujours intéressant de faire exploiter par les apprenants cette représentation et éventuellement de leur montrer l'importance de l'apprentissage d'une langue étrangère, de trouver à travers leurs intérêts des moyens d'élargir l'accès direct à certaines activités (médias, chansons, lecture).

L'attitude que les apprenants ont face à la langue étrangère est construite par leur environnement et par leur milieu familial. Il est cependant possible d'intervenir sur cette attitude à travers des activités en classe. Dans ce sens, ces activités, si elles sont diversifiées, permettent aux apprenants de trouver dans l'apprentissage lui-même des facteurs de motivation.

L'attitude adoptée par l'enseignant sera également déterminante. Son rôle est d'aider, d'encourager et de favo-riser l'ouverture sur ce qui intéresse les apprenants.

Pratiques

Dès le début, essayez de faire comprendre aux élèves certains éléments qui pourront dynamiser leur appren-tissage :
– Donnez-leur les moyens (« Je n'ai pas compris... », « Est-ce que vous pouvez m'expliquer... ») de vérifier qu'ils ont compris les consignes et qu'ils peuvent s'exprimer sur le déroulement du cours. Reformulez toujours les consignes pour être sûr qu'ils les ont bien comprises.
– Aidez-les à se situer dans une dimension métalinguistique : faites-les reformuler. Assurez-vous qu'il y a une intercompréhension.
– Montrez-leur qu'ils peuvent s'appuyer sur des éléments qu'ils connaissent déjà ou sur des hypothèses qu'ils peuvent faire.
– Développez une écoute attentive entre les élèves, au besoin en aménageant la salle de classe pour que cela soit possible. Ainsi, ils auront l'habitude d'écouter activement et vous pourrez alors instituer des habitudes d'au-to et d'intercorrection dans le groupe.
Les erreurs font partie du processus d'apprentissage.

Il est important pour la structuration du travail que vous adaptiez une attitude cohérente et décodable par les élèves pour la correction. En phase de compréhension, la correction n'est pas l'objectif prioritaire, il suffit seu-lement que les productions soient compréhensibles par le groupe-classe. Dans les activités axées sur la correction de la langue, les exigences sont plus élevées et on fera pratiquer systématiquement l'intercorrection.

Dans les phases de production, il est préférable de différer les corrections pour ne pas inhiber les élèves. Il est également possible de corriger les erreurs les plus fréquentes en proposant des activités de remédiation (exer-cices complémentaires, par exemple).

Dans la mesure du possible, il est plus satisfaisant de proposer des activités courtes, dont les étudiants saisissent bien l'objectif, de telle sorte qu'ils se sentent partie prenante du processus qui se déroule en classe.

Référence

BÉRARD, É. : *L'Approche communicative*, Clé International.

FICHE COMPRÉHENSION

Activités

1. Écoutez une radio étrangère, regardez une télévision étrangère : qu'est-ce que vous comprenez ? Réfléchissez sur la façon dont vous travaillez pour essayer de comprendre. Qu'est-ce qui vous gêne ?

2. Prenez un article de presse dans une langue que vous maîtrisez plus ou moins bien. Relevez vos stratégies de compréhension.

3. Écoutez plusieurs fois une cassette (une chanson en langue étrangère). Quels éléments vous permettent de comprendre de mieux en mieux au fil des différentes écoutes ?

4. Essayez de faire une liste des éléments qui facilitent la compréhension.

Réflexions

– Lorsqu'on se trouve en contact avec une langue étrangère, la première difficulté à l'oral consiste à établir des unités de sens, donc à découper la chaîne sonore ininterrompue. L'activité de compréhension consiste essentiellement à identifier des éléments et à les mettre en relation pour produire du sens.

– Dans une activité de compréhension, la démarche que l'on va effectuer va aller du connu à l'inconnu, de ce qui est connu dans la langue maternelle ou dans une autre langue étrangère à l'inconnu.

– Les éléments qui permettent de structurer la compréhension sont de natures diverses :

• À l'oral :
La situation de communication, l'attitude des locuteurs, la voix, les accents, les intonations, les phénomènes de transparence (reconnaissance d'un mot proche de la langue maternelle ou d'une autre langue connue et l'interprétation du sens d'un énoncé par rapport à cet élément connu) permettent à l'élève d'anticiper et d'émettre des hypothèses sur le contenu des échanges.

• À l'écrit :
Ces différents éléments peuvent être transposés à l'écrit, toutefois avec une donnée fondamentalement différente qui est le temps. En effet, si à l'oral il est impossible d'intervenir sur le déroulement de la chaîne sonore, l'écrit permet la relecture, la mise en relation des éléments avec la possibilité de revenir en arrière.

Les éléments qui vont aider sont :

– l'environnement du document écrit : l'iconographie liée au document (la présence d'une photo, l'illustration d'un graphique donnent des pistes de compréhension globale).

– la structure d'un texte : paragraphes, intertextes dans un article, disposition dans l'espace d'une page d'une lettre par exemple.

La compréhension est une activité de première importance dans la démarche d'apprentissage, dans la mesure où elle conditionne l'ensemble du processus. Il y a sans doute un écart important entre les possibilités de compréhension et celles de production dans une langue étrangère, surtout au début de l'apprentissage. Vous ne pouvez donc que privilégier le développement de stratégies de compréhension les plus diverses.

Pratiques

– Vous essayerez de donner à vos élèves un éventail de techniques de compréhension en les habituant à utiliser tous les éléments qui facilitent la compréhension.
Au début, vous insisterez sur la compréhension globale en tenant compte de l'importance de l'acte de comprendre dans le processus de motivation d'apprentissage et en essayant de montrer aux élèves qu'il y a d'autres façons de travailler que celles qu'ils connaissent (par le mot à mot ou la traduction).

– Dans les activités de *Tempo*, vous privilégierez une démarche qui part de l'imprégnation, de la compréhension globale pour aller vers la compréhension analytique, puis vers la production.

– Dans la classe, il est important de travailler l'intercompréhension pour développer une attitude active de compréhension. Vous vérifierez que les élèves se comprennent entre eux et vous utiliserez le plus possible des processus, comme la reformulation et la paraphrase, pour être sûr que la communication s'établit de manière concrète dans le groupe-classe.

Références

• LHOTE, É. : *Enseigner l'oral,* coll. F, Hachette.
• MOIRAND, S. : *Situations d'écrit*, Clé International.
• TAGLIANTE, Ch. : *L'Évaluation,* coll. Techniques de classe, Clé International.

FICHE PÉDAGOGIQUE DE PHONÉTIQUE

POURQUOI TRAVAILLER LA PHONÉTIQUE ?

L'oral repose sur la maîtrise d'un certain nombre d'éléments. Outre le lexique et la syntaxe spécifique de l'oral, une production en accord avec les usages et les normes du français permet une souplesse communicative efficace et fondamentale.

L'enseignement de la prononciation ne requiert pas de dispositions particulièrement spécialisées. Un nombre limité de techniques et d'attitudes pédagogiques peut donner de réels outils de travail utiles et est à même de fournir à l'élève les moyens de progresser avec confiance.

CONSEILS GÉNÉRAUX PÉDAGOGIQUES

Entendre et prononcer les sons d'une langue étrangère et ses formes intonatives et rythmiques sont toujours, au début de l'apprentissage, une difficulté physique et psychologique.

Physiquement, les sons et les habitudes rythmiques du français demandent une mise en œuvre perceptuelle et articulatoire particulière, et d'autant plus importante que les systèmes phoniques de la langue maternelle et du français sont éloignés l'un de l'autre.

Psychologiquement, c'est une épreuve d'exposer à un auditeur une parole dont on ne maîtrise pas, ou mal, la qualité de production. Si l'écrit permet le retour sur la production et la reprise avant la présentation définitive sans la trace des étapes de mise au point, l'instantanéité de l'oral met sur le même plan les productions correctes et celles moins correctes que seule l'audition permet d'identifier et de modifier.

Il est important de donner confiance à l'élève en même temps que de l'aider dans sa production.

Le premier aspect très général de la façon de travailler dans une séquence de phonétique – comme d'ailleurs dans une séquence d'oral — est de **donner de l'assurance** à l'élève sur ses capacités de production orale.

Pour produire en français oral, l'élève a besoin d'être sûr autant de ses possibilités que de l'absence de risques d'exposition. À ce stade, il n'est pas question de bonne ou de mauvaise production, mais de production tout court. Ce qui est bénéfique, pour l'élève comme pour la dynamique générale de la classe, c'est qu'il soit conscient qu'il peut produire des énoncés oraux, qu'il est capable d'émettre des sons en français, de construire son oral en fonction d'une intonation et d'un rythme français.

Par ailleurs, c'est parce qu'il s'exprimera oralement que le professeur s'apercevra du niveau phonétique de l'élève, de ses moyens, de ce qu'il sait déjà et de ce qu'il lui reste à apprendre, améliorer, changer, etc. C'est la parole de l'élève qui doit être perfectionnée et c'est par l'écoute et l'auto-écoute que le professeur et l'élève peuvent s'informer.

Le second aspect de la mise en place d'une confiance dans l'apprentissage est de développer une **pédagogie de la réussite** autant qu'une écoute de l'erreur.

Il est évident que l'élève fait des erreurs de prononciation et qu'il faut y remédier. Il est non moins évident qu'il prononce et construit correctement un certain nombre d'éléments oraux.

Il est plus efficace de faire remarquer à l'élève ce qui fonctionne avant ce qui disfonctionne. D'abord parce que cela valorise et donc incite à s'investir dans l'apprentissage. Également parce que cela pose pour l'élève des points d'appui qu'il a lui-même construits – consciemment ou non – et qu'il est ainsi invité à fixer comme éléments acquis qu'il pourra retrouver ultérieurement. Cette façon d'agir rejoint d'ailleurs celle de la pédagogie de la phonétique où il y a d'abord l'éducation de l'oreille pour rendre conscient de la nature des sons en français avant l'éducation de la production.

Ensuite, l'attention aux erreurs de phonétique prend toute sa place dans une orientation non de fautes à relever, mais de points à traiter.

Complémentairement à ces deux aspects qui concernent le professeur, il faut aider l'élève à développer une **attitude de vigilance** face à sa propre production.

Parler, c'est aussi émettre de façon à être entendu des autres et le premier concerné est celui qui émet. Demander à l'élève d'être conscient qu'il s'adresse à quelqu'un, de veiller à produire, ou tenter de produire, des sons reconnaissables, de s'attacher à vérifier qu'il est compris du professeur et aussi des autres élèves, c'est le placer en position d'attention communicative (parler à d'autres) et de responsabilisation (émettre une production personnelle).

Ces conseils généraux ne sont pas évidents et la diversité des situations pédagogiques les rend plus ou moins faciles à suivre. Ils ne sont pas non plus une panacée pédagogique. Cependant, ils constituent une part significative des éléments favorisant les démarches pédagogiques en phonétique.

LA CHAÎNE PARLÉE

L'oral est composé de deux aspects complémentaires qui composent la chaîne parlée : les phonèmes (voyelles, consonnes et semi-voyelles) et la prosodie (rythme et intonation).

L'intonation et le rythme sont des marques essentielles du flux sonore en étroite dépendance, et une bonne prononciation du français demande une certaine maîtrise des mouvements mélodiques liés à l'intonation et des phénomènes de rythme.

L'intonation

D'un point de vue très global, l'intonation recouvre un certain nombre de fonctions regroupées en trois catégories générales : l'intonation distinctive, l'intonation démarcative et l'intonation expressive.

• L'intonation distinctive

Intonation pour demander, poser une question :
– Question sans indicateur interrogatif : montée finale de la voix. *Tu viens ?*
– Question avec indicateur interrogatif : descente finale de la voix. *Qu'est-ce que tu fais ?*
– Question sans indicateur interrogatif, avec une marque d'expressivité : montée finale de la voix. *Qu'est-ce que tu fais ? Est-ce que tu viens ?*
– Question implicative : montée puis descente finale de la voix. *Tu viens ?*

Intonation pour dire :
– Finalité : descente finale de la voix. *Je vous appelle ce soir.*
– Exclamation : la voix descend naturellement après une finale assez haute. *Oh, c'est lui ! Qu'est-ce que tu fumes !*
– Commandement : la voix descend rapidement et fermement d'une position finale haute. *Viens ici ! Écoute-moi !*

• L'intonation démarcative

En relation étroite avec le rythme, elle permet le découpage syntaxique et la structuration de l'énoncé. La suite [il paʀ la vɛk vɔ tʀa mi pjeʀ] renvoie à deux possibilités :
Il parle avec votre ami Pierre ?// ou *Il parle avec votre ami/Pierre ?//*

• L'intonation expressive

Il s'agit de l'intonation qui permet d'exprimer des sentiments : surprise, doute, colère, émotion, etc.

Le rythme

Le rythme est la combinaison de deux éléments : des groupes de prononciation énoncés dans une continuité et accompagnés d'un mouvement mélodique intonatif et des pauses, précédées et suivies de mouvements intonatifs montants ou descendants appartenant aux groupes qu'elles séparent.

Le rythme est lié : au nombre de syllabes du groupe de prononciation, à l'accent, à l'intonation comme indiqué précédemment.

• Le groupe de prononciation ou groupe rythmique

La continuité rythmique repose sur des groupes rythmiques courts, de une à cinq syllabes avec des distributions variables :
Ce matin/t(u) as appelé//

Ce matin/à 8 h/t(u) as appelé//
Ce matin/quel bonheur/à 8 h/t(u) as appelé//
Il dit des bêtises//
Il dit des bêtises sans arrêt//
Il dit des bêtises sans arrêt/pour se rendre intéressant//

Les phénomènes d'enchaînements vocaliques, consonantiques et de liaisons sont très importants pour assurer la cohésion à l'intérieur du groupe rythmique quand ils sont mis en œuvre et la séparation des groupes quand ils ne sont pas utilisés :
Il a eu froid// [i la y fʀwa]
Je suis allé en vacances/en France/avec un ami// [jə sɥi za le ɑ̃ va kɑ̃s/ɑ̃ fʀɑ̃s/a vɛ kœ̃ na mi//]

Le [ə] joue également un rôle important dans la composition du groupe rythmique :
J(e) vais partir// ou *je vais partir//*
Je n(e) sais pas// un cal(e)pin// un All(e)mand// au r(e)voir// à d(e)main// qu'est-c(e) tu fais ?//

• **L'accent**
Le rythme du français repose sur la notion de régularité syllabique et d'absence d'accent de mot. Seule, la dernière syllabe du groupe rythmique est accentuée. Il n'y a pas de différence pertinente de longueur syllabique à l'intérieur du groupe rythmique mais seulement – et encore – pour la syllabe finale.
Le terme d'accent réfère à des réalités linguistiques différentes :
– à un allongement possible pour l'accent de groupe, parfois très faible et fortement dépendant de l'entourage et de l'intonation ;
– à une intensité forte en attaque de groupe : accent d'insistance médiatique appelé aussi accent didactique ;
– à l'accent social et régional : coloration prosodique et variations phonologiques. Il s'agit de ce que l'on appelle l'accent parisien populaire, maniéré, franc-comtois, suisse, belge, africain, québécois, etc.

Rythme et intonation

Rythme et intonation sont en relation étroite et assurent la musicalité spécifique de la langue. Ce sont des éléments importants de l'apprentissage de la prononciation.
Ils peuvent faire l'objet d'exercices spécifiques, mais surtout ils requièrent une attention régulière, en particulier pendant les moments de pratique phonétique où les sons ne sont jamais travaillés isolément, mais toujours dans un contexte intonatif et rythmique développé.
Également, pendant les autres activités d'expression orale, une attention soutenue aux phénomènes de rythme et d'intonation est bénéfique.
Pour travailler le rythme, veiller à la cohésion systématique des groupes rythmiques, faire reprendre en faisant « tenir » la prononciation sur des groupes complets, constitués et cohérents.
Pour travailler l'intonation :
– l'intonation distinctive : chanter la mélodie, accompagner avec le geste.
– l'intonation expressive : exagérer la ligne mélodique.
– l'intonation démarcative : travailler la mélodie de chaque groupe rythmique, réunir les groupes avec une pause intermédiaire, lier les groupes.

CARACTÉRISTIQUES GÉNÉRALES DU SYSTÈME PHONIQUE DU FRANÇAIS

Le système phonique du français présente quatre caractéristiques essentielles : la tension, l'acuité, la labialité et la nasalité.

La tension

Elle détermine le caractère tendu/relâché et concerne autant les voyelles que les consonnes. Elle est fonction de l'effort musculaire nécessaire pour articuler.

• **Pour les voyelles**, la tension varie avec l'ouverture de la bouche et est répartie ainsi :

– voyelles tendues/fermées :   [i y u]

                                       [e ø o]

                                       [ɛ œ ɔ]

– voyelles relâchées/ouvertes :   [a ɑ]

• **Pour les consonnes**, la tension varie des occlusives aux constrictives avec les différences de consonnes sourdes et de consonnes sonores. La répartition est la suivante :

– consonnes tendues :   [p t k]   occlusives sourdes

                            [f s ʃ]   constrictives sourdes

                            [b d g]   occlusives sonores

                            [v z ʒ]   constrictives sonores

                            [m n ɲ]   occlusives nasales

– consonnes relâchées : [l ʀ]   constrictives liquides.

L'acuité ou hauteur

Elle détermine le caractère aigu/grave des voyelles et des consonnes.

• **Pour les voyelles**, elle est liée à l'antériorité/postériorité de la prononciation (vers l'avant/vers l'arrière de la bouche) et se répartit ainsi :

[i e ɛ ɛ̃] [y ø œ œ̃] [a ɑ ɑ̃] [u o ɔ ɔ̃]

• **Pour les consonnes**, la hauteur dépend de leur lieu d'articulation et se répartit ainsi :

– consonnes aiguës :   [s z t d n] consonnes alvéolaires et dentales

– consonnes intermédiaires :   [k g ʒ ʃ ɲ] consonnes vélaires et palatales

– consonnes graves :   [f v p b m] consonnes labiodentales et bilabiales

Les consonnes peuvent aussi être classées selon l'impression auditive qu'elles produisent. Les occlusives [p b m t d n k g ɲ] sont des momentanées ou des explosives (elles ne durent pas) et les constrictives [f v s z ʃ ʒ l ʀ] sont des continues. Ces dernières produisent des effets de frottement pour les fricatives [f v], des effets de sifflement pour les sifflantes [s z] et des effets de chuintement pour les chuintantes [ʃ ʒ].

La labialité

Elle est en relation avec le mouvement des lèvres. Elle est surtout importante pour les voyelles et détermine le caractère arrondi/écarté. Elle se répartit ainsi :

[i e ɛ a ɛ̃] [y ø œ œ̃ ɑ ɑ̃ u o ɔ ɔ̃]

La nasalité

Elle est liée à l'adjonction de la cavité nasale à la cavité buccale pour la production de quatre voyelles et de trois consonnes :

[ɛ̃ œ̃ ɑ̃ ɔ̃] et [m n ɲ]

Relativement à beaucoup d'autres langues, le système vocalique du français est tendu, très labialisé (cinq voyelles non labiales pour dix voyelles labiales) et la nasalité a une fonctionnelle (un chat/un chant, un bateau/un bâton). Le système consonantique est fortement marqué de l'opposition sourde/sonore :

[p/b] [t/d] [k/g] [f/v] [s/z] [ʃ /ʒ]

Certaines oppositions sont également spécifiques de divers groupes linguistiques, comme :

[s/z] [b/v] pour les hispanophones,

[l/ʀ] pour les Japonais,

[l/n] pour les Vietnamiens,

[p/b] pour les arabophones,

[p/b] [t/d] [k/g] pour les Chinois,

[p/f] pour les Coréens,

[z/ʒ] pour les Grecs, etc.

On sera attentif à ces oppositions en fonction des situations particulières d'enseignement.

Pour les semi-consonnes (ou semi-voyelles) [j/w/ɥ], le problème principal également rencontré par les jeunes Français, et donc à traiter avec souplesse, est la difficile distinction [j/w].

PRINCIPES GÉNÉRAUX DU TRAVAIL PHONÉTIQUE

Pas d'apprentissage théorique. L'apprentissage de la prononciation des phonèmes se fait par exercices, répétitions, pratiques sans apprentissage théorique du mécanisme articulatoire.

Motivation maximale. Dans un but de stimulation et de motivation, pour éviter la lassitude des exercices structuraux, le processus de correction phonétique des voyelles et des consonnes s'appuie sur des activités variées : jeux, mini-conversations, exercices de répétition, de recherche, de production orale, etc.

Un son n'est jamais isolé, mais toujours dans une structure. **L'intonation et le rythme** (sommets d'intensité – phrases ! et ? –, positions accentuées) permettent de renforcer ou d'affaiblir un son.

La gestuelle et la mimique sont aussi des éléments constitutifs de l'énonciation qui contribuent à l'information sur le sens et la valeur du message.

Phonétique combinatoire. La production d'un phonème est toujours facilitée en s'appuyant sur le double système suivant : l'entourage consonantique ou vocalique du son à produire et sa place dans la chaîne parlée.
• **Pour les consonnes** : la position la plus favorable est à l'initiale (de mot, de groupe rythmique ou de phrase) pour les consonnes sourdes et en finale ou à l'intérieur pour les consonnes sonores.
• **Pour les voyelles** : la position la plus favorable est au sommet d'une courbe intonative, à un sommet d'intensité expressive, en syllabe accentuée (c'est-à-dire en finale de groupe rythmique).

Également, l'influence du caractère aigu/grave, tendu/moins tendu, labial/non labial des consonnes est un point d'appui très puissant pour la correction des voyelles.

D'un point de vue général, c'est-à-dire sans tenir compte des problèmes de production des consonnes propres à chaque groupe linguistique, on favorise l'obtention des voyelles en tenant compte des paramètres suivants :

Voyelles	Consonnes	Intonation
Caractère **grave** d'une voyelle [ɑ̃ u o ɔ ɔ̃]	consonnes graves bilabiales et labiodentales [p b m f v] et [ʀ]	intonation descendante déclaration
Caractère **aigu** d'une voyelle [i e ɛ ɛ̃] [y ø œ œ̃]	consonnes aiguës alvéolaires et dentales [s z t d n]	intonation montante surprise/exclamation
Tension/**fermeture** d'une voyelle grave [u o] d'une voyelle aiguë [i e y ø]	consonnes graves constrictives labiodentales et palatales [f v] [ʃ] consonnes aiguës constrictives alvéolaires [s z]	intonation exclamative
Relâchement/**ouverture** d'une voyelle grave [ɔ ɔ̃] d'une voyelle aiguë [ɛ ɛ̃ œ œ̃]	consonnes graves occlusives bilabiales et vélaires [p b m] [k g] consonnes aiguës occlusives dentales et vélaires [t d n] [k g]	intonation exclamative
Labialisation d'une voyelle [y ø œ œ̃ ɑ̃ u o ɔ ɔ̃]	consonnes palatales [ʃ ʒ]	

Démarche pédagogique

Au début de chaque exercice de production de phonème, **faire entendre le son** à étudier pour le faire identifier et pour vérifier qu'il est bien perçu. Si un son n'est pas perçu par un élève, il n'y a guère de possibilités qu'il puisse le reproduire.

Pour chaque exercice :
– donner les **objectifs de l'exercice** : travail de tel son, avec telle intonation, dans tel registre de parole, avec tel rythme, etc. ;
– résoudre les problèmes de **compréhension**, soit au début de l'exercice, soit au fur et à mesure du déroulement de l'exercice ;
– travailler prioritairement le son prévu dans l'exercice ;
– ne jamais oublier cependant qu'un son isolé n'existe pas et vérifier la qualité du **rythme** : enchaînements vocaliques et consonantiques, liaisons, maintien ou chute du [ə], longueur des groupes de rythmiques, etc. ;
– faire également attention à l'**intonation** : intonation distinctive (question, affirmation, ordre, implication) et expressive.
– dans une moindre mesure, travailler également les autres phonèmes : aider, corriger, reprendre, etc. ;
– toujours donner les **graphies** correspondant au son étudié.

Dans tous les cas, beaucoup de patience et de courage. Ce n'est que petit à petit que le système se met en place.

Repères pour la correction des voyelles et des consonnes

Les voyelles

[i]
– La tension de [i] permet de mettre en place la tension forte générale du français.
– Faire sentir le caractère aigu et tendu du [i]. Comparer avec [a], son ouvert et relâché.
– Faire remarquer la bouche écartée pour [i].
– Pour faciliter la prononciation : entourage de consonnes tendues aiguës [s z].
– Utiliser une intonation expressive (joie, colère, surprise) et une intonation montante de question.

[u]
– Faire sentir le caractère grave de [u] par opposition à celui aigu de [i].
– Faire sentir la différence entre [u], voyelle postérieure vers l'arrière de la bouche, et [i], voyelle antérieure vers l'avant de la bouche.
– Son très tendu : faire tenir le [u] en allongeant sa prononciation.
– Soutenir l'allongement en l'accompagnant d'un mouvement de tenue de la main.
– Faire remarquer l'arrondissement de la bouche en indiquant le mouvement des lèvres.
– Pour faciliter la prononciation : entourage de consonnes arrondies graves [f v] puis arrondies intermédiaires [ʃ ʒ].
– Utiliser une intonation expressive (joie, colère, surprise) et une intonation descendante de déclaration.

[y]
– Tension et caractère aigu du [y].
– Faire sentir la similitude entre [y] et [i] voyelles antérieures, vers l'avant de la bouche. On peut siffler un son proche du [y].
– [y] est tendue : la faire tenir en allongeant sa prononciation, utiliser des consonnes constrictives.
– Pour éviter la diphtongaison, soutenir l'allongement en l'accompagnant d'un mouvement de tenue de la main : main qui tient un plateau, chef d'orchestre qui fait tenir la note en aidant à la « tenir » avec la main.
– Exagérer l'arrondissement de la bouche en indiquant le mouvement des lèvres. Imiter le bec du canard.
– Pour faciliter la prononciation du [y] qui tend vers [i] (cas des arabophones, par exemple) : entourage de consonnes graves labiales [p b m f v ʃ ʒ] et une intonation descendante de déclaration.

– Pour faciliter la prononciation du [y] qui tend vers [u] (cas de la plupart des apprenants) : entourage de consonnes tendues aiguës [s z t d n] et une intonation expressive (joie, colère, surprise) avec une intonation montante de question.

[y/u]

– Si besoin, reprendre [y] pour en marquer le caractère aigu et [u] pour en marquer le caractère grave.
– Privilégier les intonations montantes pour [y] et descendantes pour [u].
– Faire tenir les voyelles en allongeant leur prononciation.
– Pour éviter les diphtongaisons, soutenir l'allongement en l'accompagnant d'un mouvement de tenue de la main : main qui tient un plateau, chef d'orchestre qui fait tenir la note en aidant à la « tenir » avec la main.
– Faire sentir que [y] est situé à l'avant de la bouche et que [u] est prononcé à l'arrière de la bouche.

[e]

– [e] est tendue/fermée relativement à [ɛ].
– [e] est très antérieure. Opposer [e] et [o] en faisant sentir le caractère aigu de [e] et grave de [o].
– Pour faciliter la prononciation : entourage de constrictives tendues et aiguës [s z].
– Utiliser une intonation expressive (joie, colère, surprise) et une intonation montante de question.

[ɛ]

– [ɛ] est ouverte relativement à [e].
– Pour faciliter la prononciation : entourage de consonnes occlusives qui aident à l'ouverture de la voyelle de grave à aiguë [p b m k g t d].
– Utiliser une intonation expressive (peine, douleur, tristesse) et descendante.

[o]

– [o] est une voyelle arrondie et très postérieure, donc grave.
– [o] est tendue/fermée relativement à [ɔ].
– Pour faciliter la prononciation : entourage de consonnes constrictives graves et intermédiaires [f v ʃ ʒ] qui aident à la fermeture et la tenue de la voyelle.
– Utiliser une intonation expressive (joie, colère, surprise) et une intonation montante de question.

[ɔ]

– [ɔ] est ouverte relativement à [o].
– Pour faciliter la prononciation : entourage de consonnes occlusives qui aident à l'ouverture de la voyelle de grave à intermédiaire [p b m k g].
– Utiliser une intonation expressive (peine, douleur, tristesse) et descendante.

[ø]

– [ø] est une voyelle arrondie centrale et tendue/fermée relativement à [œ].
– Pour faciliter la prononciation : entourage de consonnes constrictives de aiguës à graves [s z ʃ ʒ f v] qui aident à la fermeture et la tenue de la voyelle.
– Utiliser une intonation expressive (joie, colère, surprise) et une intonation montante de question.

[œ]

– [œ] est une voyelle arrondie centrale et ouverte relativement à [ø].
– Pour faciliter la prononciaison : entourage de consonnes occlusives de graves à aiguës qui aident à l'ouverture de la voyelle [p b m k g t d n].
– Utiliser une intonation expressive (peine, douleur, tristesse) et descendante.

[e/ɛ] [ø/œ] [o/ɔ]

– Faire remarquer que [ø/œ] et [o/ɔ] sont arrondies et que [e/ɛ] sont écartées.
– La différence [e/ɛ] est fragile et subit des tendances soit de relâchement, [e – ɛ], soit d'hypercorrection [e = ɛ]. Cette différence est importante, par exemple pour distinguer le futur du conditionnel.
– On peut opposer les deux voyelles sur un jeu de brièveté pour [ɛ œ ɔ] et de longueur pour [e ø o]. Cela ne correspond pas à une réalité phonétique, mais aide à distinguer les voyelles. La production de [e ø o] est de fait facilitée par l'allongement.

[ɛ̃]
– Faire sentir le caractère aigu et écarté de [ɛ̃].
– Pour faciliter la prononciation : entourage de constrictives tendues et aiguës [s z].
– Le [j] permet de renforcer la tension de [ɛ̃] par rapport à [ɑ̃].
– Utiliser une intonation expressive (joie, colère, surprise) et une intonation montante de question.

[œ̃]
– Très proche de [ɛ̃], la nasale [œ̃] n'est phonologiquement pertinente que dans quelques mots comme *chacun, quelqu'un, un, aucun* et dans *parfum*. L'opposition *brun/brin* disparaît.

[ɔ̃]
– Faire sentir le caractère grave et arrondi de [ɔ̃].
– Pour faciliter la prononciation : entourage de consonnes constrictives graves et intermédiaires [f v ʃ ʒ] qui aident à la tenue de la voyelle et à sa fermeture par rapport à [ɑ̃].
– Le [j] permet de renforcer la tension de [ɔ̃] par rapport à [ɑ̃].
– Utiliser une intonation expressive (solennité, gravité, sérieux) qui renforce la labialité.

[ɑ̃]
– Faire sentir le caractère grave, ouvert et relâché de [ɑ̃].
– Pour faciliter la prononciation : entourage de consonnes occlusives [t p b m k g t d n] de graves à aiguës qui aident à l'ouverture de la voyelle.
– Utiliser une intonation expressive (surprise hébétée) qui renforce l'ouverture.

[ɛ̃ ɑ̃ ɔ̃] : liaison et surnasalisation
– Faire tenir la voyelle en allongeant la prononciation pour éviter un enchaînement par liaison ou l'adjonction d'une consonne nasale après la voyelle nasale (surnasalisation).

Les consonnes

[ʀ]
– D'abord faire sentir le souffle postérieur lié à l'émission de [ʀ].
– Faire sentir le lieu d'articulation en indiquant que le [ʀ] n'est pas violent, mais au contraire assez doux.
– Le [ʀ] est plus facile à produire en finale – position faible de consonnes – et en intervocalique.
– Les constructions avec consonne sont difficiles, [ʀ] + cons. puis cons. + [ʀ].

[p/b]
– Marquer la prononciation de [p] en renforçant l'explosion de l'occlusive sourde : position initiale et accent d'insistance.
– Affaiblir et atténuer l'articulation de [b], occlusive sonore.

[t/d] [k/g]
– Même technique que pour [p/b].

[b/v]
– Commencer par des exercices avec [b] en position initiale, c'est-à-dire forte.
– Utiliser la prononciation nuancée en déformant la prononciation : pour l'apprenant qui déforme en prononçant [v], [b] est remplacée par [p]. L'apprenant a tendance à revenir de lui-même vers [b].

[f/v] [p/f]
– Opposition sourde, [f], sonore,[v].
– [v] est en position difficile à l'initiale : atténuer l'attaque et allonger la prononciation de [v].
– [f] est en position favorable à l'initiale : attaque nette et ferme.
– L'opposition [p/f] repose sur le déplacement du point d'articulation. L'occlusive bilabiale [p] est plus antérieure que la constrictive labiodentale [f].
– Les lèvres s'appuient nettement l'une contre l'autre pour [v] tandis que la lèvre inférieure s'appuie sur les dents de la mâchoire supérieure pour [f].
– Allonger [f] pour l'opposer à [p] qui ne peut pas durer.

[s/z]
– Opposition sourde, [s], sonore, [z].
– Position favorable en attaque pour [s].
– Position favorable en finale et en intervocalique pour [z].
– [z] est aussi la consonne de liaison la plus fréquente.

[ʃ/ʒ]
– Opposition sourde/sonore.
– Position favorable en attaque pour [ʃ].
– Position favorable en finale et en intervocalique pour [ʒ].
– [ʃ ʒ] sont des consonnes arrondies par rapport à [s/z].
– Pour mettre en place le [ʒ], commencer par la sourde/forte [ʃ], puis passer à la sonore/faible [ʒ].

[s/z/ʃ/ʒ]
– Commencer par des exercices généraux sur l'ensemble des consonnes [s/z/ʃ/ʒ].
– La proximité de ces quatre consonnes, très proches du point de vue articulatoire, rend leur production assez difficile. Les glissements de l'une vers l'autre sont courants, même pour des francophones.
– Renforcer, faire exagérer l'articulation.
– Rappeler que [ʃ/ʒ] sont des consonnes arrondies alors que [s/z] ne le sont pas.
– On peut aussi faire sentir le caractère légèrement antérieur de [s/z] par rapport à celui légèrement postérieur de [ʃ/ʒ].
– Pour faciliter la prononciation :
• de [z], utiliser les voyelles antérieures et écartées [i e ɛ a] ;
• de [ʒ], utiliser les voyelles postérieures, graves et arrondies [u o ɔ] [ɑ̃ ɔ̃].

– Pour faciliter la prononciation :
• de [s], utiliser les voyelles antérieures et écartées [i e ɛ a] ;
• de [ʃ], utiliser les voyelles postérieures, graves et arrondies [u o ɔ] [ɑ̃ ɔ̃].

Fiches pédagogiques de la vidéo

Sur le vif

TRANSCRIPTION
FICHES D'EXPLOITATION

1. GÉRALDINE ET MARC

TRANSCRIPTION :

Géraldine et Marc
Saluer, se présenter

– Salut, ça va ?
– Bonjour !
– Je ne suis pas trop en retard ?
– Ça va. Mais tu as trouvé facilement ?
– Sans problème.
– Bon ben entre, je vais te présenter la famille.
Tiens ! Voilà justement maman. Maman, je te présente Géraldine.
– Bonsoir Géraldine.
– Bonsoir madame.
– Marc m'a beaucoup parlé de vous et je suis ravie de vous accueillir.
– Moi aussi, je vous ai apporté quelques fleurs.
– Oh ! Elles sont superbes, je vous remercie.
– Veux-tu que je te prenne ton manteau ?
– Avec plaisir.
– Entrez.
– Pardon.
– Papa, Géraldine, une amie de la fac avec qui j'ai révisé.
– Bonsoir monsieur.
– Enchanté Géraldine. Marc va nous chercher quelque chose à boire peut-être…
– D'accord, j'y vais.
– Géraldine, asseyez-vous.
– Merci.
– Nous allons parler des examens. Alors vos partiels, ça s'est passé comment ?
– Ça ne s'est pas trop mal passé. Il y a des matières qui étaient plus compliquées que d'autres, mais globalement je pense que ça devrait aller.
– Géraldine que voulez-vous boire ?
– Je vais prendre un Perrier.
– Un Perrier, tu es raisonnable aujourd'hui Géraldine ?
– Ben je vais essayer.
– Tiens, voici ton Perrier.
– Merci beaucoup.
– Elles sont superbes vos fleurs… pardon.
– Maman, je te sers quelque chose ?
– Un Pastis s'il te plaît, petit.
– Tiens Marc, tu peux me servir un petit Perrier… merci.
– Tiens ! Bien voilà la petite sœur de Marc, qui est la plus grande…
– Bonsoir.
– … et Isaure, son amie.
– Bonjour.
– Alors, si vous voulez on peut aller à table maintenant que tout le monde est là… Passez.

OBJECTIFS :
– Saluer.
– Se présenter.
– Prendre contact avec quelqu'un.
– Demander à quelqu'un des renseignements le concernant.
– Tu/vous.

FICHE FLASH   ≈ **30 MINUTES**

1. Faire visionner la séquence du film jusqu'à l'arrivée de Géraldine chez les parents de Marc, avant qu'elle n'entre dans l'appartement. Interrompre le film.

Amener les élèves à faire des suppositions en leur posant les questions suivantes :

D'après vous, où va la jeune fille ? À qui apporte-t-elle les fleurs ? À quelles occasions offrez-vous un bouquet de fleurs ?

Accepter toutes les réponses qui seront immédiatement vérifiées par le visionnement au complet de la séquence.

2. Quelques questions de compréhension globale :

Quelles sont les personnes qui apparaissent dans le film ?

Où a lieu la scène ?

Géraldine a-t-elle déjà rencontré la famille de Marc ?

Qui sont les personnages et quelles sont leurs relations ?

Faire justifier toutes les réponses.

3. Puis, proposer des activités plus ciblées et plus guidées :

Repérez les différentes salutations et formules de politesse que s'échangent :

– Géraldine/Marc ;

– Géraldine/la mère de Marc ;

– Géraldine/le père de Marc ;

– Géraldine/les deux jeunes filles.

Notez ce que dit Géraldine à la mère de Marc lorsqu'elle lui donne le bouquet.

À votre tour, imaginez que vous apportez des fleurs à une amie. Que lui dites-vous ? Il s'agit ici de faire retravailler le « tu » et le « vous ».

Faire transformer cette phrase en remplaçant le « tu » par le « vous » : « Veux-tu que je te prenne ton manteau ? »

Faire relever les différentes façons d'offrir à boire à quelqu'un : « Que voulez-vous boire ? » ou « Je te sers quelque chose ? ».

4. Enfin, vous pouvez demander aux élèves d'imaginer, puis de jouer, la conversation que ces différentes personnes auront pendant le dîner. Cette activité est ouverte, elle permet donc aux apprenants de réutiliser les outils qu'ils ont acquis.

Vous pouvez, si vous le souhaitez, en accord avec les besoins du groupe ou avec les objectifs du moment, proposer un canevas afin de mieux cibler le travail.

1. GÉRALDINE ET MARC (suite)

CONSEILS... SUGGESTIONS... REMARQUES...

Lorsque Géraldine arrive chez les parents de Marc, elle compose un numéro sur un digicode. À Paris, pour entrer dans un immeuble, il faut de plus en plus souvent avoir le code d'accès de la porte de l'immeuble sinon vous restez dehors ! C'est un système de sécurité.

Le bouquet de fleurs : Géraldine est invitée à dîner chez les parents de Marc, elle apporte à la maîtresse de maison un bouquet de fleurs. C'est un geste de politesse.

Les partiels : ce sont des examens qui ont lieu à la fin d'un trimestre à l'université et qui comptent pour un certain pourcentage (souvent 50 % de la note finale).

2. PROMENADE EN BATEAU-MOUCHE

OBJECTIFS :
– Localiser dans l'espace.
– Découverte du Paris touristique.

FICHE FLASH   ≈ 40 MINUTES

1. Passer le film dans son intégralité puis poser des questions de compréhension globale : dans quelle ville a lieu la promenade ? Quel est le moyen de locomotion ? Combien de personnes apparaissent dans le film ? Êtes-vous déjà allé à Paris ? Quels monuments connaissez-vous ?

2. Distribuer aux élèves la liste ci-dessous, ils peuvent travailler seul ou par deux. Demander de cocher dans cette liste les lieux évoqués dans le dialogue entre les deux jeunes hommes.

Le Grand Palais	Notre-Dame
La tour Eiffel	L'hôtel royal des Invalides
L'Arc de Triomphe	Le Centre Georges-Pompidou
Le pont des Invalides	Le Palais de Justice
Le pont Alexandre-III	La rue du Chat-qui-pêche
Le pont Royal	Le quai de Orfèvres
L'Institut de France	Le Palais de Tokyo
Le Louvre	Le restaurant Jules Verne
Le musée d'Orsay	Le quai des Grands-Augustins
Le pont Neuf	La Bastille

Demander ensuite de repérer certains de ces monuments sur le plan ci-joint (pp. 206-207).

3. Répondre par vrai ou faux :

	Vrai	Faux
a. Le restaurant Jules Verne se trouve en haut de la tour Eiffel :	☐	☐
b. Le pont Royal est le plus ancien des ponts de Paris :	☐	☐
c. Le musée d'Orsay est un musée d'art moderne :	☐	☐

TRANSCRIPTION :

Promenade en bateau-mouche
Localiser dans l'espace

– Bonjour. J'ai réservé une croisière et j'aimerais savoir s'il y avait moyen d'avoir un guide personnel s'il vous plaît.
– Oui, vous avez Nicolas qui est déjà à bord. Vous le trouverez sur la terrasse monsieur.
– D'accord, merci.
– Je vous en prie, au revoir.
– En haut de la tour Eiffel, il y a un restaurant : c'est le restaurant Jules Verne, un restaurant très célèbre. En face de nous, c'est la passerelle Debilly, c'est un pont pour les piétons... et juste après c'est le Palais de Tokyo, à gauche.
– Et quel est ce pont avec ces quatre statues dorées ?
– C'est le pont des Invalides et les quatre statues dorées, derrière, sont celles du pont Alexandre-III. À gauche du pont, c'est le Grand Palais et à droite, au loin, c'est la coupole de l'hôtel royal des Invalides.
Là, nous passons sous le pont Royal, l'un des plus anciens de Paris.
– Dans le fond, quelle est cette coupole que nous apercevons à droite ?
– Cette coupole, dans le fond, c'est la coupole de l'Institut de France. Ce grand bâtiment à droite, c'est le musée d'Orsay.
– Qu'est-ce qu'il y a dans ce musée ?
– Dans ce musée, il y a beaucoup de toiles impressionnistes, par exemple.
– Ce pont, sous lequel on va passer, quel est son nom ?
– C'est le pont Neuf : le pont le plus ancien de la ville de Paris.

Après le pont, à gauche, le quai des Orfèvres et le Palais de Justice. À droite, le quai des Grands-Augustins. En son sommet : les bouquinistes.

Voici, sur notre gauche, la tour du Palais de Justice. Ce « N » devant nous signifie « Napoléon ».

– Quel est ce pont derrière nous ?
– C'est le Petit pont. De ce côté-ci du pont : la préfecture de police ; de ce côté-là : la rue du Chat-qui-Pêche. Et voici, sur notre gauche, la cathédrale Notre-Dame.
– Je vous remercie beaucoup, c'était vraiment très intéressant.
– Je vous en prie, c'était mon plaisir.
– Merci beaucoup.
– À bientôt.
– Bonne journée à vous.
– Au revoir.
– Au revoir.

	Vrai	Faux
d. La cathédrale Notre-Dame est à droite du bateau :	☐	☐
e. Le pont Neuf est le plus vieux pont de Paris :	☐	☐
f. Le quai des Orfèvres se trouve après le pont Neuf et à gauche :	☐	☐
g. Les quatre statues dorées sont celles du pont des Invalides :	☐	☐

4. À partir du plan de la ville de Paris, ou de la ville des élèves, vous pouvez leur demander de se positionner sur le plan et de poser des questions aux autres participants sur l'emplacement de certains monuments. Par exemple : « je suis face au Sacré-Coeur, où se trouvent le Moulin Rouge et La Bastille ? », etc. Cette activité permet de reprendre les localisateurs. Autre prolongement possible : sur le modèle du dialogue, proposer aux élèves d'organiser une promenade dans leur ville. Ils sont des guides et doivent faire découvrir leur ville, un quartier, à un touriste.

CONSEILS... SUGGESTIONS... REMARQUES...

Les bateaux-mouches désignent maintenant tous les bateaux touristiques qui font découvrir la capitale au fil de la Seine mais c'est à l'origine le nom de la première compagnie à avoir développé ce concept.

Légende du plan de Paris (pp. 206-207) :
1. La Défense avec la Grande Arche - **2.** L'Arc de Triomphe (place Charles-de-Gaulle) - **3.** Le palais de Chaillot - **4.** La tour Eiffel - **5.** La tour Montparnasse - **6.** Le cimetière du Montparnasse - **7.** Saint-Louis-des-Invalides - **8.** Le pont Alexandre-III - **9.** Le Grand Palais - **10.** Le Petit Palais - **11.** L'Assemblée nationale - **12.** Le palais et le jardin du Luxembourg - **13.** L'église Saint-Germain-des-Prés - **14.** Le musée d'Orsay - **15.** L'Obélisque de la place de la Concorde - **16.** L'église de la Madeleine - **17.** Le parc Monceau - **18.** Le Moulin Rouge - **19.** La place Blanche - **20.** L'Opéra Garnier - **21.** La colonne de la place Vendôme - **22.** Le Forum des Halles* - **23.** Le musée du Louvre et sa pyramide - **24.** Les jardins des Tuileries - **25.** Le musée Carnavalet* - **26.** La place des Vosges - **27.** Le pont Marie - **28.** L'île Saint-Louis* - **29.** Le pont neuf - **30.** La place Dauphine* - **31.** La cathédrale Notre-Dame sur l'île de la Cité - **32.** La Sorbonne* - **33.** L'église Saint-Étienne-du-Mont - **34.** Le Panthéon - **35.** Le Jardin des Plantes et le Muséum national d'histoire naturelle - **36.** La Bibliothèque nationale de France - **37.** Le palais omnisports de Bercy - **38.** L'Opéra Bastille - **39.** La colonne de Juillet, place de la Bastille - **40.** Le Centre Georges-Pompidou (Beaubourg) - **41.** Le cimetière du Père-Lachaise - **42.** La Géode et la Cité des sciences et de l'industrie - **43.** La basilique du Sacré-Cœur.

* Non représentés.

Anne-Marie Vierge

3. L'ÉCOLE DES BEAUX-ARTS S'IL VOUS PLAÎT ?

OBJECTIFS :
– Demander un itinéraire.

FICHE FLASH   ≈ 40 MINUTES

1. Attirer l'attention des élèves sur l'intitulé du film : « L'école des Beaux-Arts s'il vous plaît ? »

Arrêter l'image sur la jeune femme face au plan. Demander : où se trouve la jeune femme ? Dans quel quartier est-elle ? À quelle station de métro est-elle ? Comment pouvons-nous connaître toutes ces informations ?

2. Puis, passer le reste du film sans le son jusqu'à la traversée de la Seine. Essayer de faire deviner la conversation entre la jeune femme et le jeune homme. Relever leurs gestes et leurs expressions corporelles. Vérifier les hypothèses en visionnant le film avec le son.

Faire récapituler ou résumer, comme le fait la jeune femme, le chemin qu'elle doit prendre, puis demander à la classe quelle est la seconde étape.

3. Continuer la projection du film jusqu'au deuxième interlocuteur, c'est-à-dire le portier. Faire émettre des hypothèses sur la profession de ce monsieur : pour qui travaille-t-il ? Quelles sont ses fonctions ? etc.

4. Finir la projection de l'extrait et travailler sur une compréhension plus fine du texte. Se reporter à la balade sur le bateau-mouche et au plan de Paris pour situer approximativement le trajet de la jeune femme.

CONSEILS... SUGGESTIONS... REMARQUES...

Le Marais est un des plus vieux quartier de Paris, il abrite de somptueux hôtels particuliers et l'ancienne place Royale, connue sous le nom de place des Vosges.

L'école nationale des Beaux-Arts est située rue Bonaparte, dans un ensemble architectural regroupant les vestiges d'une église, d'une chapelle, d'un couvent (XVIIe siècle) et des constructions des XVIIIe et XIXe siècles.

TRANSCRIPTION :
L'école des Beaux-Arts s'il vous plaît ?
Demander un itinéraire

– Pardon monsieur.
– Oui.
– Je suis un peu perdue. Je voudrais aller à l'école des Beaux-Arts.
– L'école des Beaux-Arts. Alors attendez, d'ici…
– Comment faire pour y aller ?
– … il faut traverser la Seine.
– La Seine ! Elle est de quel côté ?
– À gauche. Donc le mieux, vous prenez la rue à gauche, là.
– Oui.
– Vous allez tout droit et vous traversez la Seine. Juste après la Seine, vous tournez à droite.
– Alors attendez, je récapitule : je prends donc la première à gauche…
– À gauche.
– … je vais tout droit.
– Vous prenez la première à gauche, vous allez tout droit.
– J'arrive à la Seine.
– Vous traversez la Seine. Vous traversez la Seine.
– Je traverse la Seine.
– Après la Seine, à droite.
– À droite.
– Et là, le mieux, vous redemandez à une autre personne parce que c'est quand même assez loin.
– Bon c'est gentil, merci.

– Pardon monsieur.
– Oui ?
– Excusez-moi. Je cherche à aller à l'école des Beaux-Arts. Est-ce que vous pourriez m'indiquer le chemin ?
– Ah ! Oui ! Oui, oui… je vais vous dire ça, c'est pas bien loin d'ici. Vous allez continuer le quai, vous allez passer la place Saint-Michel…
– Oui.
– … vous verrez, il y a des fontaines.
– Oui.
– Et après, vous prenez le quai des Grands-Augustins. Et à peu près après la place Saint-Michel, il y a à peu près… cinq-six cents mètres et vous allez trouver la rue Bonaparte. Et dans la rue Bonaparte sur la gauche, vous avez l'école des Beaux-Arts.
– C'est loin d'ici ?
– Non, ça vous fait 1 km 300 peut-être, quelque chose comme ça.
– D'accord.
– Voilà.
– Donc je vais tout droit, je longe le quai.
– Oui, oui.
– Ensuite dès que j'arrive à la rue Bonaparte…
– Voilà… oui.
– … je tourne à gauche.
– Voilà.
– D'accord. Je vous remercie beaucoup.
– Ben, je vous en prie madame.
– Merci monsieur.
– Au revoir.

Appartement à louer

Décrire un logement

– Bonjour madame, Philippe Davoust à l'appareil, je vous appelle au sujet de l'appartement.
– Ah ! Oui, oui, je suis au courant. C'est pour un deux pièces à louer, c'est ça ? D'accord. Écoutez, donc il est disponible. Il est dans le 18ᵉ arrondissement, tout près de Montmartre. C'est un 45 m², refait à neuf.
– Ce serait possible de le visiter en fin d'après-midi, vers 18 heures ?
– Parfait. Ben je vous attends là-bas à 18 heures alors. Merci, au revoir.

– Voici la première pièce principale.
– Oui.
– Tout vient d'être repeint, d'ailleurs ce n'est pas encore bien sec. Voilà, les moulures, vous voyez…
– Ah ! C'est beau, on voit que ça vient d'être refait.
– Ouais, ouais… une cheminée, qui marche hein, il faut la faire ramoner…
– Ah ! D'accord.
– Mais aucun problème. Et puis une vue bien bien dégagée aussi.
– Oui.
– C'est très très calme, vous ne donnez pas sur rue. Très calme. La deuxième pièce est à peu près semblable. Peut-être un peu plus grande, je crois.
Voilà. Vous voyez, même système : une cheminée, même vue.
– Et au niveau du chauffage ?
– Électrique, donc c'est à vos frais.
– Ouais.
– Voilà, je vous conduis dans la cuisine ? Elle n'est pas bien grande mais enfin vous pouvez loger pas mal de choses dedans… hein déjà.
– Oui, oui.
Voilà, alors ici les ouvriers n'ont pas bien terminé leur travail. Il y a encore un petit peu de bazar.
– Ce n'est pas bien grave.
– Voilà. Je vous montre la salle de bains ?
– Ouais.
– Tenez… venez voir.
– Pardon.
– Donc tout est dans une pièce hein : la douche, lavabo, toilettes.
– Donc ça, ça fonctionne… O.K. Au niveau du loyer, ça se passe comment ?
– Alors le loyer c'est donc 3 200 francs…
– Ouais.
– … plus les charges.
– D'accord. Et la caution ?
– Vous travaillez ?
– Non, je suis étudiant.
– Vous êtes étudiant. Vous avez un de vos parents qui peut se porter garant ?
– Oui, bien sûr, oui.
– Et bien voilà, donc il y aura quelques papiers à remplir et puis les clés sont disponibles la semaine prochaine.
– D'accord. Donc moi, de toute façon, je vous appelle demain matin pour vous donner une réponse.
– D'accord. Ben écoutez, on fait comme ça. Je vous raccompagne ?
– O.K.

OBJECTIFS :

– Prendre rendez-vous.
– Décrire un logement.

FICHE FLASH ≈ 40 MINUTES

1. Commencer par une phase de sensibilisation en demandant aux élèves d'établir une liste de critères à prendre en considération pour louer un logement. Proposer éventuellement une liste ou quelques critères qui pourront compléter ceux apportés par le groupe. Par exemple : la superficie, le quartier, l'ensoleillement, la clarté, le calme, le chauffage, immeuble neuf ou ancien, meublé ou vide, cuisine équipée ou non, vue dégagée, moquette ou parquet, etc.

   Cette phase permet la mise en contexte et l'apport de vocabulaire.

   Procéder au visionnement du film en deux temps : la prise de rendez-vous puis la visite.

2. La prise de rendez-vous : donner une dizaine de minutes aux élèves pour imaginer un mini-dialogue entre quelqu'un qui cherche un logement et un agent immobilier. Proposer le canevas suivant : demande, pourquoi, jour et heure, formule de congé.

   Présenter la première partie du film et demander de relever, à partir du canevas précédent, ce qui est dit dans le dialogue entre Philippe Davoust et l'agent immobilier.

3. Visionner la fin du document et faire relever les caractéristiques de chacune des pièces (moulures, cheminées, plancher), le mode de chauffage, le loyer et les papiers à remplir.

   Demander ensuite aux élèves de rédiger une petite annonce pour cet appartement. Ils peuvent se référer aux petites annonces de la page 147 du livre 1 de *Tempo* ou s'inspirer de petites annonces extraites de journaux français.

CONSEILS… SUGGESTIONS… REMARQUES…

« La cheminée marche, il faut la faire ramoner » : en effet, avant de faire du feu dans une cheminée, pour éviter des accidents, il faut nettoyer son conduit pour le débarrasser de la suie. C'est ce que l'on appelle ramoner.
La procédure de location en France est assez compliquée et onéreuse, surtout lorsque l'on passe par une agence. Dans la plupart des cas, il faut verser trois mois de loyer : un mois de caution, un mois de loyer plus un autre mois pour les frais d'agence. En outre, vous devez fournir votre déclaration d'impôts pour prouver vos sources de revenus. Si ceux-ci sont insuffisants, on vous demandera que quelqu'un se porte caution pour vous, c'est-à-dire que cette personne garantisse personnellement que le loyer sera versé au propriétaire.

5. ET SI ON FAISAIT DES CRÊPES ?

OBJECTIFS :
– Donner des instructions.
– Quantifier.

FICHE FLASH   ≈ 30 MINUTES

1. Projeter une fois le document dans sa totalité, demander de retrouver les ingrédients puis distribuer la recette des crêpes dans le désordre. Il s'agira de la remettre en ordre.

   a. Tu verses deux verres de lait et tu mélanges bien.

   b. Tu mets 100 g de farine.

   c. Tu mets du beurre, la pâte, tu laisses cuire.

   d. Tu casses les œufs.

   e. Tu prends le fouet pour mélanger.

   f. Tu la verses dans le plat, tu fais un puits, un trou.

   g. Tu tournes.

2. Vérifier les productions en visionnant une deuxième fois.

   Vous pouvez ensuite demander aux élèves d'écrire une de leurs recettes préférées. L'ensemble de ces recettes sera réuni sous la forme d'un livre de recettes en français. Cette activité permet le réemploi du partitif.

CONSEILS... SUGGESTIONS... REMARQUES...

La Chandeleur et les crêpes : les crêpes sont d'origine bretonne, on les mange souvent en les accompagnant de cidre. Le 2 février, pour la fête de la Chandeleur, la tradition veut que l'on fasse sauter des crêpes.

Au restaurant
Commander un repas

– J'espère que tu as faim !
– Ben oui j'ai faim, mais c'est encore loin ?
– Mais non, regarde : on y est, on tourne à gauche là et c'est… 150 m, même pas.
– Chouette !
– Tiens regarde, c'est vraiment le style des vieux bistrots parisiens.
– Alors…
– Alors, on peut avoir… ben, du foie gras si tu veux. Des escargots, ça te dit ?
– Et du pot-au-feu ?
– Mais oui, il y a du pot-au-feu ! C'est même la spécialité.
– Ah ! Pot-au-feu campagnard. On y va ?
– Allons-y !

– Madame bonjour !
– Bonjour !
– Bonjour monsieur.
– Une table pour deux couverts ?
– Oui.
– Vous avez une réservation ?
– Non pas du tout.
– Fumeurs, non-fumeurs ?
– Non-fumeurs !
– Bien, si vous voulez me suivre… Je vous donne les cartes.
– Oui, mais qu'est-ce que vous suggérez plutôt ?
– Aujourd'hui, en plat du jour, vous allez avoir un confit de magret d'oie « façon Périgord ».
– Qu'est-ce que c'est « façon Périgord » ?
– C'est cuit doucement dans sa graisse… tout doucement.
– D'accord.
– Tout doucement et vous avez également un cœur d'aloyau, si vous le désirez.
– Un cœur d'aloyau, c'est quoi ça ?
– C'est une pièce de bœuf servie comme un faux-filet à l'os… grillée.
– Oh ! Oui, c'est peut-être bien ! Qu'est-ce que tu en penses ?
– Alors moi, j'abandonne le pot-au-feu campagnard et en fait, je vais prendre un confit d'oie.
– D'accord.
– Oui et moi je vais aussi prendre de l'aloyau, bien grillé.
– En garniture je vous propose : frites, haricots verts. Vous avez pâtes fraîches, salade verte également, pommes mousseline.
– Qu'est-ce qui est le mieux avec le confit ?
– Haricots verts, ça ira très bien. Et vous, monsieur ?
– Haricots verts. Un peu de frites peut-être aussi.
– D'accord.
– Du vin : qu'est-ce que vous proposez ?

OBJECTIFS :

OBJECTIFS :
– Quantifier.
– Commander un repas.

FICHE FLASH   ≈ **40 MINUTES**

1. Sensibiliser les apprenants au thème évoqué dans ce film en leur demandant d'imaginer ou de décrire un bistrot parisien. D'après eux, quel type de nourriture pouvons-nous y trouver ? Quelle ambiance y règne-t-il ? Qu'est-ce qui différencie un restaurant d'un bistrot ?

   Apporter des photos de bistrots si vous en avez.

   Puis, leur demander ce que le mot « pot-au-feu » leur inspire, de quoi il peut s'agir. Est-ce un plat d'hiver ou d'été ? Leur faire imaginer la recette.

2. Projeter le film jusqu'à l'entrée des deux personnages dans le bistrot. Vérifier rapidement la compréhension globale de ce passage : où vont les deux personnages ? Quelle est la spécialité du bistrot où ils se rendent ?

3. Passer le film dans sa totalité et demander, pour la deuxième partie du document, de rechercher les différentes façons de commander ou de se renseigner sur un plat : qu'est-ce que vous suggérez ? Qu'est-ce que c'est… ? C'est quoi… ? Qu'est-ce qui est le mieux… ? Qu'est-ce que vous proposez ?

   Faire reprendre ces structures dans des mini-dialogues. Vous êtes dans un restaurant et vous voulez passer la commande :
   – vous appelez le serveur/la serveuse ;
   – il/elle vous donne le menu ;
   – vous lui demandez conseil ;
   – il/elle vous propose un plat ;
   – vous ne savez pas ce que c'est, vous demandez des explications ;
   – il/elle vous explique ;
   – ce plat ne vous tente pas, vous demandez qu'il/elle vous suggère autre chose ;
   – il/elle vous propose un autre plat ;
   – vous commandez.

4. Faire établir le menu des deux personnages.

5. Repasser la fin du film lorsque l'addition arrive et attirer l'attention des élèves sur les gestes de la jeune femme : que fait-elle semblant de prendre ? Qui va payer ? Demander aux élèves les différentes façons de payer une addition : en espèces, par carte bancaire ou par chèque. Comment le jeune homme règle-t-il les deux repas ?

CONSEILS… SUGGESTIONS… REMARQUES…

Qu'est-ce qu'un « pot » ? En général, le pot est un récipient où l'on met des aliments.
Deux plats avec le mot « pot » sont devenus populaires :
– le pot-au-feu, plat à base de légumes et de viande, plutôt servi l'hiver.
– la poule au pot, célèbre grâce au roi Henri IV à qui l'on attribue cette phrase : « Je veux qu'il n'y ait si pauvre paysan en mon royaume qu'il n'ait tous les dimanches sa poule au pot. » On peut dire que la poule au pot est un « pot-au-feu de poule ».

6. AU RESTAURANT (suite)

Recette du pot-au-feu :
Pour 6 personnes

Préparation : 30 minutes
Cuisson : 3 heures

1 kg de viande de bœuf, 2 os sans moelle, 4 poireaux, 8 carottes, 6 navets, 2 oignons, 1 bouquet garni, 1 pied de céleri en branches, 4 clous de girofle, sel et poivre.

Mettez dans la marmite 4 litres d'eau froide, la viande, les os et une cuillerée de sel.

Amener à ébullition, écumer et baisser le feu, couvrir.

Laisser cuire une heure. Pendant ce temps, préparer les légumes, mettre les poireaux, le céleri en bottes, piquer les oignons avec les clous de girofle. Ajouter les poireaux, le céleri, les navets une demi-heure après l'ébullition puis, après la première heure de cuisson, les carottes, les oignons et le bouquet. Faire cuire très doucement.

Découper la viande et la servir avec les légumes.

– Un bordeaux maison, si ça vous tente.
– Ça me semble très bien.
– C'est bien ça !
– Très bien.
– Vous ne serez pas déçus.
– Merci, merci !

– Tu sais qu'elle est bonne, hein ! Toi aussi ?
– Très bon !
– Voici les cafés !
– Merci. Vous avez l'addition ?
– Oui bien sûr, je vous l'apporte de suite.
– D'accord, merci. Vous prenez la carte bleue ?
– Oui.
– Merci.
– Voici.
– Bon ben attends... écoute, on va partager !
– Non, non, non !
– Vraiment ?
– C'est moi qui t'invite !
– Oh ben c'est gentil !
– C'était prévu en plus.
– Oh ben c'est gentil ça !
– Merci beaucoup !

7. CASTING

OBJECTIFS :
– Décrire une personne.
– Donner son avis sur quelqu'un.
– Comparer.

FICHE FLASH ≈ 30 MINUTES

1. Projeter le film sans le son et demander aux élèves de décrire et de comparer les deux femmes.

2. Passer le film avec le son. Préparer le tableau ci-dessous, le distribuer et le faire compléter :

   Nom/prénom du candidat : ....

   Caractéristiques du candidat : ....

   Opinion sur le candidat : ....

3. Quels candidats vont être envoyés par l'agence au réalisateur ?

4. Faire relever le champ lexical se rapportant au cinéma : la réalisatrice, un premier rôle, un second grand rôle, un rôle principal, la caméra, un rôle, un personnage, un comédien.

5. La séquence de cette vidéo commence à la fin de la conversation entre le producteur et la directrice de l'agence. Demander aux élèves d'imaginer leur conversation.

TRANSCRIPTION :

Casting
Donner son avis sur quelqu'un, comparer

– Je vais y réfléchir, on va en parler avec mon assistante. Je vous rappelle... voilà, je vous rappelle dans l'après-midi et merci beaucoup. Au revoir. Bon Natacha, la réalisatrice qui vient d'appeler là cherche un premier rôle et un grand second rôle, donc on va regarder pour lui faire une suggestion. Donc elle a 16-20 ans...

– 16-20 ans hein ?

– 16-20 ans oui... mais plus proche de 16 ans que de 20 ans.

– Oui. Il y a Alexandra Bianci, peut-être.

– Bon Alexandra, je ne suis pas d'accord parce qu'elle n'a pas assez d'expérience encore. Il s'agit d'un rôle principal...

– Peut-être plus Sylvie, qui paraît plus jeune, qui est plus âgée dans la vie mais qui paraît plus jeune à la caméra donc... peut-être qu'elle pourrait correspondre.

– On va la lui proposer, quand même.

– On la lui propose quand même...

– Oui, oui.

– D'accord.

– Ensuite, il y a Florence Loiret qui est aussi jeune que le personnage qui est décrit dans le rôle.

– Elle, je pense qu'elle serait idéale, donc oui. Et peut-être Cylia… peut-être Cylia aussi.

– Mais elle est plus âgée Cylia aussi, non ?

– Oui, elle est plus âgée mais elle a une vraie nature, un vrai tempérament comme celui de son personnage, je crois.

– Donc on envoie Cylia aussi.

– Absolument.

– Et en ce qui concerne les garçons ?

– Bien… un comédien chez nous qui me paraît tout de suite évident, je pense que…

– Qui est Boris… certainement.

– Voilà.

– Sauf s'il est un petit peu trop brun. Trop grand aussi, peut-être.

6. Demander aux élèves de choisir des acteurs pour jouer dans les rôles suivants : un vieil inspecteur, un jeune policier, une sorcière, une vieille dame capricieuse, un gangster, une extraterrestre, etc. Les choix doivent être justifiés.

– Oui mais enfin, comme il est très talentueux on va lui proposer oui.

– Ensuite il y a Stanislas… mais qui est beaucoup plus classique que Boris.

– Je pense que lui aussi peut s'approcher du personnage.

– Donc, je résume : j'envoie Florence, Cylia et Sylvie…

– Oui.

– … pour les filles et Boris et Stanislas pour les garçons.

– Parfait.

– J'envoie ça dès aujourd'hui.

8. À LA GARE

TRANSCRIPTION :

À la gare
Demander des renseignements

– Bonjour madame.

– Bonjour monsieur, oui… qu'est-ce que vous voulez ?

– Je voudrais aller à Madrid.

– À Madrid, oui. Vous voulez partir quel jour ?

– Plutôt demain.

– Alors demain, j'ai un TGV ce jour, là, à 6 h 55.

– Oui.

– Demain matin.

– Il arrive à quelle heure ?

– 21 h à Madrid. Vous changez à Irun, attention.

– Combien de temps d'arrêt ?

– Un quart d'heure à peu près.

– Un quart d'heure… O.K. Est-ce qu'il y aura une autre possibilité, par exemple ?

– Oui, vous avez le voyage de nuit : 18 h 05 de la gare d'Austerlitz, qui est direct.

– D'Austerlitz…

– Vous n'avez pas à changer.

– Ça fait donc une durée de trajet de combien, ça ?

– De jour vous mettez 15 heures… 15 heures de trajet oui, et de nuit 15 heures 45. Bon ce qu'il y a de nuit c'est direct, vous êtes en couchette. Bon, si vous dormez en couchette, normalement ça va.

– Ouais.

OBJECTIFS :

Demander des renseignements, des horaires.

FICHE FLASH ≈ 30 MINUTES

1. Passer le film jusqu'à ce que le jeune homme s'assoie. Poser des questions générales sur le lieu de l'action : où est le jeune homme ? Dans quelle gare se trouve-t-il ? Combien de gares y a-t-il à Paris ?

Le jeune homme tire un ticket d'une machine rouge. Faire émettre des hypothèses autour de cette machine : à quoi sert-elle ? Pourquoi et où installer ce genre de machine ? Qu'est-il inscrit sur le ticket ? (le nombre 476).

Amener les élèves à établir une relation entre ce nombre et celui qui apparaît sur un tableau électronique indiquant le guichet 59. Demander vers quel guichet se dirige le jeune homme. Enfin, faire imaginer ce qu'il va demander à l'employée.

2. Projeter tout le film et distribuer le questionnaire de compréhension globale suivant :

	Vrai	Faux
a. Le jeune homme veut partir immédiatement à Madrid :	☐	☐
b. Il y deux TGV pour Madrid :	☐	☐
c. Le premier train part à 6 h 55 et arrive à 20 h à Madrid :	☐	☐
d. Le deuxième train est un train de nuit direct :	☐	☐
e. De jour, il faut plus de temps que de nuit pour aller de Paris à Madrid :	☐	☐
f. Le train de nuit part de la gare d'Austerlitz :	☐	☐
g. L'employée conseille au client le train de nuit :	☐	☐
h. Le coût du billet est exactement de 650 francs :	☐	☐

3. Faire des photocopies du billet SNCF ci-joint, les distribuer aux élèves et leur demander si ce billet correspond à celui du jeune client. Faire justifier les réponses.

4. À partir de la conversation puis du billet, demander de remplir deux fiches avec les informations suivantes :

Lieu et heure de départ : ....

Lieu et heure d'arrivée : ....

Classe : ....

Place fumeur ou non fumeur : ....

Fenêtre ou couloir : ....

– Si vous avez des problèmes pour dormir, moi je vous conseillerais peut-être de prendre le TGV. Ça vous permet de… de visiter un peu quoi, si vous ne connaissez pas le trajet.
– Quelle est la différence de tarif ?
– De nuit vous avez une couchette à payer à 89 F.
– Oui…
– Sinon de jour, c'est dans les 650 F à peu près.
– Bon écoutez, ça me paraît plus agréable de voyager de jour, donc…
– Comme vous voulez.
– … je pense que je vais plutôt choisir le TGV.
– Vous préférez fumeur ou non-fumeur ?
– Fumeur s'il vous plaît.
– Fumeur… voilà. Fenêtre ou couloir ?
– Fenêtre si possible.
– Vous réglerez comment ?
– Je vais régler par carte bleue.
– Carte bleue… Alors, vous partez bien donc demain.
– Oui.
– Paris-Irun donc à 6 h 55, TGV. Vous avez bien fait de prendre le train de jour, c'est plus rapide, et puis vous verrez la campagne, c'est plus beau. Voilà.
– O.K.
– Je vous souhaite un bon voyage.
– Je vous remercie. Au revoir madame.
– Au revoir.

```
SNCF   BILLET   | A/R PARIS AUSTERLITZ  ▶ LA SOUTERRAINE
               Valable 24 heures maximum après compostage  A/R
               Maximum term of validity : 24 hours after punching. | 01ADULTE

Dep 13/05 à 16H32 de PARIS AUSTERLITZ   Classe 2  VOIT 47 : PLACE NO  22
Arr        à 19H28 à LA SOUTERRAINE     01ASSIS NON FUM
A UTILISER DANS LE TRAIN  4471          SALLE              01FENETRE
TARIF BILLET DE CONGE ANNUEL

Dep 15/05 à 15H13 de LA SOUTERRAINE     Classe 2  VOIT441 : PLACE NO  71
Arr        à 18H16 à PARIS AUSTERLITZ   01ASSIS NON FUM
A UTILISER DANS LE TRAIN  4466          SALLE              01FENETRE
TARIF BILLET DE CONGE ANNUEL

Prix par voyageur :    324.00                           Prix  FRF  **324.00
CA25 PC 25  KM0341  RS 18  : CA25 PC 25 KM0341 RS 18 : DV 327090735 NANGIS
  162      191          : 162          191       : CB999999999 100591  20H10
B           873270907355          B           : 500872  Dossier : QUKYYC  Page 1/1
        238045363
```

© SNCF

CONSEILS... SUGGESTIONS... REMARQUES...

Les gares de Paris : il y a six gares à Paris desservant des réseaux et des pays distincts.
– La gare de l'Est dessert l'Est, l'Allemagne.
– La gare Montparnasse dessert l'Ouest
et une partie du Sud-Ouest (TGV exclusivement).
– La gare de Lyon dessert le Sud et le Sud-Est.
– La gare du Nord dessert le Nord, la Belgique.
– La gare d'Austerlitz dessert le Sud-Ouest.
– La gare Saint-Lazare dessert le Nord-Ouest.

Le distributeur de tickets : on trouve cette machine dans quelques services administratifs comme la Sécurité sociale, l'ANPE, les gares, etc. et dans des grandes surfaces. Sur le ticket est inscrit un nombre qui détermine votre ordre de passage.

9. UNE NOUVELLE VOITURE

TRANSCRIPTION :

Une nouvelle voiture
Argumenter

– Bonjour.
– Bonjour monsieur.
– Bonjour madame.
– Bonjour.
– Alors, on vient vous voir parce qu'on voudrait acheter une voiture, une « 4 portes »... parce qu'on a une « 2 portes » et on trouve ça beaucoup moins pratique qu'une « 4 portes ».
– Je peux vous proposer la ZX mono point Citroën.
– Oui.
– ... qui a 4 portes, qui est extraordinaire.
– Et c'est celle-ci là ?
– Oui, c'est la meilleure voiture que j'aie.
– De toute façon vous avez d'autres modèles ?
– Oui, si vous voulez passer dans ma vitrine, je vais vous faire...
– D'accord.
– Alors là, j'ai... j'ai une AX à vous proposer. C'est une « 4 portes » et elle est diesel, cette voiture.
– Diesel, mais c'est bien ça diesel !
– Puis en plus, puisqu'on va pas mal utiliser la voiture... puisque lui avec son travail il l'utilise toute la semaine et puis nous, le week-end, on part... on part souvent en campagne, donc...
– Oui, parce que je suis « commercial » donc je suis toujours sur la route.
– Sur cette voiture, avec 100 F de gasoil vous allez pouvoir descendre à Avignon.
– Je trouve qu'elle reste quand même... elle reste quand même chère et à part le côté diesel, je préfère... je préfère la blanche.
– Je vais vous montrer la ZX, maintenant.
– Elle est super, celle-là ! Au moins la couleur, elle est drôle ! Ça fait plus gai !
– Elle a 40 ans cette voiture.
– C'est une voiture qui est trop vieille ! Elle ne va pas tenir la route, pas tenir le choc ! Elle ne coûte pas cher d'accord, mais ça ne suffira pas.
– On va voir la blanche, ça ne plaît pas à monsieur.
– C'est possible ?
– Allons-y.
– Voilà la voiture... Là vous serez enchantés de cette voiture. Elle est parfaite, il y a un train arrière auto-directionnel, c'est super. Puisque vous faites de la route, c'est vraiment un modèle idéal pour vous.
– Qu'est-ce que tu en penses ?
– Moi, moi je n'en pense que du bien. De toute façon c'est toi, c'est toi qui choisis. C'est toi qui vas le plus la

OBJECTIFS :

Argumenter.

FICHE FLASH ≈ 45 MINUTES

1. Préparer le visionnement du film en demandant aux élèves quelle est la voiture de leurs rêves et quels sont les critères qui leur paraissent importants lorsqu'ils achètent une voiture.

   Quelques idées : la sécurité, la vitesse, le confort, deux ou quatre portes, diesel ou essence, direction assistée, etc.

   Leur demander ensuite quelles peuvent être les raisons qui amènent quelqu'un à changer de voiture.

   C'est une phase de mise en contexte et d'apport de vocabulaire qui a comme objectif de faciliter la compréhension du document.

2. Visionner le film dans sa totalité. Vérifier la compréhension globale : que veut faire le jeune couple ? Où se trouve-t-il ? Pourquoi veut-il changer sa voiture ? Combien de voitures le vendeur lui propose-t-il ?

3. Repasser le film en demandant aux élèves de relever les informations suivantes. Cette étape a par objectif d'arriver à une compréhension plus fine du scénario.

   Nom du modèle : ....

   Argumentation du vendeur : ....

   Argumentation des clients : ....

   Par exemple : AX 4 portes, diesel, consommation minimale, bien mais trop chère.

4. Élargir les échanges en demandant aux élèves comment et où ils peuvent acheter un véhicule dans leurs pays respectifs.

5. Former des groupes de trois élèves et distribuer les petites annonces de la p. 216.

   Faire un tableau comme celui de la p. 37 du livre de l'élève de *Tempo 1*.

6. Faire rédiger chaque petite annonce en remplaçant les abréviations par des mots entiers.

7. Proposer un jeu de rôles :
   – Une personne répond à une des annonces et téléphone au vendeur.
   – Le vendeur argumente pour vendre son véhicule.
   – Le client lui pose des questions précises sur l'année, le nombre de kilomètres, etc.
   – Le vendeur répond à toutes ces questions.
   – Le client est intéressé mais essaie de négocier le prix qui est trop élevé à son goût.
   Laisser la fin du dialogue libre.

```
91 - 465.165                30 000 F
BX 16 E MILLESIME - Déc. 90 - mod.
91 - bleu sidéral métal - int. noir
velours - gl. électr. - gl. teint. - fermet.
électr. - alarme - direct. assist. - radio
K7 - amortiss., freins récents -
120 000 km - DURAND ☎ 01 46 31 24 12
8h00 18h00 BUR. - 01 46 53 27 13
Indiff. DOM.
```

```
94 - 467.541                23 000 F
R25 TS - Avr. 89 - bleu - int. beige
tissu - gl. teint. - direct. assist. - ap.
tête - banq. AR rabat. - 86 000 km -
SARINO ☎ 03 81 36 63 97 Indiff.
DOM.
```

```
95 - 987.627                25 000 F
PANDA - Déc. 93 - mod. 94 - blanc
verni - inj. électro. - pot cata. - appuie-
tête - boîte 5 - pré. équip. radio -
36 700 km compteur - MOREL
☎01 43 97 22 12 BUR - 01 34 11 60 48
ap. 19 h DOM.
```

```
91 - 467.989                29 500 F
XM V6 AMBIANCE - Août 89 - mod.
90 - gris métal - int. bleu velours -
ABS - siège électr. - suspension
hydrac. - radio K7 - anti-démar. - cli-
mat. - pns, batterie, amortiss., freins
récents - 121 000 km - DOUSSET ☎
01 64 12 78 47 PERM. DOM.
```

```
75 - 990.498                20 000 F
SUPER 5 D FIVE 3P - Mars 90 - gris
argent métal. verni - int. velours - gl.
teintées - essuie gl. AR - boîte 5 -
emb. 25 000 km - cardans, pot et
courroie de distrib. neufs - 145 000 km
- CANOT ☎ 01 43 56 87 64 DOM.
```

conduire. Moi, de toute façon elle me plaît.
– Vous pourriez nous reprendre notre voiture également ?
– Oui, bien sûr. Ça je vais vous faire… je vais vous faire une offre.
– D'accord.
– Si vous voulez bien me suivre dans mon bureau.
– Très bien.

CONSEILS... SUGGESTIONS... REMARQUES...

En France, vous pouvez acheter un véhicule chez un concessionnaire, chez un garagiste ou encore vous adresser à un particulier. Si vous voulez acheter une voiture d'occasion, vous pouvez passer par *La Centrale des particuliers* qui publie régulièrement un journal dans lequel on trouve une multitude de petites annonces.

Les principaux constructeurs français d'automobiles sont : Renault, Peugeot et Citroën.

La voiture qui plaît à la jeune femme est un 2 CV. Ce modèle n'est plus fabriqué par Citroën depuis quelques années. La 2 CV est maintenant considérée comme une voiture de collection, très recherchée par les amateurs de « vieilles » voitures.

Un « commercial » est un représentant d'une ou de plusieurs sociétés qui effectue des démarches de vente auprès d'acheteurs potentiels. Son réseau de vente est souvent réparti sur plusieurs régions, par exemple la région Rhône-Alpes. Par conséquent, il est sans cesse en déplacement en France ou à l'étranger. Quelques informations sur les abrévations utilisées dans les petites annonces :
– mod. : modèle
– int. : intérieur
– gl. : glaces
– inj. : injection
– hydrac. : hydractive
– pns : pneus

10. ET DEMAIN, VILLE-D'AVRAY ?

TRANSCRIPTION :

Et demain, Ville-d'Avray ?
Parler de l'avenir

– Bonjour. Comment allez-vous ?
– Bonjour. Bien, merci.
– Merci de me rencontrer. On va faire un petit point sur les prochaines élections.
– Oui, volontiers.
– Quel est votre parcours politique ?
– Je suis conseiller municipal depuis 83. Je suis arrivé comme un des tout derniers de la liste en 83 pour donner un coup de main à l'équipe qui montait en ligne.
– Est-ce votre première candidature à la mairie ?
– Oui bien sûr.
– Comment faire pour que Ville-d'Avray soit autre chose qu'une cité-dortoir à 20 km de Paris.
– Le gros effort à faire maintenant consiste à faire en sorte que la vie locale soit la plus active possible dans un cadre de vie qui soit valorisé au mieux, qui soit considéré par les habitants de Ville-d'Avray comme leur bien.
– Et bien, je vous propose d'aller voir quelques-uns de vos équipements !
– Volontiers !
– Le Colombier.
– Voilà. Nous voici donc au Colombier qui est la maison pour tous, qui est un peu un symbole de ce que nous voulons faire à Ville-d'Avray, c'est-à-dire réunir le maximum de gens pour qu'il y ait une vie locale active, réunir les personnes âgées, les jeunes.
– Que faire pour que les jeunes qui habitent Ville-d'Avray puissent y rester et continuer de profiter de ses équipements ?
– Il faut absolument que la population de la commune reste équilibrée entre toutes les générations. C'est pour ça d'ailleurs que la liste que je vais conduire s'appellera « Ville-d'Avray ensemble ». C'est « Ville-d'Avray ensemble » parce que nous animerons la commune ensemble, en diffusant les responsabilités au niveau de la population à tous ceux qui le souhaitent.

– C'est peut-être l'un des plus beaux endroits de la région, n'est-ce pas ?
– Pourquoi peut-être ? Certainement !
– Le cadre de vie c'est sûrement l'un des principaux enjeux de cette campagne. Concrètement, qu'allez-vous proposer ?
– Nous avons encore des progrès à faire comme toutes les communes de la région parisienne, en matière de transports notamment et c'est à partir du moment où l'ensemble de

OBJECTIFS :
Parler de l'avenir.

FICHE FLASH ≈ 45 MINUTES

1. Amener les apprenants à émettre des hypothèses sur le sujet traité dans le film, à partir de son titre « Et demain, Ville-d'Avray ? ».

   Accepter toutes les réponses justifiées.

2. Présenter le vocabulaire suivant : faire le point sur, un parcours, donner un coup de main, monter en ligne, une cité-dortoir.

   Soit vous distribuez cette liste avant le cours et vous donnez aux élèves la consigne de rechercher dans un dictionnaire la signification de chacun de ces mots puis de les réutiliser dans des phrases ; soit vous les écrivez au tableau et vous les expliquez en essayant de faire deviner leur signification.

   Vous pouvez ensuite proposer les exercices de réemploi ci-dessous qui consistent à retrouver les mots manquants :

   ### Niveau élémentaire :
   a. Pendant la réunion de lundi, nous .... les actions commerciales.

   b. Après le dîner, Paul .... à sa mère.

   c. Cette femme a suivi .... professionnel exceptionnel.

   d. Un régiment de cavalerie .... et charge.

   e. Marie et Jérôme habitent dans .... C'est tellement triste pendant la journée et bruyant pendant le week-end qu'ils veulent déménager pour s'installer dans le centre-ville.

   ### Niveau intermédiaire :
   Photocopier la première partie de la transcription jusqu'à « Le Colombier » et effacer les mots cités en 2.

3. Projeter la première partie du document jusqu'à « Le Colombier ».

   Faire identifier la fonction des deux personnages : un journaliste et un conseiller municipal.

   Demander aux élèves dans quel type d'émission télévisée et à quelle occasion on pourrait intégrer ce genre de document vidéo. Donner, si c'est nécessaire, une liste d'émissions : une émission de variétés, un film, un journal télévisé, un feuilleton, un reportage, etc.

4. Si vous avez proposé la transcription et la recherche des mots effacés, vous pouvez alors procéder à la correction de l'exercice.

5. Demander maintenant aux élèves d'imaginer « Le Colombier ». Est-ce un monument ancien ou moderne ? À quoi peut-il servir ?

6. Les suppositions émises seront vérifiées par le visionnement de la suite du document jusqu'à « ...à tous ceux qui le souhaitent. »

7. Distribuer la transcription qui correspond à la deuxième partie du document de « Voilà... » jusqu'à « ... à tous ceux qui le souhaitent. » Il s'agira ici de travailler sur un relevé systématique du champ lexical se rapportant à la communauté : la maison pour tous, réunir le maximum de gens, une vie locale, réunir des personnes âgées, la population de la commune, toutes les générations, ensemble, commune ensemble, à tous ceux.

   À partir de ces détails, demander aux élèves quelle est, d'après eux, la phrase-clé illustrant la politique de Ville-d'Avray.

8. Passer la fin du film. Vous pouvez demander aux élèves ce qu'ils pensent du cadre de vie de Ville-d'Avray. D'après ce que l'on peut voir, est-ce une ville agréable ?

Enfin, vérifier la compréhension globale de ce passage en posant les questions suivantes : quel est l'enjeu des prochaines élections ? Dans quel domaine les communes parisiennes doivent-elles faire des progrès ?

9. À l'issue de cette étude, regrouper les élèves par deux et leur demander de créer une affiche de campagne électorale qui devra impérativement reprendre les grandes lignes politiques du candidat interviewé : une vie locale active, un cadre de vie valorisé et un équilibre entre toutes les générations.

ces problèmes seront pris en compte que... un cadre comme celui-là pourra vraiment être préservé par une population qui pourra y développer une vie locale active.

CONSEILS... SUGGESTIONS... REMARQUES...

Qu'est-ce qu'un conseiller municipal ? C'est un des adjoints au maire ; il est élu pour six ans par les électeurs de la municipalité.

Les expressions avec le mot « point » sont très nombreuses en français :
– mettre au point : régler ;
– partir à point : au moment opportun ;
– cuire à point : entre saignant et bien cuit, etc.

Vous pouvez proposer quelques-unes de ces expressions dont les élèves sont bien souvent avides.

Une vie d'étudiant
Parler de sa vie quotidienne

– On est en pleine campagne ici.
– Donc tu vois là, on est devant les bâtiments de la plus prestigieuse école de commerce de France. Et ton concours au fait ?
– Bon, pour l'instant je travaille dur mais… j'espère que j'aurai de la chance.
– Ouais, j'espère aussi. On va voir les bâtiments ?
– O.K.
– Donc tu vois, ça c'est un cours de marketing.
– Et d'habitude, il y a des cours plus grands ?
– Ben non les cours sont toujours… enfin généralement ils sont comme ça : des groupes de 30 ou 40 personnes.
– Et normalement, tu travailles le matin, le soir ?
– On travaille… enfin en cours on travaille le matin et l'après-midi.
– D'accord. Et parfois tu travailles le samedi ?
– Non, non non jamais. Là, ça va être l'heure de la pause. Si tu veux on prend un café.
– O.K.
– On y va ?
– Ils sont tous tes amis.
– Ouais, j'en connais pas mal.
– Salut Christophe !
– Tiens, et un !
– Tu me présentes ?
– Xavier.
– Salut !
– Je te présente Anouchka, elle est anglaise.
– Ah ! Et tu viens d'où en Angleterre ?
– De Londres.
– Ah ! O.K.
– Mais là je prépare mon concours d'entrée, je veux venir l'année prochaine.

OBJECTIFS :
Parler de sa vie quotidienne.

FICHE FLASH   ≈ 30 MINUTES

1. Visionner le film sans le son, puis amener les élèves à faire des suppositions sur les personnages : le ou les sujets de leur conversation, le ou les lieux où ils se trouvent, etc.
2. Vérifier toutes ces suppositions en passant le film avec le son.
3. Proposer aux élèves de compléter, avec les informations dont ils disposent, le questionnaire ci-dessous. Dans un premier temps, ils feront cette activité individuellement, puis ils confronteront leurs réponses par groupes de deux, puis par groupes de quatre :
   a. Que savez-vous sur la jeune fille ?
   b. Que savez-vous sur le jeune homme ?
   c. Quelles informations avez-vous retenues sur le fonctionnement de l'école ?
4. Comme activité complémentaire, vous pouvez proposer à vos élèves de parler de leur vie quotidienne en tant qu'étudiants (ou lorsqu'ils étaient étudiants) : quels sont leurs emplois du temps ? Où vivent-ils ? Quelles sont leurs activités ? etc.

– Ah ! On aura la chance de te voir alors, pendant un an.
– Oui, j'espère… j'espère.
– J'espère.

– Donc là c'est les bâtiments où logent tous les élèves. On est par chambre individuelle et puis… mélangés comme on veut. Chacun choisit sa chambre avec les gens qu'il veut.
– Ah ! Oui. Et normalement tu restes ici le week-end ?
– Oui… je reste ici le week-end, en fait assez rarement. Mais… comme en ce moment j'ai un petit peu de travail, il m'arrive de rester plus souvent.

– Et tu manges ici tous les jours ?
– Je mange ici deux fois par jour oui, le midi et le soir.
– Et c'est bon ?
– C'est assez bon tu vas voir, on va y goûter.
– Et qu'est-ce qu'on fait après le déjeuner ?
– Ben ensuite, on ira au cinéma si tu veux.
– O.K.

12. RENDEZ-VOUS

TRANSCRIPTION :
Rendez-vous
Proposer, accepter, refuser

– Allô ! Ne quittez pas s'il vous plaît, je vais voir s'il est dans son bureau. Excusez-moi, j'ai Monsieur Antoine Volé pour vous au téléphone. Ça fait trois fois qu'il appelle depuis ce matin et en plus il a dit qu'il vous avait déjà rencontré lors d'un séminaire, je crois à Los Angeles et vraiment il insiste là. Qu'est-ce que je

OBJECTIFS :
Proposer, accepter, refuser.

FICHE FLASH   ≈ 30 MINUTES

1. Demander aux élèves de réfléchir à ce qu'ils font, ce qu'ils disent quand ils ne veulent pas rencontrer quelqu'un. Quelles sont les raisons qui les

poussent à refuser ? Inversement, que font-ils quand ils proposent un rendez-vous à quelqu'un et que cette personne le refuse ?

2. Passer le film dans sa totalité puis poser des questions pour vérifier la compréhension globale du document : qui sont les trois personnes ? Quelles sont leurs fonctions ? etc.

3. Avant de repasser le film et de travailler plus spécifiquement sur la prise de rendez-vous, proposer aux élèves de prendre connaissance du schéma suivant : comment Antoine Volé établit-il le contact avec M. Ricaud ? Quelle est sa demande ? Pourquoi veut-il rencontrer M. Ricaud ? Quel est le motif avancé par M. Ricaud pour refuser la rencontre ? Que fait A. Volé pour insister ? Quel est le second motif du refus ? A. Volé insiste encore : que dit-il ? Quelle est la réaction de M. Ricaud ?

4. Demander aux élèves de relever tous les éléments non linguistiques, l'intonation des voix, les gestes qui informent sur l'intention de communication des deux interlocuteurs.

5. Proposer aux élèves un jeu de rôles à partir du canevas suivant :
   – X prend contact et formule sa demande ;
   – Y refuse ;
   – X insiste ;
   – Y refuse ;
   – X insiste ;
   – Y refuse ou accepte ;
   – X prend congé.
Chaque élève prend connaissance du canevas. Vous attribuez à chacun d'entre eux un chiffre ou une lettre. Vous formez les groupes en tirant au sort deux chiffres ou deux lettres. Chaque groupe aura deux ou trois minutes pour se mettre d'accord sur le contexte et s'attribuer les rôles pour mettre en scène la prise de rendez-vous.

dois faire ? Je dois vous le passer ?
– Bon... ben passez-le moi.
– Allô !
– Oui, allô Monsieur Ricaud ? Oui, bonjour monsieur... voilà, c'est Antoine Volé du cabinet Montfort. Je ne sais pas si vous vous rappelez de moi...
– Non, je ne me rappelle pas, non.
– Ben je vais vous resituer un petit peu l'affaire : on s'était rencontré au séminaire de Los Angeles, il y a peu de temps et je vous avais un petit peu parlé des études de marché qu'on réalisait sur plusieurs pays.
– Oui, écoutez je regrette mais j'arrive de voyage et je n'ai vraiment pas beaucoup de temps à vous consacrer.
– Est-ce que vous voulez vous développer en fait sur le territoire du cosmétique, notamment au niveau du Canada par exemple ? Parce qu'on a justement une étude...
– Oui mais sur le Canada on a des choses, on est installé donc on n'a pas de besoins à ce niveau-là.
– Ah ! Le Canada ça ne vous... ça ne vous intéresse pas donc ? D'accord... parce que justement... bon ben écoutez tant mieux pour vous. Moi, je vous propose quelque chose d'autre qu'on a fait assez récemment, qui vient d'être bouclé...
– Vous pouvez m'envoyer une plaquette à l'attention de ma secrétaire ? Et puis on vous rappelle...
– D'accord, mais écoutez... est-ce que vous voulez vous développer sur l'Afrique du Sud ? Parce qu'on a un réseau assez développé nous. Je ne sais pas si ça peut vous intéresser...
– Vous avez des choses sur l'Afrique du Sud, vous me dites.
– On a une structure sur place d'environ vingt personnes et notamment des contacts avec la chambre de commerce de Johannesburg...
– Envoyez-moi donc votre étude et... on vous recontacte !
– Mais comprenez-moi, une étude de marché par fax... bon, elle est assez importante, elle fait quand même un peu... ben 70 pages ! Ce que je préférerais faire c'est, par exemple, passer...
– Écoutez, ce n'est absolument pas possible.
– ... je vous présente le dossier, je n'en ai pas pour longtemps, je vous élague un petit peu le sujet et après vous pourrez tranquillement examiner le... tout le dossier, tranquillement, aux heures qui vous conviennent.
– Bon, quand est-ce que vous pouvez venir alors ?
– Que diriez-vous de jeudi ?
– Jeudi.
– 14 h 30 ?
– Entendu. Ben... je ne pourrai vous accorder qu'un quart d'heure, ça ira hein ? Entendu, je vous attends jeudi, alors au revoir.

Le minitel
Donner des informations sur quelque chose

– Bonjour monsieur. Vous désirez un renseignement ?
– Oui s'il vous plaît, sur le nouveau minitel Magis.
– Et bien, si vous voulez bien me suivre, je vais vous faire une démonstration. Vous venez avec moi ? Donc voici le nouveau minitel Magis, le minitel nouvelle génération qui a été pensé, dessiné par France Telecom et qui intègre un haut-parleur pour les services « audiotel ».
– Il existe en plusieurs couleurs ?
– Bien sûr, indigo comme celui-ci, gris anthracite. En fait, pour être exact, six couleurs. Il a été conçu aussi pour s'intégrer dans tous types d'intérieurs.
– Les enfants peuvent s'en servir ?
– Exactement. Il suffit de savoir lire et ensuite il suffit de composer… d'appuyer sur « Appel/Fin », de composer le numéro et le reste se fait tout seul. Bon, ils auront aussi la possibilité de se servir de la loupe pour agrandir une des zones de l'écran, tout simplement.
– Et à quoi sert cette fente ? C'est pour la carte de crédit ?
– Exactement, c'est pour la carte de crédit et aussi pour la carte Magis, celle-ci, qui va vous servir donc de répertoire et aussi de clé de déverrouillage. Comme ceci.
– Mais qu'est-ce que je pourrai faire avec ma carte bleue ?
– Alors vous allez pouvoir affecter tous les paiements comme les réservations d'hôtel, les réservations de billets de train. En fait, toutes les transactions qui nécessitent l'utilisation d'une carte bleue, d'une carte bancaire.
– Je pourrai aussi payer des commandes par correspondance, choisies sur catalogue ?
– Bien sûr, tout à fait. Surtout ce type de services va devenir le service le plus simple et le plus sûr pour ce genre de transactions, dans les mêmes conditions de sécurité que chez un commerçant avec votre carte bleue et le code secret de quatre chiffres.
– C'est très intéressant. Mais ce nouveau système n'est pas fragile au moins ?
– Absolument pas. Il faut surtout penser à bien le préserver des récipients qui pourraient se renverser dessus et aussi penser à bien dégager l'aération latérale.
– D'accord. Et bien je passerai ce soir en prendre un après le travail. Pas d'autres recommandations ?
– Non, puisque vous aurez la possibilité d'utiliser le mode d'emploi électronique qui est intégré, qui vous permettra donc d'avoir plus de renseignements sur ce minitel.
– Merci beaucoup monsieur, à ce soir.
– Bonne fin de journée monsieur, au revoir.
– Au revoir.

OBJECTIFS :
Donner des informations sur quelque chose.

FICHE FLASH ≈ 30 MINUTES

1. Demander aux élèves de quels documents ils se servent lorsqu'ils cherchent une adresse ou le numéro de téléphone d'une personne.
2. Passer le film dans sa totalité puis vérifier la compréhension globale : que veut acheter le jeune homme ? D'après vous, qu'est-ce qu'un minitel ? Laisser les élèves faire des suppositions mais ne pas leur apporter tout de suite la bonne réponse.
3. Leur distribuer la fiche ci-dessous et leur demander de la compléter individuellement lors de la deuxième projection du document.
Il s'agit d'identifier plus précisément l'objet dont il est question :
a. Nom du minitel : ………
b. Coloris : ………
c. À quoi sert-il ? ………
d. Comment s'en servir ? ………
e. Qui peut s'en servir ? ………
Les élèves comparent entre eux les informations qu'ils ont pu récupérer et complètent leur fiche.
4. Vérifier leurs réponses en projetant de nouveau le film.
5. Leur proposer de travailler par groupes de deux et d'imaginer soit une affiche publicitaire qui vante les mérites de Magis, soit un prospectus.

CONSEILS… SUGGESTIONS… REMARQUES…

France Télécom : compagnie française de télécommunications. C'est un établissement de droit public qui détient pour l'instant le monopole des télécommunications en France (jusqu'en janvier 1998).
Minitel : nom de la gamme de terminaux commercialisés par France Télécom, qui permettent de consulter l'annuaire électronique et les services Télétel donnant accès à différents services (banque, météo, horaires, etc.). Il existe plusieurs modèles de minitel. Le minitel Magis est équipé d'un système de carte à puce offrant la possibilité d'effectuer des achats par carte bancaire.

OBJECTIFS :
Exprimer son opinion.

FICHE FLASH ≈ 45 MINUTES

1. Projeter le film jusqu'à la fin de la présentation de la bibliothèque par la journaliste.

Demander aux élèves de compléter la fiche signalétique du bâtiment dont il est question :
– Nom : ....
– Date d'ouverture : ....
– Initiateur du projet : ....
– Motifs : ....
– Utilité : ....
– Coût des travaux : ....
– Critiqué pour : ....

2. Passer le reste du film et proposer aux élèves de relever les différentes façons de demander à quelqu'un son opinion.
– Est-ce que vous êtes pour ou contre… ?
– Quel est votre avis sur… ?
– Que pensez-vous de… ?
– Êtes-vous d'accord avec… ?

3. Faire identifier les personnes interrogées : homme ou femme ; âge ; type d'activité.

4. Faire visionner à nouveau le document en faisant compléter les grilles suivantes :

a. Dites si l'opinion exprimée est positive ou négative :

interview	1	2	3	4	5	6	7
positive							
négative							

b. Identifiez les opinions positives et négatives entendues et portez le numéro de la personne interviewée en face de l'expression utilisée :

expressions utilisées	opinion positive	opinion négative
Cela sera un excellent outil de travail.		
Le projet est contesté.		
C'était tout à fait indispensable.		
Je ne suis pas certain que ça soit vraiment une solution fantastique.		
Il aurait mieux valu…		
C'est tout de même une très belle réalisation.		
Ce n'est pas extraordinaire.		
Je suis pour…		
C'est une très belle idée.		

La Très Grande Bibliothèque
Exprimer son opinion

– La nouvelle bibliothèque nationale de France ouvrira ses portes au grand public en 1997. Achevé en sept ans, c'est le plus monumental des grands travaux lancés sous la présidence de François Mitterrand. Capable d'accueillir plus de lecteurs et plus d'ouvrages que l'ancienne, cette bibliothèque ne fait pourtant pas l'unanimité. Certains critiquent son coût, de sept milliards de francs, son architecture, quatre tours hautes de quatre-vingts mètres, et son organisation. Est-ce que vous êtes pour ou contre la construction d'une grande bibliothèque nationale de France ?

– Moi, je suis pour. Je suis pour parce que vu notre passé littéraire, c'est très important que tout ça puisse être parfaitement conservé.

– Bonjour !

– Bonjour !

– Quel est votre avis sur la nouvelle bibliothèque nationale de France ?

– Et bien écoutez, j'ai eu l'occasion de la visiter très récemment et je pense que cela sera un excellent outil de travail.

– Que pensez-vous de la nouvelle bibliothèque nationale de France ?

– À mon avis, le président de la République s'est offert un petit caprice et même au point de vue architectural, le projet est contesté.

– Êtes-vous d'accord avec la construction de la nouvelle bibliothèque nationale de France ?

– Pas encore d'opinion bien que mes amis me disent que c'est mauvais pour les livres, qu'ils vont être abîmés par les vitres et qu'il aurait mieux valu mettre les livres en sous-sol et les lecteurs en étage.

– Sur un plan architectural, je crois que toute la profession est assez d'accord pour reconnaître que ce n'est pas… que ce n'est pas extra-ordinaire. En tout cas, c'est tout de même une très très belle réalisation.

– Quel est votre avis sur la nouvelle bibliothèque nationale de France ?

– Oui ben je crois que cette nouvelle bibliothèque était tout à fait indispensable. Il suffit d'aller voir toutes les autres bibliothèques de Paris qui sont complètement bondées, pleines à craquer…

– Que pensez-vous de la nouvelle bibliothèque nationale de France ?

– C'est une très belle idée de vouloir faire accéder tout le monde à tous les livres mais je ne suis pas certain que ça soit… ça soit vraiment une solution fantastique. Ceci dit, il est certain que moi, si j'y accède, j'en profiterai, c'est sûr. Probablement mon fils aussi quand il aura l'âge.

14. LA TRÈS GRANDE BIBLIOTHÈQUE (suite)

5. Demander aux élèves ce qu'ils pensent de l'architecture de cette nouvelle bibliothèque, puis élargir le débat en leur proposant d'exprimer leur opinion sur une construction actuelle ou ancienne qui ne fait pas l'unanimité du public. Vous pouvez aussi apporter des photos ou projeter des diapositives d'autres monuments qui ont été ou qui sont controversés : la tour Eiffel, la pyramide du Louvre, les colonnes de Buren, etc.

CONSEILS... SUGGESTIONS... REMARQUES...

La Bibliothèque nationale de France (BNF) se situait à proximité des jardins du Palais-Royal. Ses nouveaux bâtiments se trouvent sur la rive gauche de la Seine, à la hauteur du pont de Tolbiac. Baptisée « La Très Grande Bibliothèque » (TGB), elle est associée à l'image de l'ancien président de la République, François Mitterrand.

Les grands travaux : sous la présidence de François Mitterrand, une série de grands travaux ont été entrepris à Paris : les colonnes de Buren ; le Grand Louvre et sa pyramide ; l'Arche de la Défense ; l'Opéra Bastille.

15. VACANCES À MARRAKECH

OBJECTIFS :
Raconter.

FICHE FLASH ≈ 30 MINUTES

1. Projeter le film puis vérifier la compréhension globale des élèves : où sont les deux jeunes femmes ? De quoi parlent-elles ? Où iront-elles après le thé ?

2. Donner aux élèves la liste, en désordre, des questions posées par la jeune femme brune à son amie. Leur demander de les remettre dans l'ordre :
   - Vous aviez quel genre d'emploi du temps ?
   - C'est un voyage que vous aviez préparé un petit peu ?
   - Vous étiez à l'hôtel ?
   - Depuis quand vous êtes rentrés ?
   - Vous étiez où ?
   - Tout s'est bien passé ?
   - Et vous avez fait des excursions en dehors de Marrakech ?
   - Vous êtes restés combien de temps ?

3. Proposer ensuite la liste d'affirmations suivantes :

	Vrai	Faux
a. La jeune femme était seule en vacances :	☐	☐
b. C'était un voyage préparé depuis longtemps :	☐	☐
c. Le voyage s'est bien passé :	☐	☐
d. Elle est restée à l'hôtel :	☐	☐
e. Il faisait très chaud :	☐	☐
f. Elle est rentrée il y a cinq jours :	☐	☐

4. La jeune femme brune rentre chez elle et raconte à une personne de son choix le voyage de son amie à Marrakech. Demander aux élèves d'imaginer son récit soit à l'oral, soit à l'écrit.

CONSEILS... SUGGESTIONS... REMARQUES...

Marrakech : une des villes impériales du Maroc. Elle est située dans le Haut-Atlas. Cette ville, établie sur un site naturel magnifique, entourée de palmeraies, est un centre commercial et touristique.

TRANSCRIPTION :

Vacances à Marrakech
Raconter

- Salut !
- Salut Annie. Comment tu vas ?
- Ça va bien. Excuse-moi, je suis un peu en retard parce que je suis allée chercher mes photos du Maroc. Tu veux les voir ?
- Oui, volontiers. Vous étiez où ?
- On était à Marrakech.
- Vous êtes restés combien de temps ?
- On est resté huit jours en tout.
- Super ! Vous étiez à l'hôtel ?
- On était à l'hôtel Mamounia, tu sais cet hôtel génial.
- Vous aviez quel genre d'emploi du temps ?
- Écoute, le matin on prenait le temps, on allait dans la médina et puis l'après-midi, on faisait la sieste. Et puis le soir, on louait un fiacre et puis on se baladait dans la palmeraie. C'était un peu l'emploi du temps assez régulier finalement.
- Et vous avez fait des excursions en dehors de Marrakech ?
- Oui, oui on en a fait une dans la vallée de l'Ourika. On est parti un matin. C'était... ça c'était assez extraordinaire parce qu'il ne faisait pas si chaud que d'habitude, et puis on a passé toute la matinée là-bas. Et puis c'est un endroit qui est très vert, tu sais ce qui est rare au Maroc. Et ça c'était assez exceptionnel.
- Voici vos jus d'orange.
- Merci.
- Merci.
- C'est un voyage que vous aviez préparé un petit peu ?
- Non, on s'est décidé trois jours avant de partir...
- Tout s'est bien passé ?
- Oui, en fait tout sauf le voyage, tu vois. On était déjà dans l'avion et ils nous ont annoncé une grève surprise des aiguilleurs et alors là, c'était interminable ! On a attendu une heure. Et ça c'était... c'était pénible, tu sais ça a un peu gâché le voyage.
- Depuis quand vous êtes rentrés ?
- Écoute, ça fait cinq jours maintenant.
- Tu sais, je crois qu'il faudrait qu'on y aille parce qu'il est déjà quatre heures et demie, puis c'est à cinq heures en fait le film.
- Ah ! Oui dis donc...
- Ouais, on y va ?
- Tu sais, je crois qu'on va prendre ma voiture, ça ira plus vite.
- Ah ! Oui, ben O.K., oui.

Achevé d'imprimer en France par l'imprimerie Hérissey - Évreux - N° : 95908 - Dépôt légal : novembre 2003 - 4426/07